Aspekte|neu

Mittelstufe Deutsch

Lehrbuch 2 mit DVD

von
Ute Koithan
Helen Schmitz
Tanja Sieber
Ralf Sonntag

Filmseiten von Ralf-Peter Lösche und Ulrike Moritz

Ernst Klett Sprachen
Stuttgart

Von: Ute Koithan, Helen Schmitz, Tanja Sieber, Ralf Sonntag
Filmseiten von: Ralf-Peter Lösche und Ulrike Moritz

Redaktion: Annerose Remus in Zusammenarbeit mit Cornelia Rademacher
Layout: Andrea Pfeifer
Zeichnungen: Daniela Kohl
Umschlaggestaltung: Studio Schübel, München (Foto Rose: studioschübel.de; Foto Kirchenfenster: Beverley Grace – Fotolia.com)
Schnitt und Programmierung: Florian Baer, Plan 1, München

Verlag und Autoren danken Harald Bluhm, Ulrike Moritz und Margret Rodi für die Begutachtung sowie allen Kolleginnen und Kollegen, die *Aspekte | neu* erprobt und mit wertvollen Anregungen zur Entwicklung des Lehrwerks beigetragen haben.

Aspekte | neu 2 – Materialien	
Lehrbuch mit DVD	605024
Lehrbuch	605025
Audio-CDs zum Lehrbuch	605029
Arbeitsbuch mit Audio-CD	605026
Lehr- und Arbeitsbuch 2 mit Audio-CD, Teil 1	605027
Lehr- und Arbeitsbuch 2 mit Audio-CD, Teil 2	605028
Lehrerhandbuch mit digitaler Medien-DVD-ROM	605030
Intensivtrainer	605031

www.aspekte.biz
www.klett-sprachen.de/aspekte-neu

Symbole im Lehrbuch

1.2 Hören Sie auf der CD 1 zum Lehrbuch Track 2.

▶ Ü 1 Hierzu gibt es eine Übung im gleichen Modul im Arbeitsbuch.

Rechercheaufgabe

In einigen Ländern ist es nicht erlaubt, in das Lehrbuch hineinzuschreiben. Wir weisen darauf hin, dass die in den Arbeitsanweisungen formulierten Schreibaufforderungen immer auch im separaten Schulheft erledigt werden können.

1. Auflage 1 5 4 3 | 2018 17

Erstausgabe erschienen 2015 bei Klett-Langenscheidt GmbH, München.

Satz und Repro: Satzkasten, Stuttgart
Gesamtherstellung: Print Consult GmbH, München

ISBN 978-3-12-605024-1

Inhalt

Heimat ist … 1

Sprich mit mir! 2

Inhalt

Wer Wissen schafft, macht Wissenschaft 5

Fit für … 6

Inhalt

Kulturwelten 7

Das macht(e) Geschichte 8

Mit viel Gefühl ... 9

Ein Blick in die Zukunft 10

Anhang:

Heimat ist ...

G

Sie lernen

Modul 1 | Einen Text über Erfahrungen beim Auswandern verstehen

Modul 2 | Informationen über die Vielsprachigkeit in der Schweiz verstehen und einen Forumsbeitrag schreiben

Modul 3 | Über Erfahrungen bei einem interkulturellen Rollenspiel sprechen

Modul 4 | Einen Radiobeitrag über Einwanderung und Integration verstehen

Modul 4 | Einen Kommentar zu einem Integrationsprojekt schreiben

Grammatik

Modul 1 | Wortstellung im Satz

Modul 3 | Negation

▶ AB Wortschatz

1a Sehen Sie die Fotos an. Was haben sie mit dem Begriff „Heimat" zu tun? Sprechen Sie im Kurs.

b Was würden Sie fotografieren, um Ihre Vorstellung von Heimat darzustellen? Notieren Sie drei Fotoideen.

c Stellen Sie Ihre Fotoideen vor und begründen Sie Ihre Auswahl.

Wenn ich Schnee und Berge sehe, denke ich an meine Heimat. Deswegen würde ich den Winter in den Bergen fotografieren.
Wenn ich frisch gebackenen Kuchen rieche, denke ich sofort an meine Kindheit. Aus diesem Grund ...

2a Lesen Sie die Zitate. Welches gefällt Ihnen am besten? Warum?

Heimat ist kein Ort, Heimat ist ein Gefühl. (Herbert Grönemeyer)
Heimat ist nicht dort, wo man herkommt, sondern wo man sterben möchte. (Carl Zuckmayer)
Heimat ist da, wo ich verstehe und verstanden werde. (Karl Jaspers)

b Kennen Sie ähnliche Zitate aus Ihrem Land?

3 Welches Gefühl kennen Sie besser: Heimweh oder Fernweh? Erzählen Sie.

Neue Heimat

1 **Auswandern. Was macht man in der alten Heimat? Was in der neuen Heimat? Was muss man noch machen? Diskutieren Sie im Kurs.**

Visum beantragen | Wohnung auflösen | neue Kontakte knüpfen | sich von Freunden verabschieden | Nachmieter finden | Zeugnisse übersetzen lassen | Mietvertrag unterschreiben | Auto verkaufen | Handyvertrag kündigen | Konto eröffnen | neue Stelle suchen | Arbeitsvertrag unterschreiben | …

2a **Lesen Sie den Blog und notieren Sie Stichwörter zu den Punkten „Beruf", „neuer Wohnort" und „Grund für den Umzug". Vergleichen Sie dann mit einem Partner / einer Partnerin.**

Mein Glück in der neuen Heimat

geschrieben am 17. Dezember von Ella Australia

Soll ich das wirklich riskieren? Mein gewohntes Leben aufgeben, den Job kündigen, Familie und Freunde verlassen und in einem anderen Land komplett neu anfangen? Ich habe es gewagt! Ich bin letztes Jahr aus Liebe ziemlich spontan nach Australien ausgewandert.
Eigentlich bin ich gar kein so besonders abenteuerlicher Typ. Aber als ich vor zwei Jahren zufällig diesen netten Typen während meines Urlaubs kennengelernt hatte und mich nicht nur in Australien, sondern auch in David verliebt hatte, beschloss ich, mein Leben komplett zu ändern und auszuwandern. Das war ganz schön aufregend. Ich musste so viel erledigen! Ich musste mich um ein Visum kümmern, meine Zeugnisse übersetzen lassen, meine Wohnung auflösen usw.
In meinem Job war ich eigentlich zufrieden und es fiel mir nicht leicht zu kündigen. Auch der Abschied von Freunden und Familie war natürlich traurig. Als ich dann sechs Monate nach dem Urlaub wieder aufgeregt im Flugzeug saß, habe ich mich aber auf mein neues Leben gefreut.
Der Anfang in einem neuen Land ist allerdings ganz schön schwierig. Ich kannte niemanden außer David, musste mir eine Arbeit suchen und eine Arbeitserlaubnis zu bekommen, war schwieriger, als ich gedacht hatte. Ich hatte ziemlich großes Heimweh. Leider war die Beziehung mit David auch ziemlich schnell wieder zu Ende. Wir haben uns einfach zu oft gestritten. Aber ich habe nicht aufgegeben und zum Glück irgendwann eine Stelle als Grafikerin in einer großen Agentur gefunden und bei der Wohnungssuche hat mir netterweise ein Bekannter geholfen.
Meine Entscheidung habe ich nie bereut. Ich habe die Erfahrung gemacht, dass man einfach Zeit braucht, um sich in einem fremden Land einzuleben. Es ist aber ein tolles Gefühl, es zu schaffen. So eine Auslandserfahrung erweitert einfach den Horizont. Man lernt die Kultur eines anderen Landes kennen und erfährt dadurch auch viel über sich selbst und die eigene Kultur.
Am Anfang hatte ich trotz vieler Jahre Englischunterricht in der Schule Probleme mit der Sprache, aber mittlerweile ist mein Englisch richtig gut. Außerdem ist das Leben hier wirklich angenehm. Das Wetter, das Meer und die Landschaft sind einfach super. Überraschend war für mich, dass das Leben hier lockerer als in Deutschland ist. Die Leute sind nicht immer so gestresst und ich habe schnell viele neue Freunde gefunden. In Deutschland dauert das ja oft ein bisschen länger …
Natürlich skype ich auch jetzt noch oft stundenlang mit alten Freunden in Deutschland. Aber es ist besser als am Anfang. Da konnte ich oft an nichts anderes denken und habe täglich mehrere SMS und E-Mails nach Deutschland geschickt, jetzt schreibe ich meinen Eltern einmal pro Woche eine längere E-Mail. Es ist nicht immer einfach, so weit weg zu sein. Und ich warte seit Monaten sehnsüchtig auf den Besuch meiner besten Freundin. Auch wenn ich wirklich gut Englisch spreche, kann ich trotzdem nicht immer ganz genau das ausdrücken, was ich denke oder fühle. Da tut es einfach gut, zwischendurch mal in der eigenen Sprache zu sprechen. ☺

b **Welche Erfahrungen empfindet Ella eher als positiv, was eher als negativ? Erstellen Sie eine Tabelle.**

3 Waren Sie schon einmal länger im Ausland? Berichten Sie von Ihren Erfahrungen.

Ich habe ähnliche Erfahrungen wie Ella gemacht. Ich war für ein Jahr …

▶ Ü 1

4 Wortstellung im Satz

a Angaben im Mittelfeld. Ordnen Sie den Angaben die richtige Bezeichnung zu und ergänzen Sie die Faustregel.

kausal (Warum?)	**lo**kal (Wo?/Wohin?/Woher?)	~~**te**mporal (Wann?)~~	**mo**dal (Wie?)

G

Angaben im Mittelfeld

Für die Reihenfolge der Angaben im Mittelfeld gibt es keine festen Regeln. Ein Satz nach dieser Faustregel ist aber immer richtig:

MITTELFELD

Ich	*bin*	*letztes Jahr*	*aus Liebe*	*ziemlich spontan*	*nach Australien*	*ausgewandert.*
1	**2**	*temporal (Wann?)*				**Ende**

→ Merkformel: *te* - ____ - ____ - ____

Wenn man eine Angabe besonders betonen möchte, kann man sie auf Position 1 stellen. Dann steht das Subjekt direkt hinter dem Verb. Die Reihenfolge der übrigen Angaben bleibt gleich:

Aus Liebe bin ich letztes Jahr ziemlich spontan nach Australien ausgewandert.

b Ergänzungen und Angaben im Mittelfeld. Markieren Sie die Dativ- und Akkusativergänzungen in den Sätzen. Wo stehen sie? Ergänzen Sie die Regel mit *vor* oder *hinter*.

1. Ein Bekannter hat Ella letztes Jahr netterweise bei der Wohnungssuche geholfen.
2. Ella hat täglich mehrere SMS und E-Mails nach Deutschland geschickt.
3. Ella schreibt ihren Eltern einmal pro Woche aus Australien eine längere E-Mail.

Ergänzungen und Angaben im Mittelfeld

Wenn es Angaben und Ergänzungen gibt, steht die Dativergänzung meistens ________ der temporalen Angabe. Die Akkusativergänzung steht ________ den temporalen, kausalen und modalen Angaben und ________ oder ________ der lokalen Angabe.

▶ Ü 2–5

c Präpositionalergänzungen. Lesen Sie die Sätze und kreuzen Sie an: Wo stehen Präpositionalergänzungen normalerweise?

1. sich verlieben in: Ella hat sich während eines Urlaubs in David verliebt.
2. denken an: Ella hat am Anfang ständig an ihre Freunde in Deutschland gedacht.
3. warten auf: Ella wartet seit Monaten sehnsüchtig auf den Besuch ihrer besten Freundin.

Präpositionalergänzungen stehen normalerweise ☐ am Anfang ☐ am Ende des Mittelfelds.

▶ Ü 6

5 Schreiben Sie einen Satz mit Ergänzungen und Angaben auf einen Zettel. Zerschneiden Sie den Satz in Satzglieder, mischen Sie die Zettel und geben Sie sie an einen Partner / eine Partnerin weiter. Er/Sie bringt die einzelnen Zettel wieder in eine korrekte Reihenfolge.

▶ Ü 7

6 Jemand möchte in Ihr Land auswandern. Was sollte er/sie wissen? Notieren Sie wichtige Informationen (Arbeit, Wohnen, Essen, Kontakte …) und präsentieren Sie sie im Kurs.

Ein Land, viele Sprachen

1a Welche Länder kennen Sie, in denen mehrere Sprachen gesprochen werden? Berichten Sie und nennen Sie auch Situationen: Wer spricht wann welche Sprache(n)?

In Belgien gibt es drei offizielle Landessprachen: Niederländisch, Französisch und Deutsch. Daneben werden noch viele andere Sprachen gesprochen …

b Sehen Sie die Schweiz-Karte an. Für welche Sprachen könnten die vier Farben stehen?

Ich vermute, dass Rot für … steht.
Ich glaube, …

c Lesen Sie den Artikel über die vielsprachige Schweiz. Beantworten Sie dann die Fragen.

- Was sind die vier offiziellen Landessprachen in der Schweiz?
- Warum war die Schweiz „von Anfang an ein vielsprachiges, multikulturelles Land"?
- Was ist der Unterschied zwischen den Begriffen *Muttersprache* und *Landessprache*?

Unsere Muttersprache – Ein Stück Heimat

Sie gibt uns das Gefühl der Vertrautheit und der Sicherheit. Mit ihr können wir unsere Gefühle, aber auch komplexe Sachverhalte am besten ausdrücken. Sie ist Heimat und Teil unserer Identität: unsere Muttersprache. „Muttersprache" – das Wort drückt vieles aus: Unsere Mütter haben uns in dieser Sprache getröstet und uns in den Schlaf gesungen; unsere ersten Worte formulierten wir in dieser Sprache.

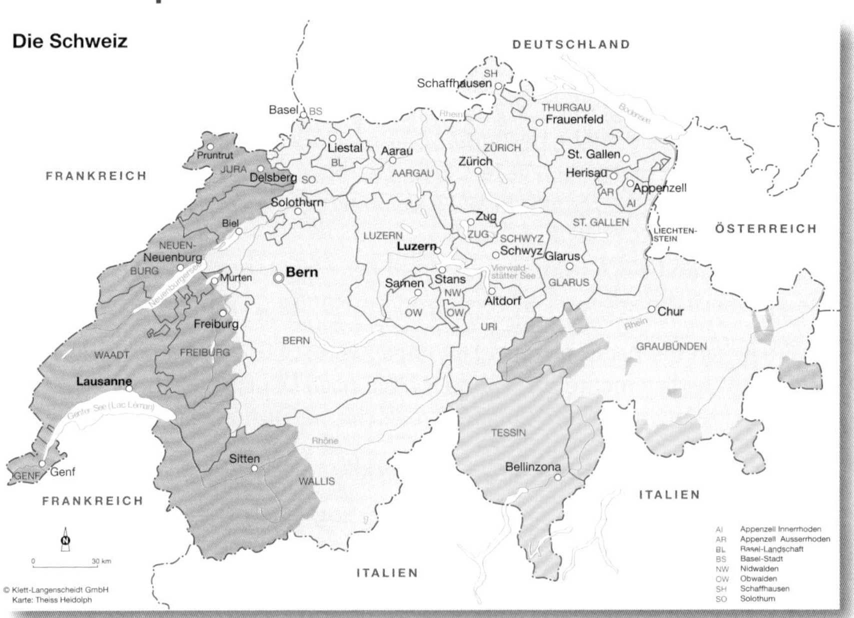

Die Schweiz war von Anfang an ein vielsprachiges, multikulturelles Land, in dem mehrere Muttersprachen gesprochen werden, denn die Schweiz ist eine „Eidgenossenschaft": Das bedeutet, ein Zusammenschluss von inzwischen 26 Kantonen. Die einzelnen Kantone sind politisch sehr selbstständig und haben z. B. jeweils ein eigenes Parlament und auch unterschiedliche Amtssprachen. Schon im 17. Jahrhundert wurde jemand, der innerhalb der Schweiz reisen wollte oder musste, schnell mit einer anderen Sprache konfrontiert. Die Eliten in der Schweiz des 17. Jahrhunderts sprachen Latein und vor allem Französisch. Die Verwaltungssprache war aber Deutsch. Nachdem sich das Land um französisch- und italienischsprachige Gebiete vergrößert hatte, bekamen Französisch und Italienisch dieselbe Bedeutung wie Deutsch und 1848 wurden alle drei Sprachen als offizielle Landessprachen anerkannt. 1938 kam Rätoromanisch als vierte Sprache dazu. Neben diesen vier Sprachen werden dank Migration auch zahlreiche andere Sprachen gesprochen. Man sieht: Die Vielfalt der Sprachen ist in der Schweiz sehr groß und hat eine lange Tradition. Es gehört zum Alltag dazu.

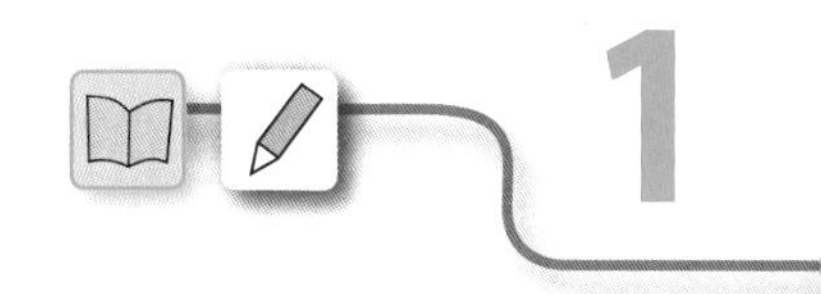

2a Alltag in der Schweiz. Überlegen Sie: Was bedeutet die Vielsprachigkeit für den Alltag? Machen Sie in Gruppen Notizen.

– bei Reisen innerhalb der Schweiz: …
– Landesgesetze: …

b Lesen Sie den zweiten Teil des Artikels. Teilen Sie ihn in vier Abschnitte und geben Sie jedem Abschnitt eine Überschrift. Ergänzen Sie dann Ihre Notizen aus 2a.

Manchmal glauben Nicht-Schweizer fälschlicherweise, dass alle Schweizerinnen und Schweizer vier Sprachen fließend beherrschen. Die meisten Schweizer leben 45 jedoch in ihrem Sprachgebiet und nutzen Medien wie Zeitungen, Radio, Fernsehen usw. in ihrer Muttersprache. In der Schule lernen die Kinder in den französischsprachigen Kantonen als erste Fremdsprache Deutsch. In den deutschsprachigen Kantonen der Zentralschweiz 50 und der Ostschweiz ist Englisch die erste Fremdsprache und in den übrigen Deutschschweizer Kantonen sowie im italienischsprachigen Tessin beginnen die Kinder in der Schule mit Französisch. Im großen Kanton Graubünden ist die erste Fremdsprache je nach Sprachregion 55 Deutsch, Italienisch oder Rätoromanisch. Die Lehrpläne sind also innerhalb der Schweiz nicht einheitlich. Diese Sprachenvielfalt bedeutet auch, dass sämtliche amtlichen Schriften und Bekanntmachungen in allen Landessprachen veröffentlicht werden müssen. Das gilt für 60 Gesetze und Berichte genauso wie für andere Texte, die das ganze Land betreffen: Webseiten, Broschüren, Flyer, Verkehrsschilder und Schilder in öffentlichen Verkehrsmitteln 65 und Gebäuden. Auch die Verpackungen von Lebensmitteln und anderen Alltagsprodukten sind in mehreren Sprachen beschriftet – was bei kleinen 70 Produkten zu Platzproblemen führen kann. In Geschäftsverhandlungen oder bei Konferenzen und Sitzungen mit Leuten aus verschiedenen Sprachgebieten sprechen oft alle in ihrer Mutterspra-75 che. Dabei wird vorausgesetzt, dass man die Sprachen der Gesprächspartner versteht. In letzter Zeit kann man hier einen Wandel beobachten: Immer häufiger wird auch bei schweiz-internen Geschäftsbeziehungen das Englische als gemeinsame Sprache verwendet.

c In einer Zeitschrift haben Sie einen Artikel über die Vielsprachigkeit in der Schweiz gelesen und schreiben nun einen Beitrag ins Forum. Vergleichen Sie die Situation in Ihrem Land mit der Situation in der Schweiz. Welche Erfahrungen haben Sie mit Fremdsprachen und Fremdsprachenlernen gemacht? Gehen Sie dabei auf folgende Punkte ein:

- Welche Sprachen braucht man wann und wozu in Ihrem Land?
- Welche Sprachen sprechen Sie – und warum?
- Welche Sprachen sollte man lernen, welche werden in der Schule unterrichtet?
- Welche Vor- und Nachteile sehen Sie in der Mehrsprachigkeit eines Landes?

ETWAS VERGLEICHEN

In meinem Land ist die Situation ähnlich / ganz anders / nicht zu vergleichen, denn …

Während in …, ist die Situation in …

MEINUNG AUSDRÜCKEN

Ich bin der Auffassung, dass …

Ich bin überzeugt, dass …

Ich finde erstaunlich/überraschend, dass …

Ich bin da geteilter Meinung. Auf der einen Seite …, auf der anderen Seite …

VOR- UND NACHTEILE NENNEN

Ein großer/wichtiger/entscheidender Vorteil/Nachteil ist, dass …

Ich finde es praktisch, dass …

Aus meiner Sicht ist es sehr nützlich/hilfreich, dass …

Einerseits ist es positiv, dass …, andererseits kann es auch problematisch sein, wenn …

Ich bin davon überzeugt, dass … gut/schlecht ist.

▶ Ü 1

Missverständliches

1.2-4

1a Dass man irgendwo fremd ist, merkt man oft an Missverständnissen. Hören Sie drei Beispiele von interkulturellen Missverständnissen, machen Sie Notizen und vergleichen Sie im Kurs.

Beispiel 1: im Zug, Reise von Klagenfurt nach Rom, Mann allein im Abteil …

b Welche interkulturellen Missverständnisse haben Sie erlebt, von welchen haben Sie gehört? Berichten Sie.

ÜBER INTERKULTURELLE MISSVERSTÄNDNISSE BERICHTEN

In … gilt es als sehr unhöflich, wenn …

Ich habe gelesen, dass man in … nicht …

Von einem Freund aus … weiß ich, dass man dort leicht missverstanden wird, wenn man …

Als ich einmal in … war, ist mir etwas sehr Unangenehmes/Lustiges/Peinliches passiert: …

Wir konnten nicht verstehen, warum/dass …

Als wir einmal Besuch von Freunden aus … hatten, …

Wir hatten kein Verständnis dafür, dass …

Niemand wollte …

▶ Ü 1

2a Ein Rollenspiel. Arbeiten Sie zu zweit. Jeder liest nur eine Rollenkarte: A oder B. Spielen Sie dann die Situation.

Person A
Sie sind am Flughafen und sollen einen Gast aus einem anderen Land freundlich begrüßen und ins Hotel begleiten.
Bei Ihnen ist es üblich, dass man in der Öffentlichkeit die Hand auf die Schulter des Begleiters legt, auch wenn man die Person nicht gut kennt. Freundlichkeit drücken Sie mit einem breiten, ständigen Lächeln aus und es gilt als äußerst unhöflich, sein Gegenüber nicht anzuschauen.
Denken Sie daran, dass Sie sich am Flughafen auf einem öffentlichen Platz befinden. Ihr Gast darf den Flughafen nur verlassen, wenn Sie Ihre Hand auf seiner rechten Schulter haben.

Person B
Sie sind am Flughafen in einem fremden Land gelandet und wissen, dass Sie dort abgeholt werden.
In der Öffentlichkeit halten Sie immer ca. einen Meter Abstand und vermeiden Blickkontakt mit Ihrem Gegenüber, um die Privatsphäre nicht zu stören.
Außerdem ist es für Sie unhöflich, Fragen jeglicher Art zu stellen.
Ihr Flug war lang und Sie sind sehr müde. Sie möchten möglichst schnell ins Hotel.
Doch bedenken Sie, dass Sie keine Fragen stellen dürfen.

b Sprechen Sie in Gruppen über Ihre Erfahrungen. Was war für Sie besonders schwierig? Konnten Sie die Situation lösen?

1.5

3a Hören Sie einen Beitrag zum Thema „Kulturelle Missverständnisse". Welche Aussagen passen dazu?

- ☐ 1. Das Leben ist ein Spiel.
- ☐ 2. Jede Kultur hat ihre Spielregeln.
- ☐ 3. Regeln sind verschieden – nicht richtig oder falsch.
- ☐ 4. Fußball gehört zu jeder Kultur.

b Hören Sie noch einmal. Was sagt der Beitrag zu den Begriffen „Spielregel", „Kultur" und „Missverständnis"? Machen Sie Notizen und vergleichen Sie im Kurs.

▶ Ü 2–3

4a *verstehen – missverstehen*: Welche Möglichkeiten kennen Sie, im Deutschen etwas zu verneinen? Sammeln Sie. Die Redemittel in 1b helfen.

nicht …

SPRACHE IM ALLTAG

nichts* und *nein

Entschuldigung! – Das macht doch **nix**.
Kommst du mit? – **Nö**, ich hab' leider keine Zeit.
Kennst du ihn? – **Ne**, noch nie gesehen.

b Verneinen Sie die unterstrichenen Wörter.

1. Ich habe schon einmal ein interkulturelles Missverständnis erlebt.
2. Ist das Getränk mit Alkohol?
3. Er hat auf der Reise etwas Komisches erlebt.
4. Hat jemand etwas Ähnliches erlebt?
5. Wir können das noch besprechen.
6. Das war bestimmt ein Missverständnis.
7. Diese Geste kann man hier überall verstehen.
8. Ich finde die Reaktion total verständlich.
9. Wir haben immer über diese Missverständnisse gesprochen.
10. Ich finde ihr Verhalten sehr tolerant.

1. Ich habe noch nie …

c Markieren Sie die Präfixe und Suffixe, die die Wörter verneinen.

arbeitslos – intolerant – Desinteresse – atypisch – nonverbal – illegal – irreal – missverstehen – alkoholfrei – inhaltsleer – Nichtschwimmer – Unverständnis – disqualifizieren

▶ Ü 4–5

5 Position von *nicht*. Markieren Sie *nicht* in den Sätzen 1–5 und ordnen Sie die Sätze den Regeln zu.

1. Ich habe das nicht verstanden.
2. Ich verstehe das nicht.
3. Sie diskutiert nicht mit mir.
4. War sie in China? – Nein, sie war nicht dort.
5. Sie findet Missverständnisse nicht angenehm.

Negation im Satz

Wenn *nicht* einen ganzen Satz verneint, steht es:

– am Ende des Satzes	Satz ______
– vor dem zweiten Teil der Satzklammer (z. B. Partizip, Infinitiv, trennbarer Verbteil)	Satz ______
– vor Adjektiven	Satz ______
– vor Präpositionen und Präpositionalergänzungen	Satz ______
– vor lokalen Angaben	Satz ______

Wenn *nicht* einen Satzteil verneint, steht es direkt vor diesem Satzteil.
***Nicht** sie hat das erlebt, sondern ihre Freundin.*
*Sie hat das **nicht** heute erlebt, sondern gestern.*

▶ Ü 6

6 Jeder notiert einen Satz mit oder ohne Negation auf einem Zettel. Alle Zettel werden gemischt und dann gezogen. Lesen Sie den Satz auf dem Zettel vor und sagen Sie dann das Gegenteil.

Ich fahre gern in Urlaub.

Ich fahre nicht gern in Urlaub.

Ich habe das nirgendwo gesehen.

Ich habe das …

Zu Hause in Deutschland

1 Multikulturelle Gesellschaft und Integration. Welche Begriffe fallen Ihnen dazu ein? Sammeln Sie im Kurs.

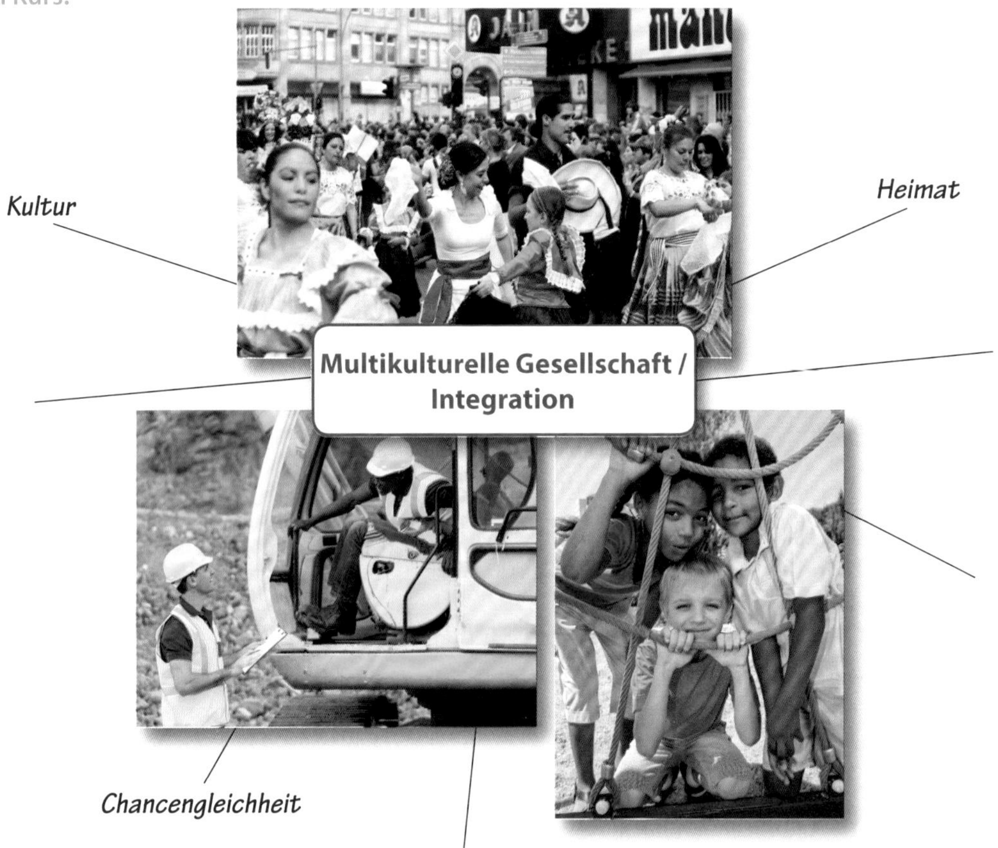

1.6-7 **2a** Hören Sie einen Radiobeitrag zum Thema „Integration". Geben Sie den beiden Abschnitten eine Überschrift.

Abschnitt 1: ____________________

Abschnitt 2: ____________________

1.6 **b** Hören Sie noch einmal Abschnitt 1 und beantworten Sie die Fragen.

1. Wie viele Menschen leben in Deutschland insgesamt? ____________________
2. Wie viele Menschen mit Migrationshintergrund leben in Deutschland? ____________________
3. In welchen Städten in Deutschland leben die meisten Einwohner mit Migrationshintergrund?

   ____

1.7 **c** Hören Sie Abschnitt 2 noch einmal und notieren Sie für jede Aussage ein Schlüsselwort.

Person 1	Person 2	Person 3
Beratung		

Person 4	Person 5

▶ Ü 1

1.7

3a Hören Sie Abschnitt 2 noch einmal. Wie drücken die Personen ihre Meinung aus? Notieren Sie die Redemittel und sammeln Sie weitere.

MEINUNG ÄUSSERN	AUF MEINUNGEN REAGIEREN
	Da hast du / haben Sie völlig recht.
	Ich bin ganz deiner/Ihrer Meinung.
	Ich stimme dir/Ihnen zu.
	Der Meinung bin ich auch, aber …
	Das ist sicher richtig, allerdings …
	Ich sehe das (etwas/völlig) anders, denn …
	Da muss ich dir/Ihnen aber widersprechen, denn ich finde …
	Ich bezweifle, dass …

▶ Ü 2

b Welcher Aussage in 2c stimmen Sie zu? Was halten Sie für besonders wichtig beim Thema „Integration“?

4a Arbeiten Sie in Gruppen. Sammeln Sie fünf Diskussionsthemen und notieren Sie sie auf einzelne Zettel. Tauschen Sie die Zettel mit einer anderen Gruppe.

b Ziehen Sie einen Zettel und sagen Sie Ihre Meinung zu dem Thema. Die anderen reagieren darauf und sagen ihre Meinung. Verwenden Sie dabei die Redemittel aus 3a.

kostenlose Sprachkurse

Schuluniformen

Kindergartenpflicht für alle Kinder

5 Lesen Sie die Beschreibung eines Projekts. Schreiben Sie einen kurzen Kommentar dazu und gehen Sie dabei auf die folgenden Punkte ein. Verwenden Sie auch passende Redemittel aus 3a.

- Wie finden Sie solche Projekte?
- Welche Projekte finden Sie sinnvoll?
- Was würden Sie machen? Haben Sie andere Vorschläge?

Die Brücke – Integrationsbüro: SEMI – Senioren helfen Migrantenkindern

Senioren – ehemalige Lehrkräfte und Handwerker – unterstützen Kinder und Jugendliche aus Migrantenfamilien. Sie helfen Schülern von Grund- und Hauptschule bei ihren Hausaufgaben und schulischen Problemen. Die ehrenamtlichen Lern- und Sprachpaten treffen sich mit den Kindern einmal wöchentlich in der Einrichtung. Neben der schulischen Förderung versuchen sie, mehr Kontakte zwischen Einheimischen und Zugewanderten zu ermöglichen.

▶ Ü 3

Zu Hause in Deutschland

6a **Arbeiten Sie zu dritt. Jeder liest einen Text und markiert die wichtigsten Informationen.**

Koko N'Diabi Roubatou Affo-Tenin kann ihre Herkunft nicht verbergen, allerdings liegt ihr auch nichts ferner: Ihr Haar, in Zöpfchen geflochten, bindet die Togoerin auf dem Rücken zusammen; in ihrem Kleid leuchtet sie farbenfroh inmitten hellgrauer Häuser. „Ich trage nur afrikanische Kleidung, weil ich mich darin wohlfühle."
Zweimal floh sie vor der eigenen Familie: Wanderarbeiter, die das Mädchen an einen Fremden verheiraten wollten. Sie besucht in der nächsten Stadt die Schule, wird schwanger, muss für den kleinen Sohn sorgen, verkauft Feuerholz und selbstgebackene Kekse. Aber Koko will mehr. Nach einer Odyssee durch die Wüste und übers Meer erreicht sie ihr Traumziel Berlin, studiert schließlich Betriebswirtschaft.
Heute leitet sie mit ihrem Mann eine Hausverwaltung in Berlin; ihr Sohn ist Ingenieur, Koko fühlt sich zu Hause: „Ich hatte Glück, Diskriminierung habe ich nicht erlebt. Noch nicht", fügt sie nachdenklich an. Ihr Selbstbewusstsein ist vielleicht der beste Schutz: „Ich bin Deutsch-Afrikanerin und will zeigen, dass Deutschland nicht nur blond und blauäugig ist."

Ivan Novoselić kam vor zwanzig Jahren mit seiner Familie aus Kroatien nach Wolfsburg und arbeitet in der Produktion eines großen Autoherstellers.
Seine Kinder gehen in Deutschland zur Schule, seine jüngste Tochter wurde hier geboren. „Aber trotzdem fühle ich mich hier nicht wirklich zu Hause. Wir werden immer Ausländer bleiben. Ich habe das Gefühl, wir können machen, was wir wollen. Nachbarn und Kollegen sehen uns immer als ‚die Fremden'."
Die meisten Freunde der Familie stammen auch aus Kroatien. Private Kontakte zu Deutschen gibt es kaum. Seine Kinder kennen Kroatien nur aus dem Urlaub, aber hier fühlen sie sich auch nicht vollkommen zu Hause. Sie fühlen sich zerrissen, leben zwischen zwei Kulturen. Ivan Novoselić denkt oft darüber nach, ob er wieder nach Kroatien gehen soll. „Bis zur Rente bleibe ich noch hier, aber dann will ich zurück. Die Kinder sind dann alt genug. Sie können dann selbst entscheiden, wo sie leben wollen."

Sandeep Singh Jolly, Gründer der Berliner Software- und Telekomfirma teta, wird nach 30 Jahren in Deutschland immer noch gelegentlich gefragt, wann er denn „wieder mal nach Hause" fahre. „Ich sage dann gern: ‚Jeden Abend!'", erzählt er.
Als er 1982 nach Deutschland kam, wurde sein Schulabschluss von einer Elite-High-School in Bombay nicht anerkannt. Nachdem er in Windeseile Deutsch gelernt, die Hochschulreife nachgeholt und nebenbei noch das Charlottenburger Gewürz- und Gemüsegeschäft der Familie geführt hatte, ließ man ihn wegen einer Ausländerquote ein Jahr lang warten, bis er endlich Informatik studieren durfte. Doch Sandeep Jolly ließ sich nicht ausbremsen. Während des zweiten Semesters gründete er mit Kommilitonen seine erste Firma. Und dann ging es eigentlich immer so weiter.
Was ist das Geheimnis seines Erfolgs? „Ich habe mich von Anfang an für Deutschland entschieden", sagt er. Zurückgehen war keine Option, und Scheitern kam nicht infrage. Er musste um jeden Preis in dem fremden Land zurechtkommen. Fragt man Herrn Jolly, der längst deutscher Staatsbürger ist, nach seiner Identität, dann sagt er: „Ich bin Deutsch-Inder."

b Notieren Sie die wichtigsten Informationen zu „Ihrer“ Person.

Koko N'Diabi Roubatou Affo-Tenin

kommt aus Togo

STRATEGIE

Informationen notieren

Notieren Sie nur wichtige Informationen und schreiben Sie deutlich.
Fassen Sie ähnliche Informationen zusammen.
Notieren Sie so, dass Sie die Informationen im Anschluss selbst gut wiedergeben können, also Wortgruppen und kurze Sätze statt Einzelwörter.

Ivan Novoselić

Sandeep Singh Jolly

c Stellen Sie „Ihre“ Person vor. Ihre beiden Partner/Partnerinnen notieren die Informationen im entsprechenden Kasten.

d Welche Aussagen der drei Personen finden Sie besonders interessant? ▶ Ü 4

TELC

7 Ihre Sprachschule veranstaltet einmal pro Jahr ein großes Fest, das den ganzen Tag dauert. Dieses Jahr soll es ein multikulturelles Fest sein. Sie sollen zu zweit dieses Fest planen. Überlegen Sie, was für ein Programm Sie anbieten können, wer welche Aufgaben übernimmt und was Sie alles brauchen und organisieren müssen. Machen Sie Ihrem Partner / Ihrer Partnerin Vorschläge und entwickeln Sie dann gemeinsam ein Programm.

VORSCHLÄGE MACHEN	VORSCHLÄGE ANNEHMEN	GEGENVORSCHLÄGE MACHEN
Wie wär's, wenn …?	Warum eigentlich nicht?	Ich würde es besser finden, wenn …
Was hältst du von folgendem Vorschlag: …?	Das hört sich gut an.	Ich hätte einen anderen Vorschlag: …
Ich hätte da eine Idee: …	Das klingt gut.	Meinst du nicht, wir sollten lieber …?
Wir könnten doch …	Meinetwegen können wir das so machen.	Keine schlechte Idee, aber wie wär's, wenn wir …?
Wir sollten auch …	Gut, dann sind wir uns ja einig.	
Ich könnte mir vorstellen, dass wir …		

Fatih Akın *(* 25. August 1973)*

Filmregisseur

Fatih Akın ist deutscher Filmregisseur, Drehbuchautor, Schauspieler und Produzent türkischer Abstammung.

Fatih Akıns Filme zeigen oft ein Milieu, das nahe „an der Straße" liegt. Bereits in seinem ersten, von der Kritik gefeierten Langspielfilm „Kurz und Schmerzlos" zeichnete Akın 1998 eine Kleinkriminellenstudie voller Schmerz und Härte, deutlich vom Gangsterkino seines Vorbilds Martin Scorsese beeinflusst.

Dabei entstammt der am 25. August 1973 in Hamburg-Altona geborene Sohn eines Arbeiters und einer Grundschullehrerin einem fast schon bürgerlichen Milieu, geprägt von der ersten Generation türkischer Einwanderer im Viertel. Obwohl die Eltern Fatih und den älteren Sohn Cem als gläubige Muslime erziehen, besuchen beide einen katholischen Kindergarten, später das Gymnasium. Im Jahr 2000 macht Fatih das Diplom für Visuelle Kommunikation an der Hamburger Hochschule für Bildende Künste. Denn schon mit 16 Jahren weiß er, dass er Regisseur werden will. So jobbt er bei der Hamburger Wüste-Filmproduktion, die später seine ersten Filme produziert.

Mit seinem dritten Spielfilm „Gegen die Wand", der Geschichte einer unglücklichen Scheinehe mit Birol Ünel und Sibel Kekilli in den Hauptrollen, gelingt dem Regisseur 2004 der internationale Durchbruch. Das Melodram erhält auf der Berlinale den Goldenen Bären – es ist das erste Mal in 18 Jahren, dass ein deutscher Film die begehrte Trophäe bekommt. Es folgt eine Einladung nach Cannes, dem Kino-Olymp, wo der Drehbuchautor und Regisseur im Folgejahr den Juryvorsitz der Reihe „Un Certain Régard" übernimmt.

2007 wird „Auf der anderen Seite" auf dem französischen Festival sogar mit dem Drehbuchpreis ausgezeichnet. Das Migrationsdrama erzählt von sechs Menschen auf ihrem Lebensweg zwischen Bremen und Istanbul. Sein Kinofilm „Soul Kitchen", eine Komödie um den Kneipenbesitzer Zinos und seine persönliche Hommage an Hamburg, ist in Deutschland mit 1,3 Millionen Zuschauern sein kommerziell stärkster und auch im Ausland an der Kinokasse erfolgreich.

Dem heimischen Kiez ist Akın stets treu geblieben. Der passionierte Hobby-DJ und Amateur-Boxer fühlt sich in Hamburg-Altona am wohlsten. Dort wohnt er mit seiner Frau, der Schauspielerin und Regisseurin Monique Akın, und den zwei Kindern.

www  Mehr Informationen zu Fatih Akın.

Sammeln Sie Informationen über Persönlichkeiten aus dem In- und Ausland, die zum Thema „Heimat" interessant sind, und stellen Sie sie im Kurs vor. Sie können dazu die Vorlage „Porträt" im Anhang verwenden.

Beispiele aus dem deutschsprachigen Bereich: Feridun Zaimoglu – Bülent Ceylan – Olga Grjasnowa – Wladimir Kaminer – Patricia Kaas – Elyas M'Barek – Zsuzsa Bánk – LaBrassBanda

1 Wortstellung im Satz

Angaben im Mittelfeld: tekamolo

		MITTELFELD				
Ich	*bin*	*letztes Jahr*	*aus Liebe*	*ziemlich spontan*	*nach Australien*	*ausgewandert.*
1	**2**	**temporal** (Wann?)	**kausal** (Warum?)	**modal** (Wie?)	**lokal** (Wo?/Wohin?/Woher?)	**Ende**

Wenn man eine Angabe besonders betonen möchte, kann man sie auf Position 1 stellen. Dann steht das Subjekt direkt nach dem Verb. Die Reihenfolge der übrigen Angaben bleibt gleich:
Aus Liebe bin ich letztes Jahr ziemlich spontan nach Australien ausgewandert.

Ergänzungen und Angaben im Mittelfeld

				MITTELFELD				
Ich	*habe*	*ihnen*	*täglich*	*aus Heimweh*	*sehnsüchtig*	*mehrere SMS*	*nach Hause*	*geschickt.*
1	**2**	**Dativ**	**temporal**	**kausal**	**modal**	**Akkusativ**	**lokal**	

Die Dativergänzung steht meistens vor der temporalen Angabe. Die Akkusativergänzung steht hinter den temporalen, kausalen und modalen Angaben und vor oder hinter der lokalen Angabe.

Präpositionalergänzungen

Präpositionalergänzungen stehen normalerweise am Ende des Mittelfelds.
Ella hat sich während eines Urlaubs unerwartet ***in David*** *verliebt.*

2 Negation

Negationswörter

etwas ↔ nichts
jemand/alle ↔ niemand
irgendwo/überall ↔ nirgendwo/nirgends
schon/bereits ↔ noch nicht
schon (ein)mal ↔ noch nie
immer ↔ nie/niemals
(immer) noch ↔ nicht mehr / nie mehr

Negation mit Wortbildung

	verneint	Beispiele
des-/dis-/miss-	Nomen, Adjektive, Verben	*das Desinteresse, disqualifiziert, missverstehen*
un-/in-/il-/ir-/ a-/non-	Nomen, Adjektive	*das Unverständnis, die Intoleranz, illegal, irreal, atypisch, der Nonsens*
-los/-frei/-leer	Adjektive	*arbeitslos, alkoholfrei, inhaltsleer*
Nicht-	Nomen	*Nichtschwimmer*

Position von *nicht*

Wenn *nicht* einen ganzen Satz verneint, steht es am Ende des Satzes, vor dem zweiten Teil der Satzklammer (z. B. Partizip, Infinitiv, trennbarer Verbteil), vor Adjektiven, vor Präpositionen und Präpositionalergänzungen oder vor lokalen Angaben.
Wenn *nicht* einen Satzteil verneint, steht es direkt vor diesem Satzteil: ***Nicht*** *sie hat das erlebt, sondern ihre Freundin.*

Ganz von vorn beginnen

1a Warum verlassen Menschen dauerhaft ihr Heimatland, ihre Familie und ihre Freunde? Sammeln Sie Gründe.

b Sehen Sie die Grafik an und sprechen Sie zu zweit darüber. Welche Gründe entsprechen Ihrer Sammlung aus 1a? Welche Gründe sind neu?

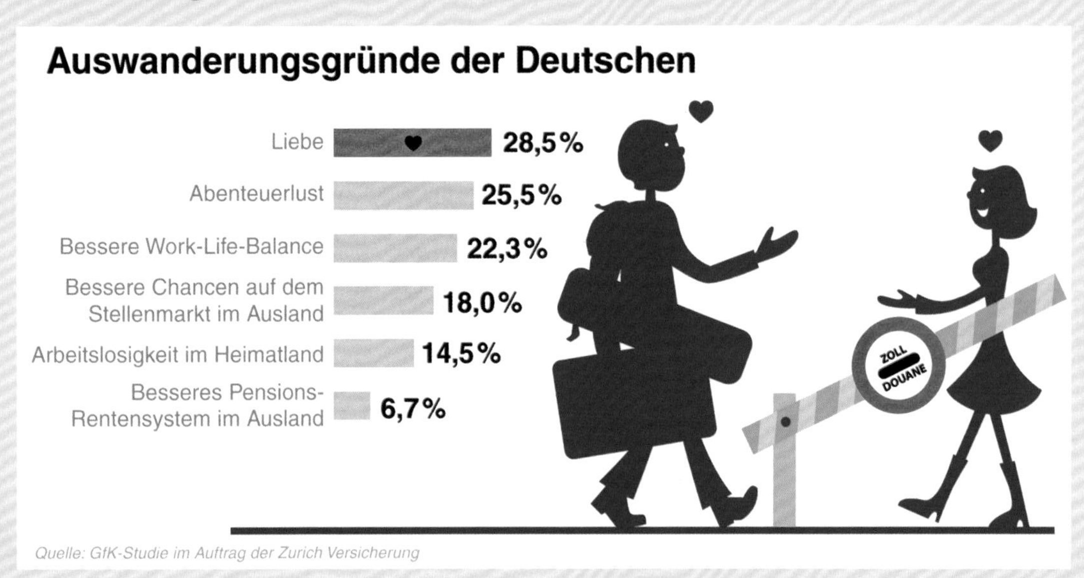

2a Sehen Sie den Film. Fassen Sie den Inhalt kurz zusammen.

b Was sagen die Personen im Film zu ihrem Neubeginn? Notieren Sie die Namen.

1. ______________________ Und dann war es so, dass ich ein kleines Geschäft in Deutschland hatte, und … Computerbereich lief nicht mehr so gut.

2. ______________________ Ich kannte hier keinen und ich konnte auch gar kein Spanisch, und da waren so viele Kinder und alle sprechen halt in Spanisch.

3. ______________________ Ich war noch klein, und ich war erst zwölfeinhalb, und da musste ich halt mit. Ich konnte mich ja nicht dagegen wehren.

4. ______________________ Noch sind wir in einem Alter, wo man noch mal was Neues anfangen kann, und da haben wir das in Angriff genommen.

5. ______________________ Wir kommen im nächsten Jahr runter, machen erst mal Urlaub und dann gucken wir uns das mal an.

3 **Klären Sie die Bedeutung der folgenden Wörter und Wendungen aus dem Film.**

_____ 1. etwas in Angriff nehmen	a. traurig werden
_____ 2. sich durchbeißen	b. der Lebens- oder Ehepartner
_____ 3. ein Mann für alle Fälle	c. die Jahre nach dem Arbeitsleben
_____ 4. das Herz wird schwer	d. jemand, der vielfältig begabt ist
_____ 5. die bessere Hälfte	e. beginnen, etwas zu tun
_____ 6. der Lebensabend	f. etwas trotz Problemen schaffen

1

4 **Arbeiten Sie in zwei Gruppen. Sehen Sie die erste Filmsequenz und beantworten Sie „Ihre" Fragen. Tauschen Sie die Ergebnisse im Kurs aus.**

Gruppe A
Was haben die Eltern in Deutschland beruflich gemacht? Welche Motive hatten sie, Bielefeld zu verlassen? Warum haben sie Spanien gewählt?

Gruppe B
Wie haben die jüngsten Kinder der Knells (Yvonne und Denise) reagiert, als sie von den Auswanderungsplänen ihrer Eltern erfahren haben?

2

5a **Sehen Sie die zweite Filmsequenz und machen Sie Notizen zur Situation der Knells in Alicante: Wohnverhältnisse, Arbeit und Einkommen, Schule, Sprache, Behörden, Integration … Sprechen Sie dann im Kurs.**

b **Was machen die Knells Ihrer Meinung nach gut und was sollten sie anders machen?**

c **Was glauben Sie: Warum zögert die älteste Tochter Janine noch, zu ihren Eltern nach Spanien zu ziehen?**

6a **Können Sie sich vorstellen, selbst auszuwandern? Wohin würden Sie gehen? Welche Schwierigkeiten könnten mit der Zeit auftreten?**

Natürlich kann ich mir das gut vorstellen. Ich bin ja selbst …
Ich weiß nicht. Ich habe hier meine Familie und viele Freunde. Ich kann mir nicht vorstellen, …

b **Welche Länder sind in Ihrer Heimat beliebte Auswanderungsziele?**

Sprich mit mir!

1 Sehen Sie die Zeichnung an. Was will Marie ihrem Mann sagen? Notieren Sie eine „Übersetzung".

2 Sehen Sie dasselbe Bild aus zwei Perspektiven an. Wie wirkt die Frau auf Bild A? Wie auf Bild B? Notieren Sie je ein passendes Adjektiv.

3 Was bedeuten diese Piktogramme? Was soll, kann, darf man hier (nicht) tun? Notieren Sie.

A

B

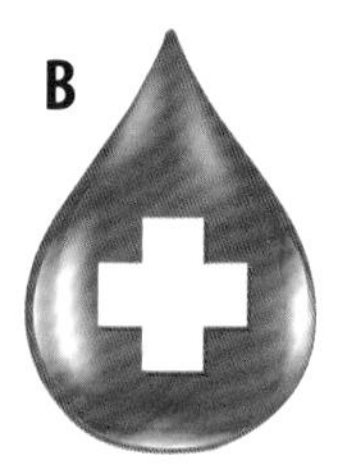

C

D

Sie lernen

Modul 1 | Einen Fachtext zum Thema „Nonverbale Kommunikation" verstehen

Modul 2 | Über einen Artikel zum Thema „Frühes Fremdsprachenlernen" diskutieren

Modul 3 | Eine Radiosendung zum Thema „Smalltalk" hören und Notizen machen

Modul 4 | Aussagen zu positiver und negativer Kritik verstehen

Modul 4 | In einem Rollenspiel einen Streit konstruktiv führen

Grammatik

Modul 1 | Vergleichssätze mit *als, wie* und *je …, desto/umso …*

Modul 3 | das Wort *es*

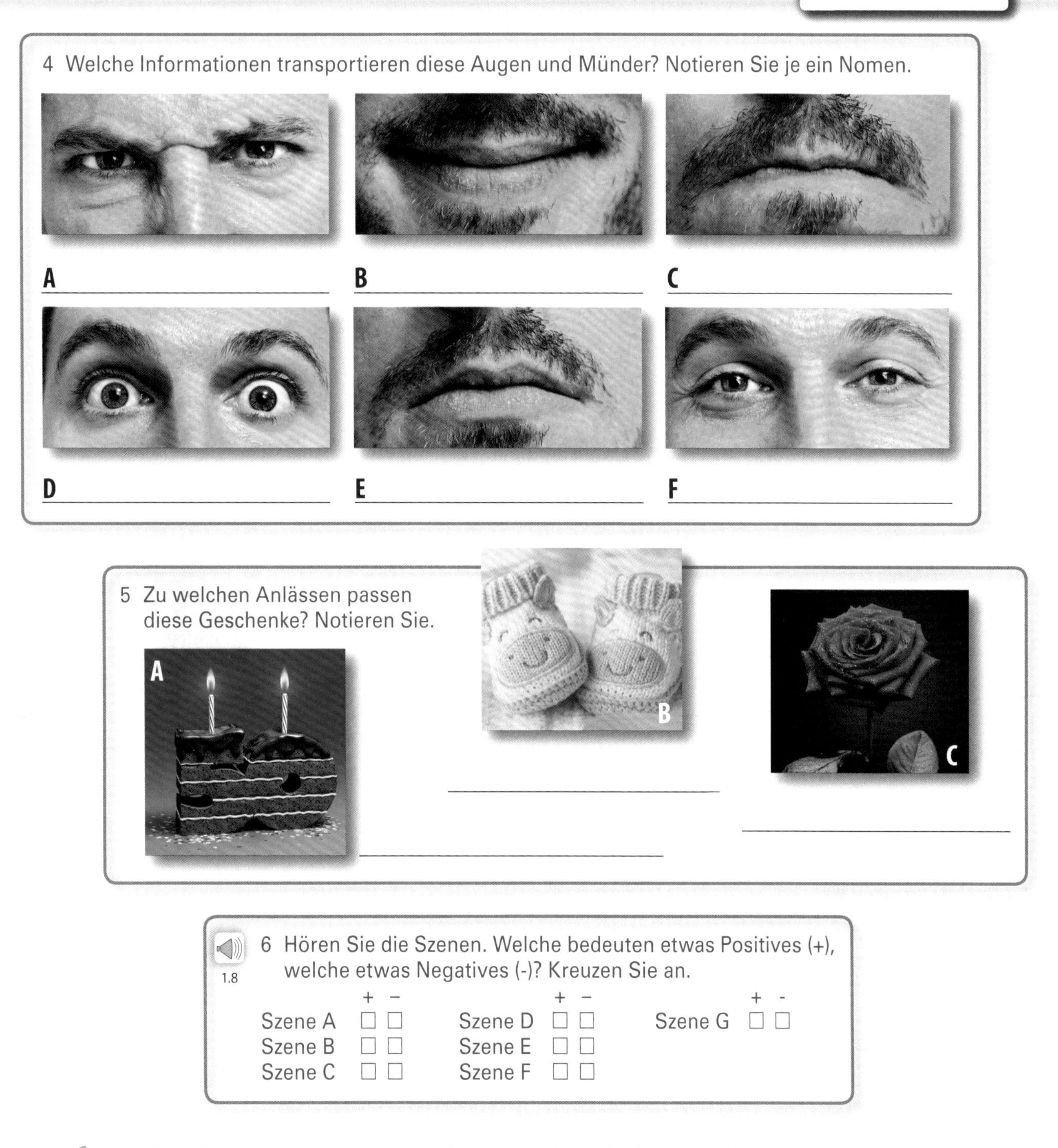

4 Welche Informationen transportieren diese Augen und Münder? Notieren Sie je ein Nomen.

A ____________ B ____________ C ____________

D ____________ E ____________ F ____________

5 Zu welchen Anlässen passen diese Geschenke? Notieren Sie.

A ____________ B ____________ C ____________

6 Hören Sie die Szenen. Welche bedeuten etwas Positives (+), welche etwas Negatives (-)? Kreuzen Sie an.

1.8

	+	−		+	−		+	-
Szene A	☐	☐	Szene D	☐	☐	Szene G	☐	☐
Szene B	☐	☐	Szene E	☐	☐			
Szene C	☐	☐	Szene F	☐	☐			

1a Sind Sie fit in Kommunikation? Bearbeiten Sie die Aufgaben. Manchmal gibt es mehrere Möglichkeiten.

b Vergleichen Sie Ihre Ergebnisse im Kurs. Gibt es Unterschiede? Wenn ja, wie können Sie diese erklären?

2 Wir kommunizieren auf unterschiedlichen Wegen. Welche wurden in 1a angesprochen? Welche fallen Ihnen noch ein?

Gesten sagen mehr als tausend Worte …

1a Was könnten diese Gesten bedeuten? Ordnen Sie die Fotos den Bedeutungen zu.

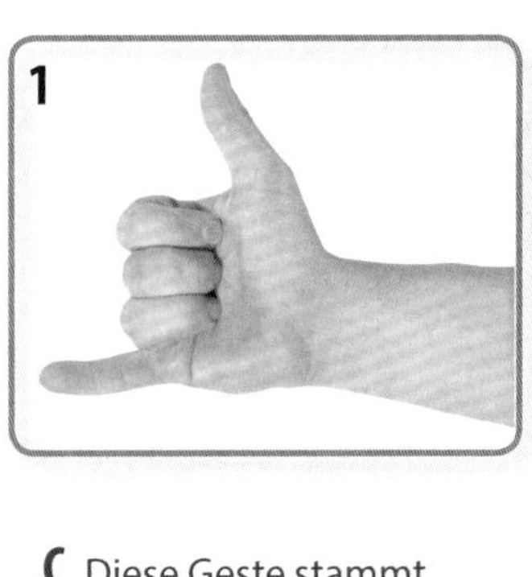

A Die offene ausgestreckte Hand ist die deutlichste Art, den Gesprächspartner mit einem *Stopp* in die Schranken zu weisen.
Foto: _____

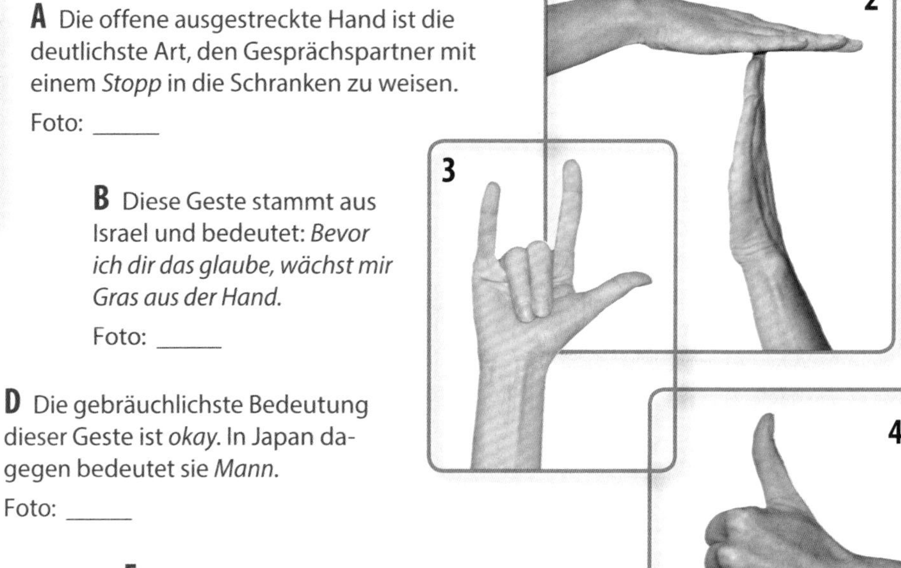

B Diese Geste stammt aus Israel und bedeutet: *Bevor ich dir das glaube, wächst mir Gras aus der Hand.*
Foto: _____

C Diese Geste stammt aus der Gebärdensprache und bedeutet: *Ich liebe dich.*
Foto: _____

D Die gebräuchlichste Bedeutung dieser Geste ist *okay.* In Japan dagegen bedeutet sie *Mann.*
Foto: _____

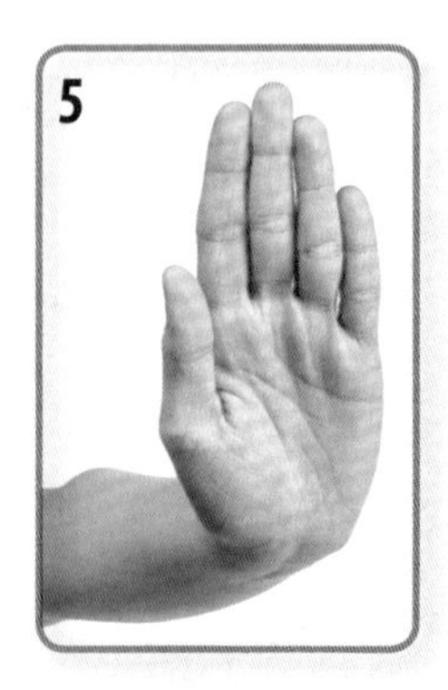

E Diese Geste kommt aus dem American Football und bedeutet *time out* (Auszeit).
Foto: _____

F In Europa versteht man unter dieser Geste *Telefon* oder *Lass uns telefonieren.*
Foto: _____

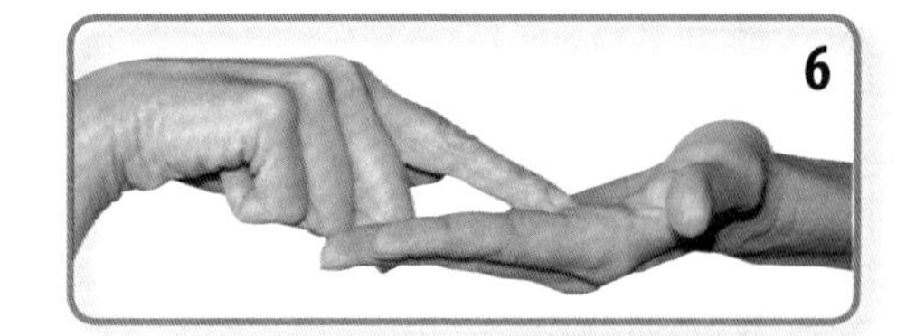

b Kennen Sie noch andere Gesten? Zeigen Sie sie. Die anderen im Kurs raten, was sie bedeuten.

▶ Ü 1–2 **2a** Was ist Körpersprache? Wie lernt man sie?

1.9

b Hören Sie einen Beitrag zum Thema „Körpersprache". Welche Aspekte werden genannt? Sammeln Sie im Kurs.

c Hören Sie noch einmal und ergänzen Sie die Satzanfänge.

1. Körpersprache ist ein wesentlicher Aspekt *zwischenmenschlicher Verständigung*.
2. Sie äußert sich in ______________________.
3. Menschen verraten ihre Emotionen, weil ______________________.
4. In längeren Gesprächen kann man gut erkennen, ______________________.
5. Fast alle Menschen benutzen ______________________.
6. Jedes Baby versteht ein Lächeln als ______________________.
7. Gesten sind ______________________.
8. Körpersignale aus anderen Kulturen ______________________.

▶ Ü 3

1.10

3a Vergleichssätze mit *als* und *wie*. Ordnen Sie die Sätze aus dem Beitrag zur Körpersprache. Ergänzen Sie *als* oder *wie* und hören Sie die Sätze dann zur Kontrolle.

1. _b_ Wir achten instinktiv viel mehr auf die Sprache des Körpers,	a) ____ wir gesprochene Sprache aufnehmen.
2. ___ Botschaften der Körpersprache nehmen wir so schnell wahr,	b) _als_ wir meinen.
3. ___ Körpersignale aus anderen Kulturen bedeuten also oft etwas anderes,	c) ____ man denkt.

b Ergänzen Sie jetzt die Regel.

Komparativ	*als*	Grundform	Ende	*wie*

G

Vergleichssätze mit *als* und *wie*

Nebensätze mit *als* und *wie* drücken einen Vergleich aus. Sie hängen immer von einem Adjektiv ab. Das Verb steht am ____________. Vergleichssätze werden bei Gleichheit mit ____________, bei Ungleichheit und nach *ander(e)s* mit ____________ eingeleitet:

1. Gleichheit: *so/genauso* + ________________ + *wie*
2. Ungleichheit: ________________ + *als, anders* + *als* oder *etwas/nichts anderes* + *als*

c Ergänzen Sie Nebensätze mit *als* oder *wie* und den vorgegebenen Verben.

1. Diese Geste ist genauso unhöflich, … (erwarten)
2. Ich habe deine Mimik anders gedeutet, … (meinen)
3. Körpersprache immer richtig zu deuten, ist schwieriger, … (denken)

▶ Ü 4–5

4a Vergleichssätze mit *je …, desto/umso …* Ergänzen Sie die Komparative *länger, besser* und *klarer*. Bestimmen Sie dann Haupt- und Nebensatz.

1. Je _eindeutiger_ die Signale sind, desto ______________ verstehen wir sie.
2. Je __________________ ein Gespräch dauert, umso ______________ wird die Bedeutung der Körpersignale.

b Ergänzen Sie die Regel mit *Hauptsatz, Nebensatz* und *Komparativ*.

G

Vergleichssätze mit *je …, desto/umso …*

***Je** länger eine Person spricht,* → ____________________

***desto/umso** deutlicher verrät sie ihre Emotionen.* → ____________________

Nach *je* und *desto/umso* steht immer ein ____________________. Die Sätze haben oft eine konditionale Bedeutung: *Wenn eine Person lange spricht, (dann) verrät sie ihre Emotionen.*

c Bilden Sie Vergleichssätze mit *je …, desto/umso …*

1. Man versteht Körpersprache gut. Es gibt wenige Missverständnisse.
2. Man nimmt Körpersignale schnell wahr. Man kann angemessen reagieren.
3. Man erkennt die Reaktionen des Gesprächspartners leicht. Man kann sich gut unterhalten.

▶ Ü 6–7

5 Stellen Sie ein Gefühl pantomimisch dar. Die anderen raten.

Sprachen kinderleicht?!

1 Welche Fremdsprachen sprechen Sie? Wann haben Sie begonnen, eine Sprache zu lernen? Welches Alter ist Ihrer Meinung nach das beste, um eine Sprache zu lernen?

2a Lesen Sie den Artikel. Welche Meinung hat der Autor zum Thema „Frühes Fremdsprachenlernen"?

Viele Sprachen? Kinderleicht!

Sonia Ladet ist ein gutes Beispiel für gelungene Mehrsprachigkeit. Schon mit 18 Jahren hatte sie den Wunsch, viele Sprachen zu beherrschen und viele Kulturen kennenzulernen. Und nach nicht allzu langer Zeit baute die Tochter einer Deutschen und eines Chinesen, die in Paris aufwuchs, ihren Sprachschatz auf: Sie führte Verhandlungen auf Arabisch, übersetzte auf Englisch, befragte für ihren Job als Trendforscherin Frauen auf Japanisch. Und Russisch hat sie schon in der Schule gelernt.

Damit ist Sonia Ladet ein Vorbild für die europäische Sprachenpolitik, denn momentan fällt es 44 Prozent der EU-Bürger noch schwer, sich in einer Fremdsprache zu unterhalten. Daher wird in Zukunft noch stärker für das Lernen mehrerer Sprachen geworben, versprach der EU-Kommissar für Mehrsprachigkeit. Das Ziel lautet: Bereits kleine Kinder sollen mit Fremdsprachen vertraut gemacht werden. Das frühe Lernen von fremden Sprachen – also noch vor der Schule – wird daher immer häufiger diskutiert. Viele Eltern sehen darin bessere Startchancen für ihre Kinder.

Es gibt aber auch kritische Stimmen: Sind Kleinkinder mit Fremdsprachen nicht überfordert? Wissenschaftler bewiesen, dass diese Sorge unnötig ist. Ein Blick über Europa hinaus zeigt, dass z. B. in Asien oder Afrika oft mehrere Sprachen im Alltag benutzt werden: eine Sprache in Schulen und Behörden, eine andere im Bereich des Handels und wieder andere in der Familie oder im Dorf nebenan. „Unser Gehirn ist dafür angelegt, mehrere Sprachen zu lernen. Wir unterfordern Kinder, wenn wir ihnen diese Chance nicht bieten", sagt Jürgen Meisel, Sprachwissenschaftler an der Universität Hamburg.

Die Forschung unterstützt Eltern, denen die Mehrsprachigkeit ihrer Kinder von Anfang an wichtig ist. Sind die Kinder noch klein, also nicht älter als drei oder vier Jahre, scheinen sie eine fremde Sprache ohne große Mühe aufzunehmen und darin zu kommunizieren. Aber schon ab vier Jahren gelingt die Konjugation der Verben nicht mehr fehlerlos. Und bereits mit acht bis zehn Jahren ist die Phase des kinderleichten Sprachenlernens vorbei. Und das zu einem Zeitpunkt, zu dem Kinder normalerweise in der Schule mit dem Erlernen der ersten Fremdsprache beginnen.

Für Eltern ist es nicht leicht, fest daran zu glauben, dass das Aufwachsen mit mehreren Sprachen ein Vorteil für die eigenen Kinder ist. Warum spricht mein Kind nicht in der zweiten Sprache? Warum dauert die Sprachentwicklung länger als bei einsprachigen Kindern? Das sind Fragen, mit denen sich Eltern zweisprachiger Kinder oft herumschlagen. Oder wenn Kinder beim Spielen die fremde Sprache vermeiden, weil sie nicht anders sein wollen. Die betroffenen Eltern müssen sehr geduldig sein.

Und diese Geduld kann sich im späteren Leben auch auszahlen. Neben der Fähigkeit, mehrere Sprachen gut zu beherrschen, gibt es noch weitere Kompetenzen, wie Albert Costa von der Universität Barcelona beobachtet hat. Der Psychologe stellte fest, dass zweisprachige Kinder mehr Eindrücke aufnehmen und wichtige Dinge besser von unwichtigen unterscheiden können. Schon vorher konnte er nachweisen, dass Personen, die bilingual aufgewachsen waren, in einem lauten Großraumbüro bessere Konzentrationsleistungen zeigten als monolinguale Menschen.

Aber wie geht Sonia Ladet eigentlich mit den vielen Sprachen um? Sie hört russische Lieder, diskutiert in englischen Polit-Foren und fragt auf Japanisch nach, was Frauen unter Schönheit verstehen. „So geht Sprachenlernen ganz leicht", sagt die Pariserin.

Simon Tauber

b Notieren Sie Argumente für das frühe Fremdsprachenlernen aus dem Artikel.

Sprachen früh lernen
→ *von der EU-Sprachenpolitik gewünscht (Zeile 11–19)*
→ *Eltern sehen bessere Startchancen für ihre Kinder (Zeile 21–22)*

STRATEGIE

Argumente aus einem Text zusammenstellen

- Gehen Sie Abschnitt für Abschnitt vor.
- Markieren Sie die für Sie wichtigsten Informationen in jedem Abschnitt.
- Notieren Sie zu jedem Abschnitt die wichtigsten Argumente.

c Machen Sie weitere Notizen zu den folgenden Punkten.

- Für Sie interessante Aspekte zum Thema
- Eigene Erfahrungen
- Ihre Meinung

▶ Ü 1

3a Lesen Sie Kommentare zum Artikel von Gegnern des frühen Fremdsprachenlernens. Sammeln Sie zu zweit Argumente und Gegenargumente zu den Aussagen.

monika 17.07. | 16:30 Uhr
Die meisten Familien sind doch einsprachig. Das ist kein Defizit und sollte kein Nachteil für die Kinder sein.

tabea 13.07. | 12:56 Uhr
Die Tochter einer Bekannten ist vier Jahre alt. Nach dem Kindergarten geht sie zum Ballett und übt Klavier. Jetzt kommt noch eine Trainerin nach Hause und singt und spielt mit ihr. Auf Chinesisch! Das ist doch zu viel. Kinder sollten selbst aussuchen dürfen, was und wie sie spielen.

robert 12.07. | 18:12 Uhr
Wenn Kinder mehrere Sprachen von den Eltern lernen, dann ist das ganz normal und alltäglich. Das passiert ganz nebenbei. Englisch im Kindergarten ist aber keine natürliche Situation und kann für manche Kinder schon Stress sein.

haymo 11.06. | 22:46 Uhr
In unserer Straße spielen unsere Kinder mit Kindern, die auch andere Muttersprachen sprechen. Sollen meine Kinder jetzt die anderen Sprachen lernen? Da lernen sie vier Sprachen nur ein bisschen und keine davon richtig.

patrizia 09.07. | 18:43 Uhr
Alles schön und gut mit dem kindlichen Lernen von Fremdsprachen. Man kann aber eine Fremdsprache erst richtig, wenn man sie auch lesen und schreiben kann. Und das lernt man vor der Schule eben noch nicht.

b Sammeln Sie in Gruppen Redemittel, um auf die Blogbeiträge zu antworten.

ARGUMENTE NENNEN	GEGENARGUMENTE NENNEN
An erster Stelle steht für mich, dass … *Viel wichtiger als … finde ich …*	*Das Gegenteil ist der Fall: …* *Dagegen spricht, dass …* *Im Prinzip ist das richtig, trotzdem …*
ZUSTIMMUNG AUSDRÜCKEN	**ÜBER ERFAHRUNGEN BERICHTEN**
Sie haben recht damit, dass …	*In meiner Kindheit habe ich …* *Im Umgang mit … habe ich erlebt, dass …*

c Schreiben Sie zu einem Kommentar in 3a eine Antwort. Vergleichen Sie dann, was andere zu demselben Kommentar geschrieben haben.

▶ Ü 2–3

Smalltalk – Die Kunst der kleinen Worte …

1a Sehen Sie die Fotos an. Notieren Sie Themen, die Sie ansprechen würden, um mit den Leuten auf den Fotos ins Gespräch zu kommen.

b Vergleichen Sie die Themen im Kurs. Welche Gemeinsamkeiten und Unterschiede stellen Sie fest?

1.11-12

2a Hören Sie eine Radiosendung zum Thema „Smalltalk". Notieren Sie die Reihenfolge der angesprochenen Teilthemen.

___ Orte für Smalltalk

_1_ Funktion von Smalltalk

___ Gründe für die Ablehnung von Smalltalk

___ Gesprächspartner als Basis für Smalltalk

___ Entspannt bleiben beim Smalltalk

1.11

b Hören Sie den ersten Teil der Sendung noch einmal und machen Sie Notizen.

1. Funktion von Smalltalk: ____________________

____

2. Gründe für die Ablehnung: ____________________

____

1.12

c Hören Sie den zweiten Teil noch einmal. Kreuzen Sie die Tipps an, die Frau Dr. Witter für Smalltalk gibt.

☐ 1. Wählen Sie ein Thema, das Ihnen sofort einfällt.
☐ 2. Überlegen Sie gründlich, wie Sie das Gespräch beginnen.
☐ 3. Entdecken Sie Ihr Talent.
☐ 4. Fragen Sie nicht direkt nach der beruflichen Tätigkeit.
☐ 5. Sie sollten in der Lage sein, etwas Komisches zu sagen.
☐ 6. Fragen Sie Ihr Gegenüber nach Hobbys.
☐ 7. Zeigen Sie Interesse an Ihrem Gegenüber.
☐ 8. Sprechen Sie über das Wetter, wenn Sie auf Nummer sicher gehen wollen.

3a Das Thema „Wetter" eignet sich fast immer für Smalltalk. Unterstreichen Sie das Subjekt in den Sätzen.

1. Heute ist es aber wieder heiß.
2. Regnet es bei Ihnen auch so oft?
3. Endlich wird es wieder wärmer.
4. Es schneit seit gestern Abend.
5. Es bleibt die nächsten Tage kühl.
6. Morgen soll es sogar regnen.

▶ Ü 1

b Unterstreichen Sie das Wort *es*. Welche Funktion hat *es* in diesen Sätzen: Subjekt oder Objekt?

	Subjekt	Objekt
1. Ich habe es eilig.	☐	☐
2. Wie geht es dir?	☐	☐
3. Meine Kollegin hat es schwer.	☐	☐
4. Es kommt auf das Wetter an.	☐	☐
5. Es gibt keine Tickets mehr.	☐	☐
6. Sie haben es gut.	☐	☐

▶ Ü 2

c Ergänzen Sie die Regel mit den Worten *Tages- und Jahreszeiten, Natur- und Zeiterscheinungen* und *das Wetter.*

G

das Wort *es*

Manche Verben und lexikalische Verbindungen haben immer ein *es* bei sich.
es steht als Subjekt bei Bezeichnungen für

– ______________________ (z. B. *Es regnet. / Es donnert. / ...)*

– ______________________ (z. B. *Es ist Abend/Frühling/...*)

– ______________________ (z. B. *Es ist schon spät. / Im Winter bleibt es lange dunkel.*)

und in einigen festen lexikalischen Verbindungen (*Wie geht es dir? / Es gibt ... / Es geht um ... / Es ist gut/ schlecht/schön ...*).
Wenn *es* Objekt ist (*Er hat es eilig. / Sie meint es ernst. / ...*), steht *es* niemals auf Position 1.

4a *es* als Stellvertreter von dass-Sätzen oder Infinitivkonstruktionen. Lesen Sie die Beispiele und ergänzen Sie die Regel.

G

1	2			
Es	ist	verwunderlich,		**dass** viele Menschen Smalltalk nicht mögen.
Dass viele Menschen Smalltalk nicht mögen,	ist	verwunderlich.		
Viele	lehnen	**es**	ab,	ein nichtssagendes Gespräch **zu** beginnen.
Ein nichtssagendes Gespräch **zu** beginnen,	lehnen	viele	ab.	

Steht der dass-Satz oder die Infinitivkonstruktion auf Position ________, entfällt ________.

b Formen Sie die Sätze wie in 4a um.

1. Es ist ratsam, dass man sich ein geeignetes Einstiegsthema überlegt.
2. Viele finden es gut, den Smalltalk witzig zu beginnen.
3. Es ist völlig falsch, zu Beginn über Politik zu sprechen.
4. Viele empfinden es als unhöflich, dass man im Gespräch sehr direkt ist.

▶ Ü 3

5 Üben Sie Smalltalk. Wählen Sie eine der Situationen und beginnen Sie ein Gespräch.

A Der Aufzug kommt, Sie steigen ein. Plötzlich stehen Sie allein neben dem Chef.

B Sie sind zum ersten Mal zum Abendessen bei Ihrem neuen Kollegen eingeladen.

Wenn zwei sich streiten, ...

1a Sehen Sie die Fotos und Informationen zu den Personen an. Wer teilt Kritik aus, wer steckt Kritik ein? Begründen Sie.

Der Kabarettist:
Tony Trifft, 26, tourt mit seinem Programm „Berlin bringt´s"
Kritik-Motto:
Hau drauf – es trifft immer den Richtigen.

Die Gepäckermittlerin:
Tanja Block, 35, ist Gepäckermittlerin bei einer Fluggesellschaft
Kritik-Motto:
Immer ruhig bleiben – und nichts persönlich nehmen.

Die Lehrerin:
Simone Ritterbusch, 31, unterrichtet Deutsch und Wirtschaft an einer Saarbrücker Berufsschule
Kritik-Motto:
Kritik und Respekt gehören zusammen.

b Erstellen Sie eine Liste mit Berufen, in denen man viel Kritik üben oder einstecken muss.

c Wann kritisieren Sie? Wann werden Sie kritisiert? Sprechen Sie im Kurs.

Zu Hause kritisiere ich oft, aber in meinem Job im Hotel muss ich mir die Kritik von Gästen anhören.

TELC 1.13-15

2a Hören Sie das Interview einmal. Was sagen die Personen aus 1a zum Thema „Kritik". Entscheiden Sie beim Hören, ob die Aussagen 1–10 richtig oder falsch sind.

	richtig	falsch
Tanja Block		
1. Wir werden für etwas kritisiert, was andere Personen verschuldet haben.	☐	☐
2. Ich frage die Personen sofort, wie ich ihnen helfen kann.	☐	☐
3. Bei sehr wütenden Kunden kann auch mein Chef nicht mehr helfen.	☐	☐
Tony Trifft		
4. Die Leute erwarten, dass ich in meinem Programm humorvoll bin.	☐	☐
5. In meinem Programm kritisiere ich Politiker und Bürger.	☐	☐
6. Manchmal habe ich Mitleid mit dem einen oder anderen Politiker.	☐	☐
Simone Ritterbusch		
7. Ich kann keine Schüler kritisieren, die älter sind als ich.	☐	☐
8. Schüler reagieren bei Kritik schnell aggressiv.	☐	☐
9. Ich muss Schüler auffordern, Verbesserungen vorzuschlagen.	☐	☐
10. Einige Schüler blamieren sich vor der Klasse, wenn sie andere kritisieren.	☐	☐

b Hören Sie noch einmal. Wie gehen die Personen mit Kritik um? Welche Einstellungen haben sie zu Kritik?

▶ Ü 1

c Welcher Einstellung stimmen Sie zu? Welcher nicht? Diskutieren Sie im Kurs.

3a Lesen Sie die Zwischenüberschriften zum Artikel „So streiten Sie richtig!". Was könnten Inhalte in den Abschnitten sein? Sammeln Sie zu zweit.

___ Immer bei einer Sache bleiben
___ Kein Konsens? Dann Kompromiss!
___ Entschuldigungen sind keine Schwäche
___ „Ich" statt „Du"
___ Alles zu seiner Zeit
___ Wie war's heute?
___ Immer mit der Ruhe
___ Genau hinhören

b Lesen Sie jetzt den Artikel. Ordnen Sie den Abschnitten die Überschriften zu.

So streiten Sie richtig!

„Streit kommt in den besten Familien vor", heißt es in einer deutschen Redewendung. Doch nicht nur dort, sondern auch am Arbeitsplatz oder unter Freunden geht es nicht ganz ohne Konflikte. Streit ist also ganz normal, solange er niemanden verletzt und eine Lösung bringt. Wie man richtig streitet, kann man lernen.

1 Endete der letzte Streit wieder mal mit lautem Schreien und Türenknallen? Die Hamburger Therapeutin Sigrid Meissner sagt, dass das nicht sein muss, und gibt Tipps, was man beachten kann, um der Konfliktlösung näher zu kommen. Keine guten Aussichten auf Erfolg hat ein Streit, der mit einem Vorwurf beginnt. Sie sind richtig sauer? Vielleicht mit Recht, aber versuchen Sie trotzdem ruhig zu bleiben und auch ruhig über Ihre Gefühle zu sprechen.

2 Die dreckige Küche hat Ihren Streit ausgelöst? Dann sprechen Sie auch nur darüber. Erweitern Sie Ihre Kritik nicht auf andere Punkte, die Sie eventuell auch noch stören wie Erziehungsfragen, Geld oder die Erledigung von Arbeiten. „Bleiben Sie beim Thema", rät die Therapeutin. Dann hat Ihr Gegenüber auch die Chance, konkret zu reagieren.

3 Suchen Sie sich für eine Diskussion einen Zeitpunkt, zu dem Sie auch tatsächlich sprechen können. Kurz vor Feierabend oder vor dem Einschlafen noch wichtige Themen anzusprechen, erzeugt nur unnötige Spannung. „Man kann nicht konstruktiv über Dinge sprechen, wenn einer müde ist oder unter Druck steht", rät Meissner. Zeit ist für jede Problemlösung eine wichtige Basis, die man sich und dem anderen geben sollte. Die Diskussion sollte nicht auf die lange Bank, aber auf einen Termin mit Spielraum für beide verschoben werden.

4 Was der andere sagt, ist vielleicht nicht angenehm, trotzdem sollten Sie gut zuhören und Interesse zeigen. „Der Partner will in erster Linie eines: gehört werden", sagt Meissner. Seien Sie also offen und achten Sie darauf, was ihr Partner Ihnen sagen möchte. Sie wünschen sich sicherlich ähnlich viel Respekt für Ihre Themen.

5 „Du hast schon wieder ..." Hier kommt der Vorwurf gleich im ersten Satz und damit beginnen eher destruktive Gespräche. Versuchen Sie es lieber mit Botschaften über Sie selbst. „Ich möchte gerne ..." leitet viel eher eine konstruktive Diskussion ein.

6 Eine gemeinsame Lösung, mit der alle zufrieden sind, lässt sich nicht immer erreichen. Bei der Verteilung der Arbeit im Beruf muss man ab und zu auch mal eine weniger gerechte Aufgabenteilung hinnehmen. Sie ist dann aber die Basis für die Verhandlung von einem Kompromiss in einem anderen Bereich.

7 Wurden Sie zu laut, zu hitzig, zu böse und es tut Ihnen jetzt leid? Dann sollten Sie sich entschuldigen. „Da muss man dann auch Größe zeigen, um Verzeihung bitten und keine Rechtfertigungen für sein Verhalten suchen." Das sollte Ihnen im Beruf zwar am besten erst gar nicht passieren, wenn die falschen Worte aber erst einmal raus sind, ist hier eine Entschuldigung umso nötiger.

8 Am Ende des Tages kann man ein Resümee ziehen. Was hat heute gut geklappt, was nicht? Nutzen Sie die Chance für einen gemeinsamen Austausch, bei dem Sie kleinere Unstimmigkeiten entspannt ansprechen können.

c Welche Informationen waren neu bzw. besonders interessant für Sie?

SPRACHE IM ALLTAG

Streit liegt in der Luft

Ich glaub', es geht los!
Können wir uns kurz mal unterhalten?
Das darf doch nicht wahr sein!
Ich träum' wohl ...
Geht's noch?

▶ Ü 2

Wenn zwei sich streiten, ...

1.16-18

4a Hören Sie nun drei Dialoge und machen Sie sich Notizen zu den Fragen.

- Was ist der Anlass / das Thema des Gesprächs?
- Welcher Dialog ist ein Gespräch, in dem Kritik geübt wird? Welcher ist ein Streit?

b Welche Faktoren führen zu einem konstruktiven Ende? Welche führen zu einem negativen Ausgang? Sammeln und diskutieren Sie im Kurs.

▶ Ü 3

5a Arbeiten Sie in Gruppen. Sehen Sie die Bilder an. Wer und wo ist das? Worum geht es?

b Wählen Sie einen der drei Textanfänge und schreiben Sie aus der Sicht der Person weiter. Wie handelt, denkt und fühlt die Person?

Liebes Tagebuch,
immer dieser Stress bei uns. Das nervt. Immer räume ich die Küche auf. Heute auch. Und ...

Hallo Tom,
ich kann dir wieder aus unserer tollen WG berichten.
Hier gibt es echte Überraschungen ...

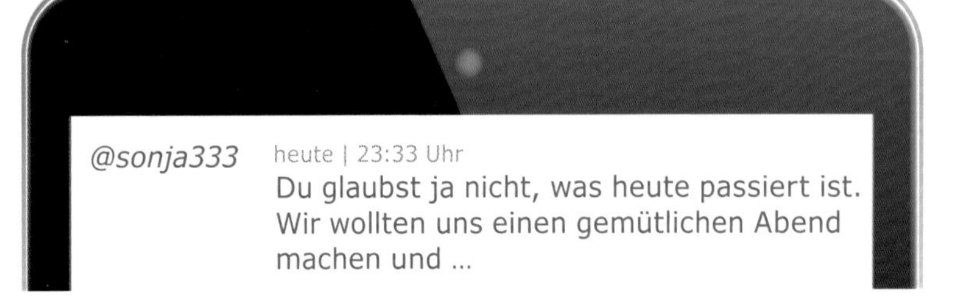

@sonja333 heute | 23:33 Uhr
Du glaubst ja nicht, was heute passiert ist. Wir wollten uns einen gemütlichen Abend machen und ...

6a Partnerarbeit – Rollenspiel. Entscheiden Sie sich für eine der drei Situationen und übernehmen Sie eine Rolle. Verwenden Sie Ich-Botschaften.

GEFÜHLE UND WÜNSCHE AUSDRÜCKEN

Ich denke, dass …
Ich würde mich freuen, wenn …
Ich fühle mich …, wenn …
Ich glaube, dass …
Ich finde es traurig, wenn …
Verlange ich zu viel, wenn …?
Ich würde mir wünschen, dass …
Mir geht es …, wenn ich …
Für mich ist es schön/gut/leicht/…, wenn …
Ich bin echt davon enttäuscht, dass …
… macht mich sauer/wütend/…
Für mich ist wichtig, dass …

Daniela, 26 (Studentin)
- möchte die Mitschrift von Benno, weil sie die letzten beiden Male nicht im Seminar war,
- meint, dass Benno ihr als Freund helfen sollte,
- hat Angst vor der Prüfung, weil sie nur wenig verstanden hat.

Benno, 28 (Student)
- ist sauer, weil Daniela ihm nie bei etwas geholfen hat,
- das ist das dritte Mal, dass Daniela seine Mitschrift haben möchte,
- fühlt sich ausgenutzt.

Bill, 40 (macht Umschulung)
- wohnt mit Constanze in einer WG,
- will für eine Prüfung lernen,
- kann sich nicht konzentrieren,
- meint, dass Constanze einen eigenen Probenraum braucht.

Constanze, 30 (Musikerin)
- muss heute noch Cello üben,
- hat heute Proben und morgen ein wichtiges Konzert,
- fühlt sich noch unsicher.

Jolanta, 27 (Telefonistin)
- möchte im Urlaub ihre Ruhe haben,
- hat einen sehr hektischen Alltag,
- möchte, dass sie zusammen mit Stefan entspannen kann,
- findet, dass Stefan zu wenig Rücksicht nimmt.

Stefan, 34 (Bibliothekar)
- möchte im Urlaub etwas erleben,
- fand den Strandurlaub letztes Jahr langweilig,
- möchte, dass Jolanta seine Interessen teilt (Sport, Natur, Leute kennenlernen),
- findet, dass in diesem Urlaub seine Wünsche berücksichtigt werden sollen.

b Spielen Sie die Dialoge vor und diskutieren Sie dann im Kurs: Was ist gut gelaufen? Wo haben die Tipps aus dem Artikel in 3b geholfen?

Porträt

Sophie Hunger (*31. März 1983)

Musikerin, Komponistin, Autorin

Großes aus der kleinen Schweiz: Sophie Hunger brilliert mit smartem Indie-Pop, der poetisch daherkommt – aber nie platt.

SPIEGEL ONLINE: Sie haben mal gesagt: „Irgendwann habe ich entdeckt, dass ich mit Gesang die Menschen wütend, traurig oder fröhlich machen kann." Welches dieser drei Gefühle lösen Sie eigentlich am liebsten aus?
Sophie Hunger: Ha! So funktioniert das nicht. Singen ist kein Domino-Spiel, in dem ein Stein fällt, dann der nächste und der nächste – das hat nichts Systematisches. Es kommt darauf an, wie man die Sachen singt oder sagt.

Sophie Hunger möchte nach eigener Aussage mit ihrer Musik kommunizieren. Und das in vier Sprachen.

SPIEGEL ONLINE: Trotzdem: Wer Gefühle auslösen kann, hat Macht über Menschen. Sind Sie sich dessen bewusst?
Hunger: Ja, in manchen Momenten.

SPIEGEL ONLINE: Erzählen Sie mal.
Hunger: Zur ersten Zugabe kehre ich zurück auf die Bühne, alleine. Das Publikum klatscht, ein klassischer Live-Moment. Da spüre ich viel Aufmerksamkeit – und viel Gunst. Die Leute erwarten, dass ich jetzt etwas mache, sie sind bereit, etwas anzunehmen.

SPIEGEL ONLINE: Eine Sache fällt an Ihrer Musik besonders auf: Sie empfinden viel Spaß daran, Worte zu phrasieren – in allen Sprachen, in denen Sie singen. Haben Sie ein Lieblingswort?
Hunger: Auf Schweizerdeutsch mag ich sehr gerne „chumm", also „komm". Das drückt so eine Dringlichkeit aus. Man will unbedingt, dass die Person kommt.

SPIEGEL ONLINE: Im Französischen?
Hunger: „Personne". Das Wort heißt „niemand" – und zugleich „Person". Wer „niemand" sagt, sagt zugleich „jemand". Das ist hervorragend!

SPIEGEL ONLINE: Und im Hochdeutschen?
Hunger: Ein hochdeutsches Wort, das ich mag? Ich weiß nicht ...

SPIEGEL ONLINE: Ist es Zufall, dass Sie beim Hochdeutschen länger überlegen?
Hunger: Sie sind Deutscher, vielleicht deswegen. Aber das Wort „niemand" gefällt mir schon sehr. Das habe ich dann auch mal gebraucht für ein Stück, „Walzer für Niemand".

SPIEGEL ONLINE: Ihr Album „1983" war international erfolgreich, aber nirgends so sehr wie in der Schweiz: Platz eins der Charts. Ist die Schweiz als kleines Land besonders stolz, wenn Schweizer Erfolg in der großen, weiten Welt haben?
Hunger: Die Schweizer können oft nur als Schweizer in der Schweiz stolz auf sich sein. Denn wenn etwas die Schweiz verlässt, verlässt es meistens den Wahrnehmungsbereich der Schweiz.

SPIEGEL ONLINE: Was bedeutet Ihnen die Schweiz?
Hunger: Die Schweiz ist meine geliebte Heimat. Geliebt, weil man ja das liebt, was zu einem gehört, abgesehen davon, ob man es mag oder nicht. Wenn ich die Alpen sehe, dann fühle ich sie in meinem Bauch. Diese Landschaft hat mich gezeichnet, sie ist immer bei mir. Ich wurde aber ungefragt als Schweizerin geboren.

SPIEGEL ONLINE: Klingt ein wenig nach Schicksal ...
Hunger: ... ja ...

SPIEGEL ONLINE: ... und fast nach einer Last.
Hunger: Nein! Die Schweiz ist eines der reichsten Länder der Welt, Schweizer zu sein, ist keine Last. Die Frage ist: Was macht man daraus?

www Mehr Informationen zu Sophie Hunger.

Sammeln Sie Informationen über Persönlichkeiten aus dem In- und Ausland, die für das Thema „Kommunikation" interessant sind, und stellen Sie sie im Kurs vor. Sie können dazu die Vorlage „Porträt" im Anhang verwenden.

Beispiele aus dem deutschsprachigen Bereich: Ruth Cohn – Paul Watzlawick – Massimo Rocchi – Michaela Maria Drux

1 Vergleichssätze

Vergleichssätze mit *als* und *wie*
Nebensätze mit *als* und *wie* drücken einen Vergleich aus. Sie hängen immer von einem Adjektiv ab. Das Verb steht am Ende.
Vergleichssätze werden bei Gleichheit mit *wie*, bei Ungleichheit und nach *ander(e)s* mit *als* eingeleitet:
1. Gleichheit: *so/genauso* + Grundform + *wie*
2. Ungleichheit: Komparativ + *als*, *anders* + *als* oder *etwas/nichts anderes* + *als*

*Botschaften der Körpersprache nehmen wir **so schnell** wahr, **wie** wir gesprochene Sprache aufnehmen.*
*Wir achten instinktiv viel **mehr** auf die Körpersprache, **als** wir meinen.*

Vergleichssätze mit *je ..., desto/umso ...*

***Je** eindeutiger die Signale sind,*	***desto/umso** besser verstehen wir sie.*
Nebensatz *je* + Komparativ	Hauptsatz *desto/umso* + Komparativ

Vergleichssätze mit *je ..., desto/umso ...* haben oft eine konditionale Bedeutung.
Wenn die Signale eindeutig sind, (dann) verstehen wir sie besser.

2 Das Wort *es*

***es* als Subjekt oder Objekt (obligatorisch)**

	***es* als Subjekt**	***es* als Objekt**
Wetterverben	*es nieselt, es regnet, es hagelt, es schneit, es donnert, es blitzt, es gewittert, es stürmt*	
Tages- und Jahreszeiten	*Es ist Morgen. Es wird Nacht. Es wird Frühling.*	
Natur- und Zeiterscheinungen	*Es ist schon spät. Im Winter bleibt es lange dunkel. Es wird hell. Es zieht.*	
feste lexikalische Verbindungen	*es geht, es gibt, es ist, es eilt mit* + D, *es fehlt an* + D, *es geht um* + A, *es handelt sich um* + A, *es klappt mit* + D, *es kommt an auf* + A	*es abgesehen haben auf* + A, *es eilig haben, es ernst/leicht/schwer nehmen, es ernst meinen, es gut/schlecht haben, es gut/schlecht meinen mit* + D, *es in sich haben, es sich gut gehen lassen, es weit bringen*

Wenn *es* Objekt ist, steht *es* niemals auf Position 1.

***es* als Stellvertreter von dass-Sätzen oder Infinitivkonstruktionen**

1	2		
Es	ist	verwunderlich,	**dass** viele Menschen Smalltalk nicht mögen.
Dass viele Menschen Smalltalk nicht mögen,	ist	verwunderlich.	

1	2			
Viele	lehnen	**es**	ab,	ein nichtssagendes Gespräch **zu** beginnen.
Ein nichtssagendes Gespräch **zu** beginnen,	lehnen	viele	ab.	

Steht der dass-Satz oder die Infinitivkonstruktion auf Position 1, entfällt *es*.

Was man mit dem Körper sagen kann

1a Sehen Sie sich Bilder und Sätze aus einem Film über „Körpersprache" an. Vermuten Sie: Welches Bild passt zu welchem Satz?

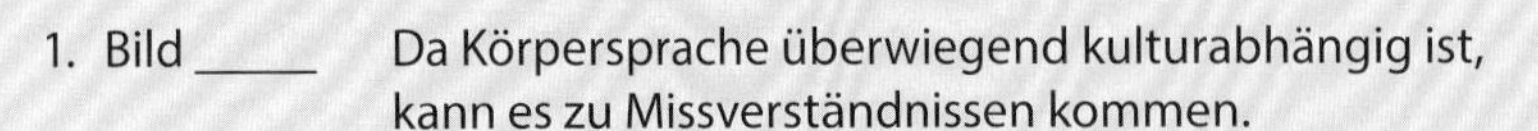

1. Bild _____ Da Körpersprache überwiegend kulturabhängig ist, kann es zu Missverständnissen kommen.
2. Bild _____ Die Anwesenheit anderer gleichgestimmter Menschen verstärkt unsere Emotionen.
3. Bild _____ Es geht darum, Hemmungen abzubauen, Ausdrucksfähigkeit zurückzuerlangen.
4. Bild _____ Kommunikation durch Bewegung – die Sprache des Körpers zur Kunst erhoben.
5. Bild _____ Wenn ich so sitzen bleiben würde, würde ich die Stimmung dieser Haltung automatisch annehmen.

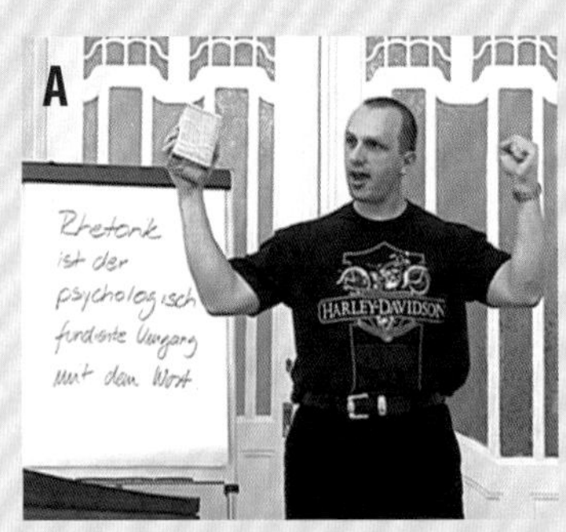

b Sehen Sie nun den ganzen Film. Waren Ihre Vermutungen richtig?

1

2a Sehen Sie die erste Filmsequenz. Ordnen Sie dann die Wörter den Fragen zu.

Angst	Ekel	Gestik	Haltung	Lachen	Mimik	Nachahmung	Wut

1. Aus welchen drei Elementen besteht Körpersprache?

   ____

2. Welche Beispiele für angeborene Körpersprache werden im Film genannt?

   ____

3. Wie eignet man sich erlernbare Körpersprache an?

   Durch ______________________________

b Körpersprache kann zu interkulturellen Missverständnissen führen. Erklären Sie das Beispiel aus dem Film. Was ist bei Japanern anders als bei Deutschen?

c Nennen Sie aus Ihrer Erfahrung weitere kulturelle Unterschiede in der Körpersprache.

2

3a Sehen Sie die zweite Sequenz. Durch welche Elemente der Körpersprache gelingt bzw. misslingt das Gespräch zwischen Arzt und Patient? Notieren Sie und vergleichen Sie im Kurs.

misslungenes Gespräch	gelungenes Gespräch
Arzt sucht keinen Blickkontakt	*freundliche Begrüßung*

b Überlegen Sie sich zu zweit eine Situation (beim Arzt, auf einer Behörde, beim Bewerbungsgespräch, mit einem Lehrer ...). Legen Sie fest, ob das Gespräch positiv oder negativ verlaufen soll.
Spielen Sie das Gespräch und achten Sie besonders auf Mimik, Gestik und Haltung.

c Diskutieren Sie die Situationen aus 3b im Kurs. Wie war die Körpersprache?

3

4a Sehen Sie die dritte Filmsequenz. Wer nimmt am Körpersprache-Seminar teil? Was ist das Ziel des Seminars?

b Was demonstriert der Schauspieler auf dem Stuhl im Film?

5 Spielen Sie zu zweit eine Begegnung mit einer/einem Bekannten auf der Straße. Überlegen Sie sich dafür eine bestimmte emotionale Haltung: freundlich, schüchtern, wütend, ärgerlich, höflich, aggressiv, euphorisch ...
Setzen Sie bewusst Ihre Stimme und Ihre Körpersprache ein.
Trauen Sie sich!

Arbeit ist das halbe Leben?

1 In meinem Beruf muss man auf jeden Fall sehr sportlich sein und den Nervenkitzel lieben. Ich habe eine Stuntschule besucht und arbeite jetzt seit fünf Jahren als Stuntman beim Film. Mein Job ist oft gefährlich, aber immer abwechslungsreich. Trotzdem muss ich mir jetzt mal überlegen, was ich danach machen will. Denn länger als 15 bis 20 Jahre hält man das eigentlich nicht durch.

2 Zuerst war es nur ein Zeitvertreib, aber dann lief es immer besser und ich habe begonnen, mein Geld als Bloggerin zu verdienen. Mittlerweile habe ich so viele Werbepartner, dass ich vor zwei Jahren meinen Job an den Nagel hängen konnte und jetzt meinen Blog hauptberuflich betreibe. Ich schreibe über alles Mögliche: Musik, Mode, Reisen, Lifestyle. Das ist natürlich kein Job bis zur Rente. Mal sehen, was noch kommt.

3 Düfte fand ich schon immer faszinierend, deshalb wollte ich auch unbedingt Parfümeurin werden. Jetzt kreiere ich die passenden Düfte für Waschmittel, Shampoos oder Hautcremes. Zuerst schreibe ich die Rezeptur, dann mische ich. Man muss wissen, welche Bestandteile man wie mischen kann. Das ist das Handwerk. Und dann braucht man natürlich auch einen hervorragenden Geruchssinn.

Sie lernen

Modul 1 | Eine Umfrage zum Thema „Stellensuche" verstehen

Modul 2 | Über das Thema „Glück im Beruf" sprechen

Modul 3 | Die eigene Meinung zu Teambildungs-events wiedergeben

Modul 4 | Einen Lebenslauf analysieren

Modul 4 | Ein Bewerbungsschreiben verfassen und Teile eines Vorstellungsgesprächs üben

Grammatik

Modul 1 | zweiteilige Konnektoren

Modul 3 | Konnektoren *um zu, ohne zu, (an)statt zu* + Infinitiv und Alternativen

D

▶ AB Wortschatz

4 Ich arbeite am Theater als Maskenbildner. Vorher habe ich eine Ausbildung zum Friseur gemacht und dann eine spezielle Schule für Maskenbildner besucht. Man braucht viel Fantasie, Fingerspitzengefühl und Ausdauer in diesem Beruf und man muss sich drauf einstellen, dass man oft abends und am Wochenende arbeiten muss.

5 Eigentlich wollte ich immer Konzertpianist werden, aber dann habe ich irgendwann eingesehen, dass mein Talent nicht reicht. Ich wollte trotzdem etwas machen, was irgendwie mit dem Klavier verbunden ist, also bin ich Klavierbauer geworden. In diesem Beruf sind vor allem handwerkliches Geschick und Genauigkeit besonders wichtig. Ich restauriere, repariere und stimme Klaviere.

6 Meine Leidenschaft waren schon immer Farben, Formen und Licht. Mir hat es immer Spaß gemacht, Räume zu dekorieren und umzugestalten. Nach dem Abitur habe ich Innenarchitektur studiert und habe heute mein eigenes Büro mit drei Angestellten. Wir richten Privatwohnungen, Arztpraxen, Restaurants usw. ein. Das ist mein absoluter Traumberuf, auch wenn ich bei großen Projekten oft bis spät in die Nacht arbeite.

1a Sehen Sie die Fotos an. Welchen Beruf könnten die Leute haben?

b Arbeiten Sie zu dritt. Jeder liest zwei Texte und ordnet sie den Fotos zu. Um welche Berufe handelt es sich? Welche Informationen bekommen Sie? Informieren Sie Ihre Gruppe.

2 Zeichnen Sie einen typischen Gegenstand Ihres Berufs/Traumberufs oder machen Sie eine typische Handbewegung. Die anderen im Kurs raten, um welchen Beruf es sich handelt.

Mein Weg zum Job

1a Welche Möglichkeiten gibt es, eine Stelle zu finden? Sammeln Sie im Kurs.

Stellenanzeigen in der Zeitung …

1.19-26

b Hören Sie die Umfrage. Wie haben die Leute ihre Stelle gefunden? Notieren Sie und vergleichen Sie dann mit Ihren Ideen aus 1a.

Aylin Demir, BWL-Studentin

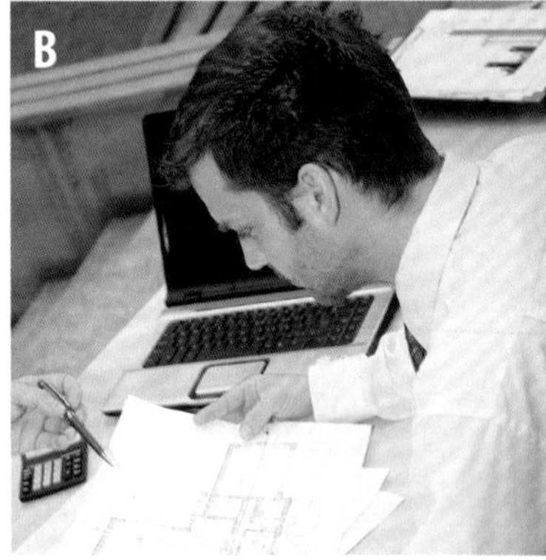

Jan Hoffmann, Bauzeichner

Sandy Wagner, Bürokauffrau

Adele Weiher, Schneiderin

Björn Burger, Koch

Carolin Jaensch, Informatikerin

Nadja Kluger, Grafikerin

Fabian Drechsler, Jurist

A: Webseite der Uni, Praktikumsbörse

c Hören Sie noch einmal. Warum haben die Leute eine Stelle gesucht? Ergänzen Sie Ihre Notizen aus 1b und vergleichen Sie.

▶ Ü 1 **2** Wie haben Sie schon mal eine Stelle, einen Nebenjob, ein Praktikum … gefunden? Berichten Sie.

1.27

3a Hören Sie noch einmal einige Sätze aus der Umfrage und ergänzen Sie die zweiteiligen Konnektoren.

1. Jetzt habe ich ______________ nette Kollegen, ___________________ abwechslungsreichere Aufgaben.
2. Ich habe _____________ über Stellenanzeigen in der Zeitung _____________ über Internetportale eine neue Stelle gefunden.
3. _____________ mehr Absagen ich bekam, _____________ frustrierter wurde ich natürlich.
4. ________________ kämpft man sich durch die Praktikumszeit ____________ man findet wahrscheinlich nie eine Stelle.
5. Bei dem Praktikum verdiene ich ____________ nichts, ____________ ich sammle wichtige Berufserfahrung.
6. ___________________ hat mir der Job gut gefallen, ___________________ brauche ich immer neue Herausforderungen.
7. Ich muss mich ______________ um das Design _______________ um die Produktion kümmern.

b Ordnen Sie die Konnektoren aus 3a nach ihrer Bedeutung in die Tabelle ein.

G

zweiteilige Konnektoren

Aufzählung	**„negative" Aufzählung**	**Vergleich**	**Alternative**	**Einschränkung/ Gegensatz**
nicht nur ..., sondern auch				

Zweiteilige Konnektoren können Sätze oder Satzteile verbinden.
nicht nur ..., sondern auch und *sowohl ... als auch* verbinden meistens Satzteile.

▶ Ü 2

c Verbinden Sie die Sätze mit zweiteiligen Konnektoren. Manchmal gibt es mehrere Möglichkeiten.

1. Wenn man mehr Erfahrung hat, findet man leichter eine Stelle.
2. Bei einer Bewerbung ist der Lebenslauf wichtig. Das Bewerbungsschreiben ist auch wichtig.
3. Man bewirbt sich meistens per E-Mail. Bewerbungen über Online-Formulare sind auch möglich.
4. Für viele Stellen ist eine Ausbildung wichtig. Außerdem ist auch genügend Berufserfahrung wichtig.
5. Manche Berufe sind nicht interessant und auch nicht gut bezahlt.
6. Sich selbstständig zu machen, ist anstrengend. Es macht jedoch auch Spaß.
7. Es gibt viele freie Stellen. Trotzdem finden viele Leute keine Arbeit.

▶ Ü 3

d Rund um den Beruf. Wählen Sie drei Konnektoren und schreiben Sie Beispielsätze.

Ich habe sowohl im Internet als auch in Zeitungen nach einer Stelle gesucht.

▶ Ü 4

4 Wo möchten Sie in zehn Jahren beruflich stehen? Welche Pläne haben Sie? Erzählen Sie.

Glücklich im Job?

1a Was macht zufrieden im Beruf, was eher unzufrieden? Sammeln Sie im Kurs.

+	-
nette Kollegen	*viele Überstunden*

b Was bedeuten die Ausdrücke? Ordnen Sie zu.

1. Erwartungen erfüllen
2. eine große Rolle spielen
3. eine reine Last sein
4. sich im Job aufreiben
5. etwas selbst in der Hand haben

___ A sehr wichtig sein
___ B zu viel arbeiten / überlastet sein
___ C etwas entscheiden/kontrollieren können
___ D etwas ist nur Pflicht, kein Vergnügen
___ E etwas ist so, wie man gehofft hatte

P GI/TELC

2a Lesen Sie den Text und entscheiden Sie, welche Lösung (a, b oder c) richtig ist.

Lieben Sie Ihre Arbeit?

Während man früher davon ausging, dass Arbeit eine reine Last ist, weiß man heute, dass der Job mitverantwortlich für das Lebensglück ist.

Als sicher gilt: Vor allem Menschen, die keine 5 Arbeit haben, sind unzufrieden. Am wichtigsten sind den meisten Menschen Gesundheit und Familie, aber gleich dahinter kommt der Beruf. Eine aktuelle Studie besagt, dass fast die Hälfte der arbeitenden Menschen sehr zufrieden mit ihrem Beruf ist, unabhängig da- 10 von, ob die Befragten Vollzeit oder Teilzeit arbeiten, angestellt oder selbstständig sind. Doch nur ein Fünftel der Arbeitslosen fühlt sich wohl. Wer arbeitslos ist, hat besonders mit dem Verlust von Ansehen und sozialen Kontakten und der mangelnden Strukturierung 15 des Tages zu kämpfen.

Eine große Rolle bei der Zufriedenheit spielt auch, ob man wirklich das macht, was man möchte. Viele träumen von der Schauspielschule, machen dann aber eine Banklehre, weil es vernünftiger und sicherer 20 scheint, oder studieren Jura statt Philosophie, weil es die Eltern so möchten. Dabei lockt auch das erwartete gute Gehalt. Doch dann kommt plötzlich alles anders, als man denkt, weil z. B. eine Finanzkrise die Karriereplanung stört. Und so kommt zum ungelieb- 25 ten Beruf noch der Misserfolg dazu. Studieren, was einen wirklich interessiert, könnte in den unsicheren wirtschaftlichen Zeiten von heute die einzige verlässliche Entscheidungshilfe sein.

Männer entscheiden sich eher als Frauen für lu- 30 krative Berufe, obwohl auch für sie Geld keine Garantie für Glück bedeutet. Wissenschaftler sind öfter zufrieden als Manager, obwohl sie weniger verdienen. Das Gehalt ist also gar nicht so entscheidend, sollte

aber der Leistung angemessen sein. Auch Flexibilität 35 und die Möglichkeit, Teilzeit zu arbeiten, erhöhen das Glück des Einzelnen. So bekommt man das Gefühl, sein Leben selbst in der Hand zu haben.

Um glücklich und zufrieden zu sein, braucht man aber nicht nur den richtigen Beruf, sondern auch den 40 richtigen Arbeitsplatz. Und dort spielen natürlich auch die Vorgesetzten eine große Rolle. Wer als Chef hauptsächlich Druck ausübt, der demotiviert die Angestellten auf Dauer. Stattdessen sollten Mitarbeiter fachlich unterstützt und Konflikte schnell gelöst wer- 45 den. Ein guter Chef kann auch eigene Fehler eingestehen und weiß, dass er nicht perfekt ist. Damit sich die Mitarbeiter wohlfühlen, ist eine positive und kooperative Firmenkultur unverzichtbar.

Aber auch die Art der Arbeit ist von Bedeutung. 50 Die meisten Menschen beschäftigen sich gern mit anspruchsvollen Aufgaben. Um diese zu bewältigen, sollte man allerdings genug Zeit haben und nicht ständig unter Stress stehen. Außerdem ist das Gefühl wichtig, etwas Sinnvolles zu tun. Besonders 55 schlimm ist es für Angestellte, wenn sie ständig Angst um ihren Job haben müssen und keinen Ausweg aus dieser Situation sehen, z. B. durch einen Stellenwechsel.

Die Wirtschaft verändert sich heutzutage immer 60 schneller. Arbeitnehmer sollten sich deshalb öfter fragen, ob die Arbeit ihre Erwartungen erfüllt. Sonst stellen besonders diejenigen, die sich im Job aufreiben, irgendwann fest, dass das restliche Leben leidet.

1. Heute kann man davon ausgehen, dass …
   - [a] Arbeit für die meisten Menschen eine lästige Pflicht ist.
   - [b] Menschen nicht glücklich sind, wenn sie keine Arbeit haben.
   - [c] die Arbeit für viele wichtiger als die Gesundheit ist.
2. Besonders zufrieden sind Menschen, die …
   - [a] bei der Berufswahl ihrem Herzenswunsch nachgehen.
   - [b] ihren Beruf aus vernünftigen Gründen wie Sicherheit wählen.
   - [c] ihren Beruf nach dem möglichen Einkommen aussuchen.
3. Männer entscheiden sich öfter als Frauen für …
   - [a] einen gut bezahlten Beruf.
   - [b] eine flexible Tätigkeit.
   - [c] ihren Wunschberuf.
4. Vorgesetzte sollten …
   - [a] ein angenehmes Arbeitsumfeld schaffen.
   - [b] wenige Fehler im Umgang mit ihren Mitarbeitern machen.
   - [c] die Mitarbeiter durch Druck motivieren.
5. Arbeitnehmer sind besonders unzufrieden, wenn sie …
   - [a] den Job häufig wechseln müssen.
   - [b] denken, dass ihre Stelle in Gefahr ist.
   - [c] die Erwartungen in der Firma nicht erfüllen.

b Arbeiten Sie zu zweit. Lesen Sie den Text noch einmal und erstellen Sie eine Tabelle. Was macht im Job zufrieden? Was macht unzufrieden?

3 Diskutieren Sie in Gruppen.

- Wie wichtig ist Arbeit und Beruf für Sie?
- Was brauchen Sie, um zufrieden zu sein?
- Was steht für Sie bei der Berufswahl an erster Stelle?
- Welche Erfahrungen haben Sie bis jetzt gemacht?
- Was erwarten Sie von Ihrer beruflichen Zukunft?

WICHTIGKEIT AUSDRÜCKEN	ÜBER ERFAHRUNGEN BERICHTEN	ÜBER EIGENE ERWARTUNGEN SPRECHEN
Für mich ist es wichtig, …	Ich habe die Erfahrung gemacht, dass …	Ich nehme an, …
Entscheidend für … ist …	Ich habe festgestellt, dass …	Eventuell/Wahrscheinlich …
Ein wichtiger Punkt ist …	Meine Erfahrungen haben mir gezeigt, dass …	Ich könnte mir vorstellen, dass …
… bedeutet viel/wenig für mich.		Ich verspreche mir von …, dass …

▶ Ü 1–2

Teamgeist

1 Beschreiben Sie die Aktivitäten auf den Bildern. Was haben die Bilder gemeinsam? Worum könnte es hier gehen?

1.28

2a Hören Sie das Gespräch. Um welches Event geht es und was ist das Problem?

b Hören Sie noch einmal. Welche Argumente werden für und gegen das Event genannt? Notieren Sie.

▶ Ü 1

SPRACHE IM ALLTAG

Begeisterung ausdrücken	Ablehnung ausdrücken
Das finde ich echt cool.	Muss das sein?
Ich glaube, das wird voll witzig!	Das passt mir gar nicht.
Ich finde das super.	Ich finde das echt blöd/doof.
Das wird bestimmt total lustig!	Na super.

3a Lesen Sie die Einladung zum Event aus 2a. Hätten Sie Lust, daran teilzunehmen? Warum? Warum nicht?

Einladung zum Team-Tag!

Liebe Kolleginnen und Kollegen,

am Freitag, den 25. April, lösen wir zusammen mal ganz andere Probleme: Anstatt im Büro zu sitzen, bauen wir gemeinsam ein Drachenboot! Mit Hammer und Säge machen wir uns an die Arbeit, ohne von Mails oder Anrufen abgelenkt zu werden. Sobald das Boot fertig ist – voraussichtlich am späten Nachmittag –, rudern wir in Fünfer-Teams um die Wette. Welches Team umrundet die nahegelegene Insel am schnellsten? Danach rudern wir ganz gemütlich zur Insel, um uns dort von einem Grillmeister verwöhnen zu lassen.

Die wichtigsten Daten:

Freitag, 25. April
Abfahrt 8:00 Uhr vor dem Büro
Wir fahren mit dem Bus.

Freizeitkleidung + warme Jacke + Kleidung zum Wechseln
Rückkehr: spät

Wir freuen uns auf einen spannenden, lustigen und unser Team stärkenden Tag! 

Die Geschäftsleitung

P. S.: Wir fahren bei jedem Wetter!

b Markieren Sie die Sätze mit *um … zu, ohne … zu* und *anstatt … zu* in der Einladung. Was drücken die Konnektoren aus? Notieren Sie zu jeder Umschreibung den passenden Konnektor.

G

Konnektoren mit *zu* + Infinitiv

1. ein Ziel oder eine Absicht ____________________
2. etwas passiert nicht (Einschränkung) ____________________
3. etwas passiert nicht, dafür etwas anderes (Alternative oder Gegensatz) ____________________

c Formulieren Sie die Sätze um. Verwenden Sie *ohne zu, um zu* oder *(an)statt zu.*

1. Sie ruft an, weil sie das Teamevent für die Firma buchen möchte.
2. Sie hat angerufen, aber sie hat das Teamevent nicht gebucht.
3. Sie hat angerufen, damit sie Informationen zum Teamevent bekommt.
4. Sie hat nicht angerufen, sondern sie hat das Event per Mail gebucht.

▶ Ü 2

4a Markieren Sie die Subjekte in den Haupt- und Nebensätzen.

1. Viele Firmen bieten Teamevents an, damit ihre Mitarbeiter besser zusammenarbeiten.
2. Sie hat lange gewartet, ohne dass die Firma ein Angebot geschickt hat.
3. Sie könnten mir das Angebot per Mail schicken, (an)statt dass wir lange telefonieren.

b Markieren Sie in Ihren Sätzen aus 3c die Subjekte und vergleichen Sie mit den Sätzen in 4a. Notieren Sie dann die Konnektoren.

Subjekt im Hauptsatz = Subjekt im Nebensatz	Subjekt im Hauptsatz ≠ Subjekt im Nebensatz
um … zu	*damit*

▶ Ü 3–4

5 Hätten Sie Lust, an einem Teamevent teilzunehmen? Was kann man noch machen, um die Zusammenarbeit in Teams zu verbessern? Welche Aktivitäten zur Verbesserung der Teambildung finden Sie gut? Schreiben Sie einem Freund / einer Freundin.

- Beschreiben Sie das Event.
  Bei dem Event sollen alle …
  Man baut gemeinsam …, um …
- Schreiben Sie, was Ihnen daran gefällt und was nicht.
  Ich finde das Event …
  Besonders gefällt mir daran …
  Nicht so gut finde ich, dass …
- Machen Sie Vorschläge für andere Teambildungsaktivitäten.
  Ich würde lieber …, als …
  Anstatt gemeinsam Kinderspiele zu machen, sollte/könnte man …
  Um ein gut funktionierendes Team zu bilden, müssen meiner Meinung nach vor allem …
  Bei … lernt man die Kollegen auch mal ganz anders kennen. Das finde ich …

Werben Sie für sich!

1a Der Lebenslauf. Lesen Sie die Kommentare einer Bewerbungstrainerin zu einem Lebenslauf und ordnen Sie sie zu.

a) Die Überschrift ist gut, jeder erkennt sofort, was vor ihm liegt. Übersichtlicher ist es, wenn die Überschrift über der zweiten Spalte steht.
b) Nicht nur das Jahr, sondern auch die Monate angeben, z. B. 06/13 oder Juni 13. Achten Sie darauf, dass die Datumsangaben einheitlich sind.
c) Sprachkenntnisse stehen am Ende des Lebenslaufs.
d) Die Überschriften „Studium" und „Abschlüsse" sollte man besser unter einer Überschrift, z. B. „Ausbildung", zusammenfassen.
e) Bei EDV-Kenntnissen immer auch angeben, wie gut man das Programm kann und seit wann man das Programm verwendet.

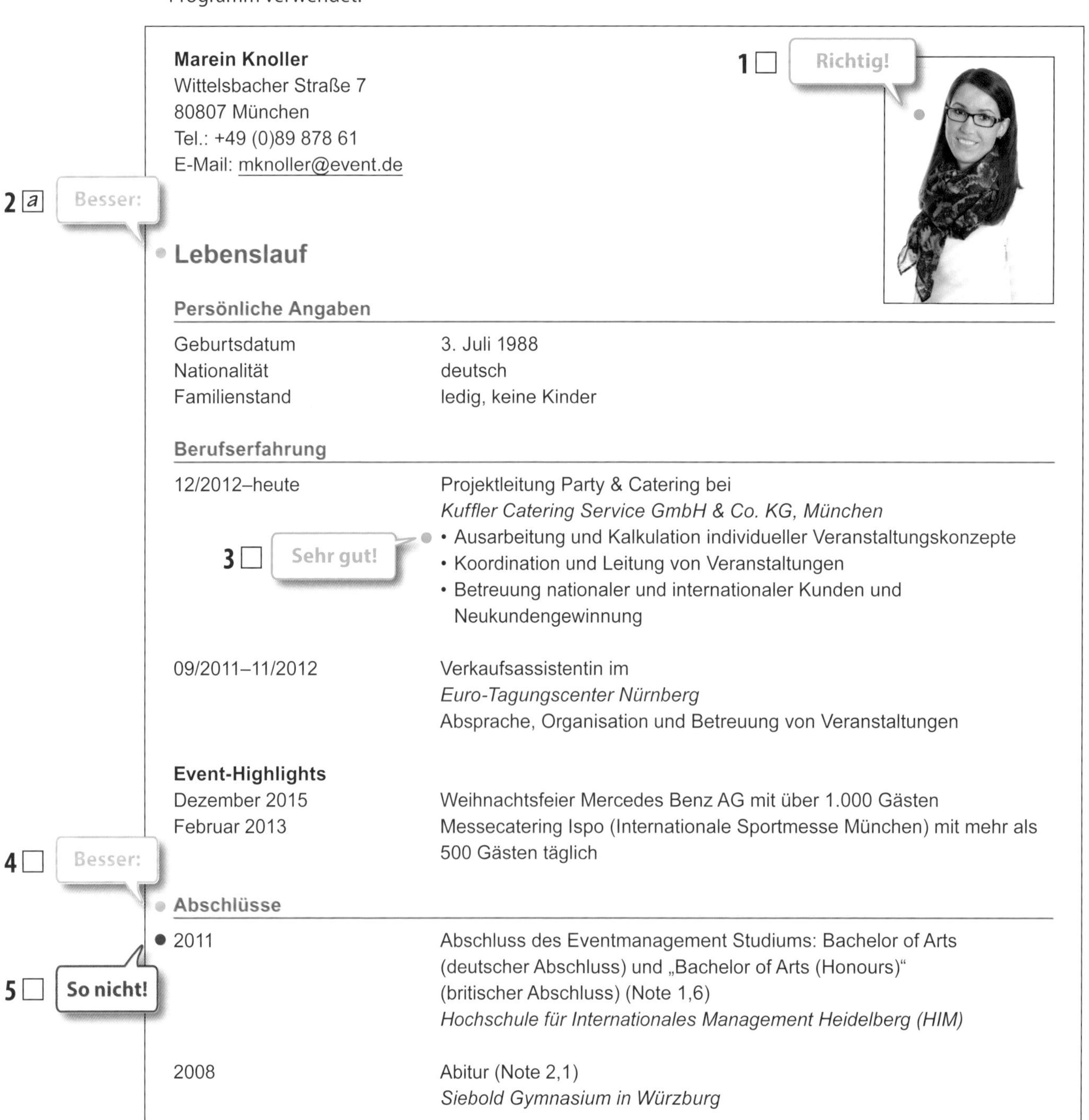

Marein Knoller
Wittelsbacher Straße 7
80807 München
Tel.: +49 (0)89 878 61
E-Mail: mknoller@event.de

1 ☐ Richtig!

2 [a] Besser:

Lebenslauf

Persönliche Angaben

Geburtsdatum	3. Juli 1988
Nationalität	deutsch
Familienstand	ledig, keine Kinder

Berufserfahrung

12/2012–heute	Projektleitung Party & Catering bei *Kuffler Catering Service GmbH & Co. KG, München* • Ausarbeitung und Kalkulation individueller Veranstaltungskonzepte • Koordination und Leitung von Veranstaltungen • Betreuung nationaler und internationaler Kunden und Neukundengewinnung
09/2011–11/2012	Verkaufsassistentin im *Euro-Tagungscenter Nürnberg* Absprache, Organisation und Betreuung von Veranstaltungen

3 ☐ Sehr gut!

Event-Highlights

Dezember 2015	Weihnachtsfeier Mercedes Benz AG mit über 1.000 Gästen
Februar 2013	Messecatering Ispo (Internationale Sportmesse München) mit mehr als 500 Gästen täglich

4 ☐ Besser:

Abschlüsse

2011	Abschluss des Eventmanagement Studiums: Bachelor of Arts (deutscher Abschluss) und „Bachelor of Arts (Honours)" (britischer Abschluss) (Note 1,6) *Hochschule für Internationales Management Heidelberg (HIM)*
2008	Abitur (Note 2,1) *Siebold Gymnasium in Würzburg*

5 ☐ So nicht!

f) Der Lebenslauf ist ein offizielles Dokument, deswegen dürfen Ort, Datum und Unterschrift niemals fehlen.
g) Nennen Sie nur Weiterbildungen, die im Zusammenhang mit der Stelle stehen.
h) Tipp- und Rechtschreibfehler unbedingt vermeiden!
i) Zu Berufserfahrung und Praktika gehören eine kurze Beschreibung der Tätigkeiten.
j) Das Foto kommt oben rechts auf den Lebenslauf. Man sollte seriös und freundlich zugleich aussehen.

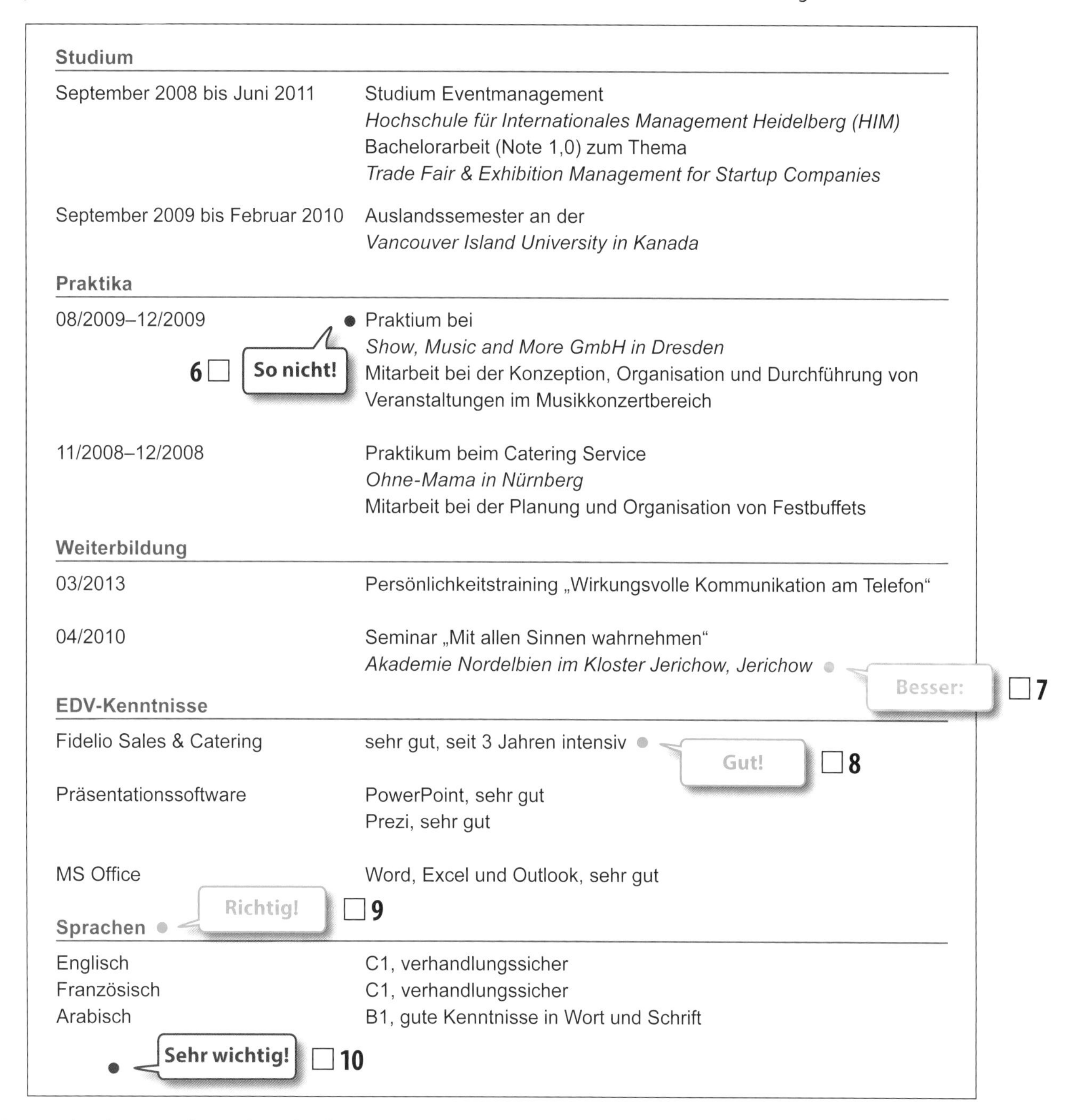

Studium

September 2008 bis Juni 2011	Studium Eventmanagement *Hochschule für Internationales Management Heidelberg (HIM)* Bachelorarbeit (Note 1,0) zum Thema *Trade Fair & Exhibition Management for Startup Companies*
September 2009 bis Februar 2010	Auslandssemester an der *Vancouver Island University in Kanada*

Praktika

08/2009–12/2009	Praktium bei *Show, Music and More GmbH in Dresden* Mitarbeit bei der Konzeption, Organisation und Durchführung von Veranstaltungen im Musikkonzertbereich
11/2008–12/2008	Praktikum beim Catering Service *Ohne-Mama in Nürnberg* Mitarbeit bei der Planung und Organisation von Festbuffets

Weiterbildung

03/2013	Persönlichkeitstraining „Wirkungsvolle Kommunikation am Telefon“
04/2010	Seminar „Mit allen Sinnen wahrnehmen“ *Akademie Nordelbien im Kloster Jerichow, Jerichow*

EDV-Kenntnisse

Fidelio Sales & Catering	sehr gut, seit 3 Jahren intensiv
Präsentationssoftware	PowerPoint, sehr gut Prezi, sehr gut
MS Office	Word, Excel und Outlook, sehr gut

Sprachen

Englisch	C1, verhandlungssicher
Französisch	C1, verhandlungssicher
Arabisch	B1, gute Kenntnisse in Wort und Schrift

b Vergleichen Sie den Lebenslauf und die Kommentare mit Lebensläufen, die Sie kennen. Was ist anders?

c Schreiben Sie mithilfe des Musters Ihren Lebenslauf.

STRATEGIE

Einen Lebenslauf schreiben

- Notieren Sie Informationen, die für Ihren Lebenslauf relevant sein können, auf Zettel.
- Ordnen Sie die Zettel nach den Themen „Persönliches“, „Beruf“, „Ausbildung“, „Praktika“, „Weiterbildung“, „EDV“ und „Sprachen“. Notieren Sie auch Hobbys und Interessen, die für Ihren Beruf relevant sind, z. B. wenn das Hobby zeigt, dass Sie teamfähig sind.
- Formulieren Sie den Lebenslauf. Schreiben Sie nie mehr als zwei Seiten.
- Achten Sie darauf, dass der Lebenslauf übersichtlich und klar gegliedert ist.

Werben Sie für sich!

2 Lesen Sie die Stellenausschreibung und notieren Sie.

- Was macht die Firma, die die Anzeige aufgegeben hat?
- Welche Aufgaben soll der Bewerber übernehmen?
- Welche Anforderungen müssen und welche sollten vom Bewerber erfüllt werden?

Wir sind eine der größten Veranstaltungsagenturen Deutschlands. Unsere Kunden sind nationale und internationale Markenunternehmen.

Wir suchen eine/n **Manager/in Eventmarketing**

Ihr Aufgabengebiet: Sie entwickeln und betreuen verschiedene Kampagnen, Sie planen Veranstaltungen, erstellen dafür Angebote und verantworten das Budget.

Ihr Profil: abgeschlossenes Studium, mindestens 2–3 Jahre Berufserfahrung im Projektmanagement, Konzeptions- und Kommunikationsstärke, selbstständige und zielorientierte Arbeitsweise, fließende Englischkenntnisse, weitere Fremdsprachen von Vorteil

Wir bieten: ein kreatives Arbeitsumfeld, eine offene Atmosphäre und klare Entwicklungsperspektiven

Sie sind interessiert? Dann freuen wir uns auf Ihre aussagekräftige Bewerbung – bitte ausschließlich per Mail (max. 5 MB) – an:

VERGRU Veranstaltungs-Gruppe, Hubert Bornemann, Raue-Str. 11, 80573 München, personal@vergru.de

3a Das Bewerbungsschreiben. Ordnen Sie die Bezeichnungen den Teilen des Bewerbungsschreibens zu.

A Schlusssatz B Adresse C Ort, Datum D Unterschrift E Vorstellung der eigenen Person F Anrede
G Betreff H Absender I Eintrittstermin J Einleitung K Erwartungen und Ziele L Grußformel

_____ Marein Knoller
Wittelsbacher Straße 7
80807 München

_____ VERGRU Veranstaltungs-Gruppe
z. Hd. Herrn Hubert Bornemann
Raue-Straße 11
80573 München

_____ München, den …

_____ **Bewerbung als Managerin Eventmarketing**
Ihre Anzeige auf myJob.de vom …

_____ Sehr geehrter Herr Bornemann,

_____ Sie suchen eine selbstständig und zielorientiert arbeitende Managerin im Eventmarketing zur Durchführung und Leitung verschiedener Kampagnen. Als ausgebildete Eventmanagerin habe ich umfangreiche Erfahrungen in der Planung und Durchführung von Events gesammelt, die ich gerne in Ihr Unternehmen einbringen möchte.

_____ Meine bisherige berufliche Erfahrung hat mir gezeigt, dass ich gerne im Team arbeite und mir die Konzeption und leitende Durchführung auch von umfangreichen Events für anspruchsvolle Kunden ebenso liegt wie die budgetverantwortliche Angebotserstellung. Meine Englischkenntnisse sind dank meines Studiums, in dem ab dem dritten Semester alle Veranstaltungen in englischer Sprache stattfanden, sehr gut und verhandlungssicher. Während meines Auslandssemesters in Kanada konnte ich meine Englischkenntnisse noch weiter vertiefen. Meine Französischkenntnisse sind durch Sprachkurse und kürzere Auslandsaufenthalte ebenfalls verhandlungssicher. Darüber hinaus habe ich auch gute Arabischkenntnisse.

_____ Von einem Eintritt in Ihr Unternehmen verspreche ich mir, meine Kenntnisse und Fähigkeiten in vollem Umfang einbringen zu können. _____ Die Tätigkeit als Managerin Eventmarketing in Ihrem Unternehmen könnte ich ab dem 1. Juli aufnehmen.

_____ Über eine Einladung zu einem persönlichen Vorstellungsgespräch freue ich mich sehr.

_____ Mit freundlichen Grüßen

_____ *Marein Knoller*

b Vergleichen Sie das Bewerbungsschreiben mit der Anzeige. Worauf ist Marein Knoller in ihrem Anschreiben eingegangen?

c Sammeln Sie zu der Übersicht passende Redemittel aus dem Anschreiben.

EINE BEWERBUNG SCHREIBEN

Einleitung

in Ihrer oben genannten Anzeige …

da ich mich beruflich verändern möchte, …

vielen Dank für das informative und freundliche Telefonat.

Bisherige Berufserfahrung/Erfolge

Nach erfolgreichem Abschluss meines …

In meiner jetzigen Tätigkeit als … bin ich …

Im Praktikum bei der Firma … habe ich gelernt, wie/dass …

Durch meine Tätigkeit als … weiß ich, dass …

Erwartungen an die Stelle

Von einem beruflichen Wechsel zu Ihrer Firma erhoffe ich mir, …

Mit dem Eintritt in Ihr Unternehmen verbinde ich die Erwartung, …

Eintrittstermin

Mit der Tätigkeit als … kann ich zum … beginnen.

Schlusssatz

Ich freue mich darauf, Sie in einem persönlichen Gespräch kennenzulernen.

▶ Ü 1–2

4a Suchen Sie eine Stellenanzeige in deutscher Sprache, auf die Sie sich bewerben möchten.

TELC

b Schreiben Sie einen Bewerbungsbrief. Ihr Brief sollte mindestens zwei der folgenden Punkte und einen weiteren Aspekt enthalten:

- Ihre Ausbildung
- Ihre Interessen und Vorlieben
- Grund für die Wahl dieser Stelle
- Grund für die Bewerbung in Deutschland/Österreich/Schweiz

Bevor Sie den Brief schreiben, überlegen Sie sich eine passende Reihenfolge der Punkte, die Einleitung und den Schluss. Vergessen Sie nicht Absender, Anschrift, Datum, Betreffzeile und Schlussformel. Schreiben Sie 150–200 Wörter.

▶ Ü 3

1.29

5a Bei einem Vorstellungsgespräch ist die Selbstdarstellung wichtig. Lesen Sie die Checkliste und hören Sie das Vorstellungsgespräch. Was hat die Bewerberin nicht oder falsch gemacht?

Checkliste Selbstdarstellung
1. Machen Sie deutlich, welche Stationen Ihrer Ausbildung/Karriere für die Stelle wichtig sind.
2. Erklären Sie, welche Ziele Sie noch erreichen möchten.
3. Beschreiben Sie persönliche Erfahrungen und Qualifikationen, die wichtig für die Stelle sind.
4. Reden Sie niemals schlecht über andere Arbeitgeber.
5. Seien Sie selbstbewusst, aber nicht arrogant!
6. Werden Sie nicht zu privat. Was Sie erzählen, sollte im Zusammenhang mit der Stelle stehen.
7. Machen Sie deutlich, warum Sie sich gerade auf diese Stelle bewerben.

b Was ist bei Vorstellungsgesprächen in Ihrem Land wichtig? Was ist anders?

6 Spielen und üben Sie zu zweit die ersten Minuten eines Vorstellungsgesprächs für die Stelle, auf die Sie sich in 4b beworben haben.

▶ Ü 4

manomama®

Eine textile Geschäftsidee von Sina Trinkwalder

Sina Trinkwalder ist Textilunternehmerin. Aber nicht irgendeine. Sie hat mit manomama® das erste öko-soziale Unternehmen (Social Business) im Textilbereich in Deutschland gegründet. Für ihr Engagement kam Lob von allen Seiten und das Schönste ist: Das Unternehmen arbeitet wirtschaftlich erfolgreich.

Sina Trinkwalder in ihrer Manufaktur in Augsburg

Sie hätte es auch lassen können. Sina Trinkwalder, 36, Mutter eines kleinen Sohnes, verdiente gutes Geld als Geschäftsführerin einer Werbeagentur. Aber sie besitzt nun mal von Kindesbeinen an einen ausgesprochenen Gerechtigkeitssinn. So hängte sie ihren Job an den Nagel und gründete manomama®, das erste Social Business im Textilbereich in Deutschland – 100 Prozent ökologisch und regional verankert.

„Wir machen nicht bio, weil es sich gut verkauft, sondern weil wir es als Grundvoraussetzung für ein respektvolles, soziales Handeln sehen", sagt die Unternehmerin. Wichtiger als bio ist ihr aber der soziale Aspekt. „Wir können doch Menschen, die gern arbeiten würden, nicht die Chance verweigern!"

Gestartet mit einer kleinen Manufaktur 2010, produziert sie mittlerweile in einem umgebauten Rohwarenlager im Zentrum Augsburgs Biobaumwolltaschen und Bekleidung. Alles, was dafür gebraucht wird, vom Garn bis zur Naht, wird in Deutschland oder wenn möglich im Umkreis von 250 km um Augsburg hergestellt. Einzig die Baumwolle (kba = kontrolliert biologischer Anbau) wird aus der Türkei und aus Westafrika importiert. Sina Trinkwalder beschäftigt rund 150 Menschen, die auf dem Arbeitsmarkt sonst kaum mehr gefragt waren, wie langzeitarbeitslose, ältere Frauen.

Dass es gelingen würde, in Deutschland konkurrenzfähige Textilien herzustellen, haben ihr nicht viele zugetraut – das sei hier einfach zu teuer. Zur Erinnerung: Tausende Näherinnen hatten hierzulande ihren Job verloren, die Produktion wurde vor allem in Billiglohnländer verlagert.

Mit ihrem Projekt hat sie viel Aufsehen erregt, avancierte zum Liebling der Arbeitsagentur und wird von Politik und Gewerkschaften hofiert. Aber auch die Kunden kommen. „Wir können das bieten, was die Kunden bei anderen Textilherstellern verzweifelt suchen: Transparenz – vom Feld bis in den Schrank", sagt die manomama-Chefin.

www  Mehr Informationen zu manomama.

Sammeln Sie Informationen über Persönlichkeiten oder Unternehmen aus dem In- und Ausland, die zum Thema „Arbeit und Beruf" interessant sind, und stellen Sie sie im Kurs vor. Sie können dazu die Vorlage „Porträt" im Anhang verwenden.

Beispiele aus dem deutschsprachigen Bereich: Swatch – Loony – Heidi Klum – fritz-Kola

1 Zweiteilige Konnektoren

Funktionen

Aufzählung	*Jetzt habe ich* ***nicht nur*** *nette Kollegen,* ***sondern auch*** *abwechslungsreichere Aufgaben.* *Ich muss mich* ***sowohl*** *um das Design* ***als auch*** *um die Produktion kümmern.*
„negative" Aufzählung	*Ich habe* ***weder*** *über Stellenanzeigen in der Zeitung* ***noch*** *über Internetportale eine neue Stelle gefunden.*
Vergleich	***Je*** *mehr Absagen ich bekam,* ***desto/umso*** *frustrierter wurde ich.*
Alternative	***Entweder*** *kämpft man sich durch die Praktikumszeit* ***oder*** *man findet wahrscheinlich nie eine Stelle.*
Gegensatz/ Einschränkung	*Bei dem Praktikum verdiene ich* ***zwar*** *nichts,* ***aber*** *ich sammle wichtige Berufserfahrung.* ***Einerseits*** *hat mir der Job gut gefallen,* ***andererseits*** *brauche ich immer neue Herausforderungen.*

Zweiteilige Konnektoren können Sätze oder Satzteile verbinden.
weder … noch, nicht nur …, sondern auch und *sowohl … als auch* verbinden meistens Satzteile.

Zwischen diesen zweiteiligen Konnektoren steht immer ein Komma:

nicht nur …, sondern auch	*je …, desto/umso*
zwar …, aber	*einerseits ..., andererseits*

2 Konnektoren *um zu, ohne zu* und *(an)statt zu* + Infinitiv und Alternativen

Bedeutung	***um/ohne/(an)statt + zu +*** **Infinitiv: gleiches Subjekt im Haupt- und Nebensatz**	***damit, ohne dass, (an)statt dass:*** **unterschiedliche Subjekte im Haupt- und Nebensatz***	**Alternativen**
Absicht, Ziel, Zweck (final)	*Ich rufe an,* ***um*** *das Teamevent* ***zu*** *buchen.*	*Ich rufe an,* ***damit*** *die Firma ein Angebot erstellt.*	*Ich rufe an,* ***weil*** *ich das Teamevent buchen* ***möchte****.*
Einschränkung (restriktiv)	*Ich habe lange gewartet,* ***ohne*** *ein Angebot* ***zu*** *bekommen.*	*Ich habe lange gewartet,* ***ohne dass*** *die Firma ein Angebot geschickt hat.*	*Ich habe lange gewartet,* ***aber*** *ich habe das Angebot* ***nicht*** *bekommen.* *Ich habe lange gewartet,* ***trotzdem*** *habe ich das Angebot nicht bekommen.*
Alternative oder Gegensatz (alternativ oder adversativ)	***(An)statt*** *lange* ***zu*** *telefonieren, könntest du das Angebot fertig machen.*	***(An)statt dass*** *wir lange telefonieren, könnten Sie mir das Angebot per Mail schicken.*	*Sie haben* ***nicht*** *telefoniert,* ***sondern*** *die Firma hat das Angebot per Mail geschickt.*

* *damit* verwendet man auch bei gleichem Subjekt (*Ich rufe an, damit ich das Teamevent buchen kann.*).
ohne dass und *anstatt dass* wird selten bei gleichem Subjekt verwendet.

Gleicher Lohn für gleiche Arbeit?

1 a **Was sind typische Frauen- und Männerberufe? Warum wählen besonders viele Frauen oder Männer diese Berufe? Diskutieren Sie.**

b **Gleichberechtigung im Beruf – was heißt das? Diskutieren Sie im Kurs.**

1

2 **Bilden Sie zwei Gruppen und sehen Sie die erste Filmsequenz. Jede Gruppe ergänzt eine Spalte der Tabelle mit Informationen und stellt anschließend die Frau vor.**

	 Gruppe A: Kerstin Reschke	 Gruppe B: Belgin Tanriverdi
beruflicher Weg:	*früher Bürokauffrau*	
Einkommen:		
Familienverhältnisse:		
Zufriedenheit im Job:		
Sonstiges:		

3a In Deutschland gilt gesetzlich: Gleicher Lohn für gleiche Arbeit. Trotzdem verdienen Frauen oft weniger als Männer. Sehen Sie den ganzen Film und ergänzen Sie die Sätze mithilfe der Stichwörter.

weniger Berufsjahre	Teilzeit	meist schlechter bezahlt	Geld

Frauen verdienen oft weniger, weil …

1. … typische Frauenberufe ______________________.
2. … sie wegen der Familie ______________________.
3. … sie wegen Schwangerschaft und Familie ______________________.
4. … Frauen bei der Berufswahl nicht als Erstes ______________________.

b Wie sieht es mit der beruflichen Gleichberechtigung in Ihrem Heimatland aus? Berichten Sie.

4a Bilden Sie Gruppen und diskutieren Sie die Meinungen aus dem Forum.

Dina1010

15.07. | 16:30 Uhr

Die meisten Frauen arbeiten, aber die große Karriere machen die Männer. Ich finde, man sollte auch bei uns eine verpflichtende Frauenquote einführen. Mindestens 40 Prozent der oberen Führungspositionen sollten mit Frauen besetzt werden. In vielen anderen Ländern gibt es so eine Frauenquote. Warum nicht auch bei uns?

Kilian_89

15.07. | 16:38 Uhr

Beruf und Familie unter einen Hut zu bekommen, ist wirklich schwierig. Wie soll man Vollzeit arbeiten und Karriere machen, wenn man zwei kleine Kinder hat? Aber vielleicht könnten ja auch mal die Väter eine Weile Teilzeit arbeiten und sich mehr um die Familie kümmern.

aNNa_Muc

15.07. | 16:42 Uhr

Besonders Frauen arbeiten oft in Berufen, bei denen man sich um andere Menschen kümmert. Und die sind ja meistens besonders schlecht bezahlt. Ich verstehe nicht, warum man als Krankenschwester nicht mehr verdient. Das ist wirklich eine schwere und anstrengende Arbeit und das sollte auch honoriert werden. Das Gleiche gilt natürlich für Altenpfleger, Erzieher usw.

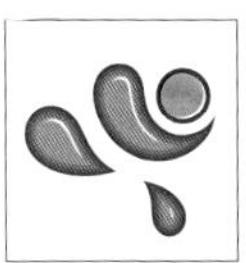

ThoreDD

15.07. | 16:45 Uhr

Wenn man wirklich Karriere machen möchte, dann kann man das auch; egal, ob man eine Frau oder ein Mann ist. Die richtige Ausbildung, genug Durchsetzungsvermögen und Zielstrebigkeit sind wichtig, denke ich. Und am besten ein Arbeitgeber, der familienfreundlich ist, also z. B. durch flexible Arbeitszeiten oder Homeoffice.

b Schreiben Sie einen eigenen Forumsbeitrag zum Thema.

Zusammen leben

Sie lernen

Modul 1 | Einen Text über ein Projekt zu Sport gegen Gewalt verstehen

Modul 2 | Über das Thema „Armut" sprechen

Modul 3 | Eine Radiosendung zum Thema „Internetverhalten und Onlinesucht" verstehen

Modul 4 | Einen Text über Zukunftswünsche schreiben

Modul 4 | In einem Rollenspiel über Dinge sprechen, die einen stören

Grammatik

Modul 1 | Relativsätze mit *wer*

Modul 3 | Nomen-Verb-Verbindungen

TOUCHÉ by ©Tom

F

♫ DÜDELIDÜDELIDIT – DIT – DIT ♫
JA? AH! HALLIHALLO! HAHA! NEIN – BIN NOCH UNTERWEGS... BEI KNÖDLINGEN... KNÖDLINGEN KNÖD – LING – EN! KNÖD WIE KNÖDEL UND LINGEN WIE THEO! HAHA! JA – KEINE AHNUNG, ABER IN 3 STUNDEN BIN ICH ZU HAUSE!

JA, DAS HOTEL WAR SUPER, JA... JA, GANZ SUPER... DU, UND DAS FRÜHSTÜCKSBUFFET – MANN! WAHNSINN! DU, DER LACHS, SO WAS HAST DU NOCH NICHT... LACHS! NA, DIESES ROTE FISCH-ZEUG... WAS? JA, DER TERMIN WAR SUPER – ALLES EINGETÜTET.

JA... ERZÄHL ICH DIR SPÄTER... ICH KANN HIER NICHT REDEN!

SCHÖN WÄRS!!

1a Welche Themen sind in einer Gesellschaft wichtig? Sehen Sie sich die Cartoons an und sammeln Sie im Kurs.

b Welcher Cartoon gefällt Ihnen am besten? Warum?

2 Bringen Sie einen Cartoon mit, der Ihnen gut gefällt, und stellen Sie ihn im Kurs vor.

Sport gegen Gewalt

1a Lesen Sie die Überschrift des Artikels und sehen Sie das Foto an. Was denken Sie: Wie kann Sport gegen Gewalt helfen?

b Lesen Sie nun den Artikel. Was erfahren Sie über Fahim Yusufzai? Sammeln Sie im Kurs.

Sport gegen Gewalt

1 Wie in jeder Großstadt gibt es auch in Hamburg soziale Probleme. Denn was machen 15-Jährige in einem sozial schwachen Stadtteil nach der Schule? Vor einigen Jahren hätten die meisten Kids von Hamburg Jenfeld geantwortet: „Ab ins Einkaufszentrum." Hier ist es warm und trocken, man hat ein Dach über dem Kopf und kann sich seine Langeweile vertreiben: das eine oder andere klauen, Handtaschen stehlen, Graffiti sprühen und so weiter.

2 Fahim Yusufzai, ein gebürtiger Afghane, arbeitete viele Jahre als Sicherheitsleiter im Einkaufszentrum Jenfeld. Täglich schnappte er Jugendliche beim Klauen oder Leute-Ärgern und Randalieren. Wer erwischt wurde, der bekam zunächst Hausverbot. Doch das nützte nichts. Wen Fahim Yusufzai der Polizei übergeben hatte, dem begegnete er am nächsten Tag garantiert erneut im Einkaufszentrum.

3 Irgendwann wollte der Sicherheitsleiter nicht mehr tatenlos akzeptieren, dass es immer die gleichen Jugendlichen waren, die Ärger im Einkaufszentrum machten. Und er hatte eine Idee: Mit 13 begann sein Vater, ihm den Kampfsport Taekwondo beizubringen. „Tae" steht für die Fußtechnik, „Kwon" für Faust- und Armtechnik und „Do" für den geistigen Weg. Seit 1989 trägt Fahim Yusufzai den schwarzen Gürtel. Wer diesen Sport treibt, dem sind Eigenschaften wie Disziplin, Selbstbeherrschung und Verantwortung für das eigene Handeln nicht fremd. Warum sollte er sein Wissen nicht an die Jugendlichen weitergeben?

4 Mit dem Verein „Sport gegen Gewalt" konnte er den Jugendlichen besser helfen als durch Eintragungen der Polizei in ihr Führungszeugnis. Denn wer einmal solche Eintragungen hat, der hat sich seine Zukunft verbaut. Deshalb stellte er die Jugendlichen vor die Wahl: Wer zu ihm in sein Taekwondo-Training kommt, den bringt er nicht zur Polizei. Bis heute hat Fahim Yusufzai mit mehreren Hundert Kindern und Jugendlichen trainiert. Neben Taekwondo wird im Verein auch Kickboxen, Fußball und Basketball angeboten. Das regelmäßige Training stärkt das Gefühl, respektiert zu werden und etwas leisten zu können.

5 Die Jugendlichen sind motiviert und lernen, Stresssituationen ohne Waffe zu bewältigen und sich an Regeln zu halten. Wer im Training zum Beispiel flucht oder jemanden beleidigt, der muss Liegestütze machen. Die Kids werden selbstbewusster, entwickeln Zukunftspläne. Manche machen direkt nach dem Training ihre Hausaufgaben, bei denen sie Hilfe bekommen. Seitdem Fahim Yusufzai sein Training anbietet, ist die Zahl der Sachbeschädigungen und Diebstähle stark zurückgegangen.

6 Der ehemalige Sicherheitsleiter des Einkaufszentrums Jenfeld ist immer für seine Kids da. Wen Probleme plagen, der hat die Möglichkeit, jederzeit mit ihm zu sprechen. Vertrauen, Disziplin und Respekt sind wichtige Vokabeln im Wortschatz von Fahim Yusufzai. Mit ihnen begründet er, was zunächst recht komisch scheint: Er lehrt kriminellen Jugendlichen einen Kampfsport. Aber: Wem er Taekwondo beibringt, der merkt schnell, dass es keinen Sinn macht, Mist zu bauen. Stattdessen kümmern sich die Jugendlichen um die Schule oder um einen Ausbildungsplatz.
Der von Fahim Yusufzai gegründete Verein „Sport gegen Gewalt" gilt als Vorbild für ähnliche Projekte in vielen Großstädten Deutschlands.

c Welcher Satz passt zu welchem Abschnitt? Notieren Sie die Nummer.

___ Fahim Yusufzai wollte das Problem durch Kampfsportunterricht lösen.

___ Kriminelle Jugendliche machen ein Einkaufszentrum unsicher.

___ Die Jugendlichen mussten sich entscheiden: Kampfsport oder Strafanzeige.

___ Der Sicherheitsleiter war machtlos gegenüber den Jugendlichen.

___ Fahim Yusufzai hat für die Jugendlichen immer ein offenes Ohr und steht ihnen zur Seite.

___ Der Erfolg des Vereins zeigt sich darin, dass die Anzahl an Straftaten sinkt.

▶ Ü 1–2

d Wie finden Sie dieses Projekt? Kennen Sie ähnliche Projekte? Welche Angebote würden Sie sich wünschen?

2a Suchen Sie im Artikel Relativsätze mit dem Relativpronomen *wer* und machen Sie eine Tabelle.

Wer	*erwischt wurde,*	*der*	*bekam zunächst Hausverbot.*
Wen	*Fahim Yusufzai der Polizei übergeben hatte,*	*dem*	*begegnete er …*
Wem	*…*	*der*	*…*

▶ Ü 3

b Unterstreichen Sie in den Sätzen in 2a das Verb. Welcher Satz ist Hauptsatz, welcher Nebensatz?

c Sehen Sie sich das Beispiel an und ergänzen Sie die Regel.

Jemand	*hat solche Eintragungen.*	*Er*	*hat sich seine Zukunft verbaut.*
Wer Nominativ	*solche Eintragungen hat,*	***[der]*** Nominativ	*hat sich seine Zukunft verbaut.*

Hauptsatz | Kasus | Person | *der/den/dem* | Nebensatz

G

Relativsätze mit *wer*

1. Relativsätze mit *wer* beschreiben eine unbestimmte ________________ näher.
2. Der ________________ beginnt mit dem Relativpronomen *wer*, der ________________ mit dem Demonstrativpronomen *der*.
3. Der ________________ der Pronomen richtet sich nach dem Verb im jeweiligen Satz.
4. Wenn beide Pronomen im gleichen Kasus stehen, kann ________________ entfallen.

▶ Ü 4–5

3 Lesen Sie die beiden Meinungen zum Thema „Sport gegen Gewalt". Welcher Meinung schließen Sie sich an? Begründen Sie.

A **Ich finde die Idee, schwierigen Jugendlichen eine Kampfsportart beizubringen, erschreckend. Es ist doch klar, dass …**

B **Ich glaube, dass dieses Projekt eine wunderbare Methode ist, um Jugendliche auf den richtigen Weg zu bringen. …**

Armut

1a Was verbinden Sie mit dem Begriff „Armut"? Ergänzen Sie die Mindmap.

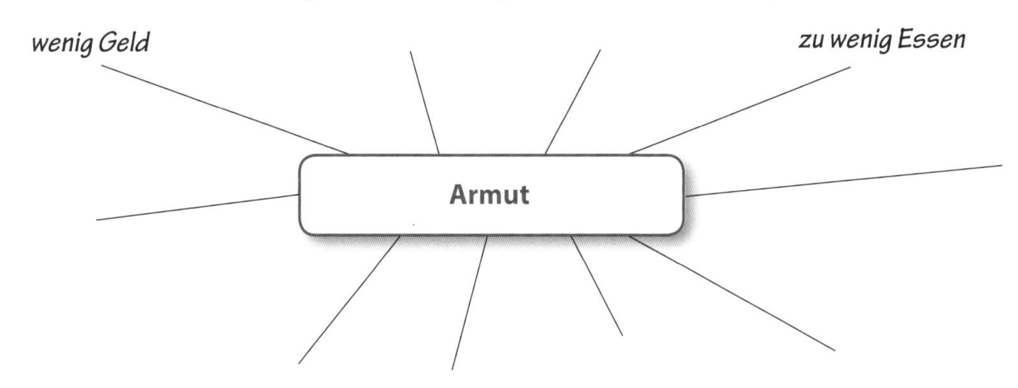

▶ Ü 1–2

b Wann ist Ihrer Meinung nach ein Mensch arm? Schreiben Sie einen kurzen Text und hängen Sie ihn im Kursraum auf.

Meiner Meinung nach bedeutet Armut, dass ...
Unter Armut verstehe ich, ...
Für mich ist ein Mensch arm, wenn er ...

c Vergleichen Sie Ihre Erklärungen im Kurs. Welche Gemeinsamkeiten und welche Unterschiede stellen Sie fest?

P TELC

2 Lesen Sie zuerst die acht Überschriften. Lesen Sie dann die Texte und entscheiden Sie, welcher Text (1–4) am besten zu welcher Überschrift (A–H) passt.

A Was bedeutet Armut für Arme?
B Armut macht krank
C Kostenlose Kleidungsstücke für Arme
D Portemonnaie der Eltern entscheidet über Bildungserfolg der Kinder
E Aufruf zur Spende von Kleidungsstücken
F Kinder brauchen Zuneigung der Eltern für den Lernerfolg
G Einladung zu unserem diesjährigen Kongress
H Armut – das größte Problem der Welt

STRATEGIE

Überschriften zuordnen

Lesen Sie zuerst die Überschriften. Überlegen Sie, auf welches Thema sie sich beziehen. Lesen Sie dann den ersten Text. Vergleichen Sie die zu diesem Text passenden Überschriften. Welche gibt den Inhalt des Textes am besten wieder? Verfahren Sie genauso mit den anderen Texten und Überschriften.

1 Armut zu definieren, ist schwierig, denn jeder empfindet sie anders. Hunger, Krankheiten oder Angst lassen sich nur schwer messen. Aus diesem Grund gibt es international anerkannte Kriterien, die dabei helfen zu erfassen, was Armut ist und wer als arm gilt. Auf ihrer Grundlage lässt sich Armut vergleichen. In einer Studie der Weltbank wurde untersucht, wie Arme ihre eigene Situation einschätzen. Dazu befragte man rund 60.000 Arme aus aller Welt. Die Studie macht sehr deutlich, welche Auswirkungen Armut auf diese Menschen hat: Hunger, kein Geld für die nötigsten Dinge des Alltags, ein Leben ohne Sicherheit, keine Aussicht auf eine bessere Zukunft und Krankheiten. Oft sind sie Naturkatastrophen und Gewaltübergriffen schutzlos ausgeliefert und haben keine Möglichkeit, ihr Leben selbst zu bestimmen.

Weltweit leben mehr als eine Milliarde Menschen in extremer Armut. Ursachen dafür gibt es viele, zum Beispiel Dürreperioden, die die Ernte vernichten, viel zu niedrige Arbeitslöhne, Korruption, Kriege, Epidemien, Naturkatastrophen und ein hohes Bevölkerungswachstum. Meistens sind mehrere Gründe gleichzeitig für die Armut der Menschen in einem Land verantwortlich. Viele Ursachen von Armut können von den betroffenen Ländern nicht selbst und nicht allein beeinflusst werden.

2 Armut schließt immer mehr Menschen aus der Gesellschaft aus. Armut und soziale Ausgrenzung sind ein wesentlicher Faktor für die Entstehung gesundheitlicher Probleme. Wie ist die Situation in Deutschland? Dazu findet in diesem Jahr **am Donnerstag und Freitag, den 13. und 14. März**, in der Technischen Universität Berlin der **Public Health-Kongress „Armut und Gesundheit"** statt.
Unter dem Motto „Gesundheit langfristig fördern" werden in zahlreichen Vorträgen und Seminaren Strategien zur Verbesserung der Gesundheitschancen von Menschen in schwierigen Lebenslagen thematisiert. Den Auftakt bildet am Donnerstag der Vortrag von Frau Prof. Meyer mit dem Titel „Armut macht krank – Krankheit macht arm?!".
Ab sofort besteht die Möglichkeit, sich für den Kongress „Armut und Gesundheit" als Teilnehmer/in anzumelden. Wir laden Sie herzlich dazu ein.
Bis 5. Januar können Sie Kongresskarten zum **Frühbucherrabatt** erwerben.
Bestellungen richten Sie bitte an: kongress@gesundheit.de

3 Wir möchten Sie darüber informieren, dass der DRK-Ortsverein Köln seit Kurzem auf dem DRK-Gelände eine Kleiderausgabe eröffnet hat. Dort werden gespendete Kleidungsstücke gesammelt, gereinigt und aufbereitet. Das DRK gibt während der Öffnungszeiten diese Kleider gegen eine niedrige Gebühr (0,50–2 €) an bedürftige Menschen ab. Gedacht ist dieses Angebot für all jene, die wenig Geld zur Verfügung haben: Sozialhilfeempfänger, Menschen ohne festen Wohnsitz, Flüchtlinge und Asylberechtigte sowie Menschen in akuten Notlagen. Neben gut erhaltenen Kleidungsstücken können Bedürftige auch Dinge für ihren Haushalt mitnehmen wie Wäsche, Bettzeug, Decken oder Geschirr.

Wir würden uns freuen, wenn Sie uns Ihre nicht mehr gebrauchten, gut erhaltenen Kleidungsstücke und Heimtextilien für unsere soziale Arbeit überlassen. Wir nehmen auch Hausrat an. Sie können Ihre Spende während der Öffnungszeiten des Kleiderladens (Dienstag und Donnerstag, 14:00–18:00 Uhr) abgeben oder Sie werfen sie einfach durch die Kleiderklappe, die außen am Kleiderladen angebracht ist. Bitte nur gut erhaltene Kleidungsstücke einwerfen. Wir danken Ihnen für Ihre Spendenbereitschaft.

4 Jeder kennt das Sprichwort: „Der Apfel fällt nicht weit vom Stamm." Doch welcher Zusammenhang besteht in Deutschland zwischen der sozialen Herkunft eines Kindes und seinen Bildungschancen? Zwar heißt es immer wieder, Kinder brauchen vor allem Liebe und Zuneigung, doch wenn man Leistungs- und Bildungserwartungen hat, reicht das nicht aus. Wächst ein Kind in einer ökonomisch sicheren Familie auf, existieren in der Regel mehr Materialien (Spiele, Lernmaterialien) und zwar schon lange vor der Schulzeit. Die Familie kann sich außerdem Musikunterricht, Sportkurse und andere Fördermaßnahmen problemlos leisten. Wenn das Kind dann in die Schule geht, machen den Eltern auch Nachhilfestunden nur wenig aus. Mehr Geld zu haben bedeutet folglich, besser in der Schule zu sein.
Mit der sozialen Herkunft hängt auch zusammen, welchen Stand die Bildung in der Familie hat. Eltern, die selbst einen höheren Bildungsabschluss haben und erfolgreich in Beruf und Leben sind, erachten es als wichtiger, ihren Kindern eine gute Bildung zu ermöglichen. Sie schätzen Bildung auch im Alltag und in der Freizeit. Den Kindern wird vorgelebt, dass Bildung etwas Erstrebenswertes ist. Dadurch steigern Kinder ihre Leistungsbereitschaft.

3 Haben sich Ihre Definitionen von Armut in den Texten bestätigt? Welche Aspekte sind neu dazugekommen?

▶ Ü 3–4

Im Netz

1a Was machen Sie im Internet am häufigsten? Notieren Sie zuerst für sich drei Antworten. Machen Sie dann eine Umfrage im Kurs.

1.30

b Hören Sie den ersten Teil einer Radiosendung und notieren Sie, wie die Personen in der Straßenumfrage das Internet nutzen. Vergleichen Sie dann mit Ihrer Umfrage in 1a.

1.31

c Hören Sie den zweiten Teil der Radiosendung zum Thema „Onlinesucht". Markieren Sie, über welche Teilthemen Professor Westermann spricht.

- ☐ 1. Ergebnisse einer Studie
- ☐ 2. Behandlungsmöglichkeiten einer Sucht
- ☐ 3. Formen von Suchtkrankheiten
- ☐ 4. Merkmale einer Sucht
- ☐ 5. Medikamente gegen eine Sucht
- ☐ 6. Ursachen für eine Sucht

d Hören Sie den zweiten Teil noch einmal. Machen Sie Notizen.

Zahlen		Merkmale von Onlinesucht
1. 10 %:	______	1. ______
2. 12 %:	______	2. ______
3. 10–20 %:	______	3. ______

e Lesen Sie den Infokasten. Was überrascht Sie?

- Jeder dritte Deutsche spielt mehrmals pro Monat (26 Mio.).
- davon: → 11,6 Mio. Frauen (44 % der Spieler)
  → 5,5 Mio. Teenager
  → 5 Mio. Personen 50 +
- Durchschnittsalter: 32 Jahre

1.32

2a Hören Sie einige Sätze aus dem Interview noch einmal. Ergänzen Sie die Nomen, die mit den Verben eine feste Verbindung bilden.

1. Die Berliner Charité hat ______________________ zum Thema „Computerspielsucht" angestellt.
2. Die Ergebnisse versetzten nicht nur Eltern und Lehrer in ______________________.
3. Da möchte ich Ihnen gleich die nächste ______________________ stellen.
4. Die Jugendlichen ergreifen einfach die ______________________ in virtuelle Parallelwelten.

b Nomen-Verb-Verbindungen. Bilden Sie aus den eingesetzten Nomen in 2a Verben. Formulieren Sie dann die Sätze neu.

1. untersuchen: Die Berliner Charité hat das Thema „Computerspielsucht" untersucht.

c In einigen Nomen-Verb-Verbindungen kann man nicht vom Nomen auf das Verb schließen. Ordnen Sie die Bedeutungen zu und formulieren Sie die Sätze neu.

___ 1. Bei der Entstehung einer Sucht spielt Stress eine große Rolle. — A möglich sein
___ 2. Jugendliche stehen heute enorm unter Druck. — B sehr relevant sein
___ 3. Da kommen mehrere Merkmale in Betracht. — C gestresst sein

1. Bei der Entstehung einer Sucht ist Stress ...

d Ergänzen Sie die Regel.

Präposition	Verb	Bedeutung	Nomen	gleiche

G

Nomen-Verb-Verbindungen

Nomen-Verb-Verbindungen bestehen aus einem ______________________, das nur eine grammatische Funktion hat, und einem ______________________, das die Bedeutung trägt. Manchmal kommt eine ______________________ dazu.

Das Nomen hat oft die ______________________ Bedeutung wie das zugrunde liegende Verb (z. B. *jmd. in Aufregung versetzen = jmd. aufregen*).

Bei manchen Nomen-Verb-Verbindungen kann man die ______________________ nicht direkt vom Nomen ableiten (z. B. *unter Druck stehen = gestresst sein*).

▶ Ü 1–4

3 Arbeiten Sie zu dritt. Jede Gruppe notiert zehn Nomen-Verb-Verbindungen getrennt auf Kärtchen und gibt sie an die nächste Gruppe. Bilden Sie mit den neuen Kärtchen Nomen-Verb-Verbindungen. Wer ein passendes Paar gefunden hat, bildet einen Satz. Wer findet die meisten Paare?

Turnschuhe kommen immer wieder in Mode.

▶ Ü 5

Der kleine Unterschied

1a Männer und Frauen. Arbeiten Sie in Gruppen: Welche Assoziationen haben Sie zu …

- Farben für Mädchen und Jungen?
- Wunschberufen von Mädchen und Jungen?
- Spielzeug für Mädchen und Jungen?
- Tätigkeiten für Frauen und Männer?
- Hobbys für Frauen und Männer?

b Vergleichen Sie Ihre Ergebnisse. Was ist Klischee? Was ist Realität?

▶ Ü 1

SPRACHE IM ALLTAG

Etwas in Frage stellen

Ist das generell/prinzipiell so?
Das kann man doch nicht pauschalisieren.
Ist das nicht zu verallgemeinert dargestellt?
Ich finde, dass man nicht alles über einen Kamm scheren sollte.

2a Welche Wünsche und Erwartungen haben Frauen und Männer? Sehen Sie die Grafiken im Artikel an. Wo finden Sie die größten Unterschiede?

Was Frauen und Männer wirklich wollen

Sechs Jahre lang hat die Frauenzeitschrift „Brigitte" gemeinsam mit dem Wissenschaftszentrum Berlin für Sozialforschung (WZB) und mit dem infas Institut für angewandte Sozialwissenschaft die Lebensentwürfe und Lebensverläufe von jungen Frauen und Männern verfolgt. Heute sind die Befragten 21 bis 34 Jahre alt. Welche Einstellungen haben sie zu Familie, Arbeit und Leben? Wie haben sich ihre Hoffnungen, Träume und Pläne über die Zeit verändert?

Die zentralen Ergebnisse der Studie:

Arbeiten? Na klar!

Der Wunsch, finanziell auf eigenen Beinen zu stehen, ist ungebrochen hoch: 91 Prozent der befragten Frauen sind Erwerbsarbeit und eigenes Geld sehr wichtig. Bemerkenswert ist der Wertewandel der Männer: 76 Prozent der Männer wollen heute eine Partnerin, die „sich um den eigenen Unterhalt kümmert" (2007: 54 Prozent). Immer seltener fühlen sie sich als Alleinernährer der Familie.

Kein Rückzug in die Familie

Selbst wenn Frauen eine Familie gegründet und Kinder bekommen haben, weichen sie nicht von ihren Werten und Einstellungen ab. Sie bleiben auf Erwerbsarbeit orientiert. Diese erachten sie als selbstverständlich, heute noch stärker als vor fünf Jahren. Der Anteil von Frauen, denen Familie heute wichtiger ist als die eigene Erwerbstätigkeit, liegt bei unter 5 Prozent.

Großer Kinderwunsch, wenig Kinder

Der Kinderwunsch von Frauen ist unverändert hoch. 93 Prozent der Frauen wollen Nachwuchs. Die Vereinbarkeit von Beruf und Familie beurteilen die jungen Frauen zurückhaltend. Obwohl sie heute eher als 2007 meinen, dass Unternehmen auf die Wünsche von Eltern eingehen, sehen sie mit Kindern ihre Chance auf eine Karriere gefährdet.

53 Prozent der Frauen stimmten 2012 der Aussage zu: „Wer Kinder hat, kann keine wirkliche Karriere machen." (2007: 36 Prozent) Die befragten Frauen, die

Männer wünschen sich: Meine Partnerin soll viel Geld verdienen

Ich denke, dass ich es später bereuen würde, keine Kinder zu haben

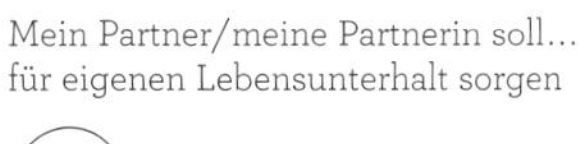

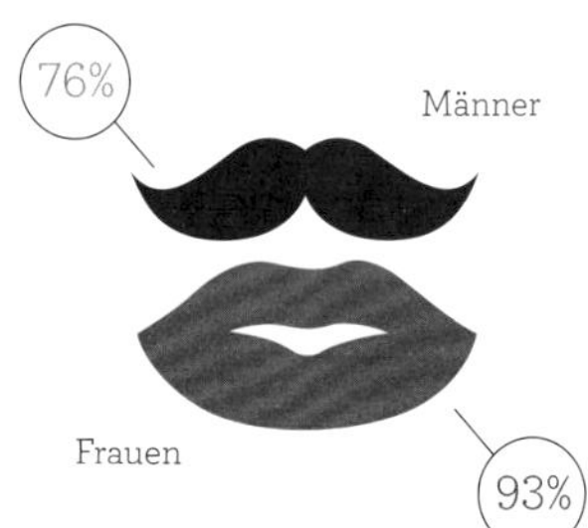

eigene Interessen haben

Frauen	93%
Männer	94%

Zeit auch ohne mich verbringen

Frauen	90%
Männer	95%

Mein Partner soll für die Existenzsicherung zuständig sein, ich für Haushalt und Kinder

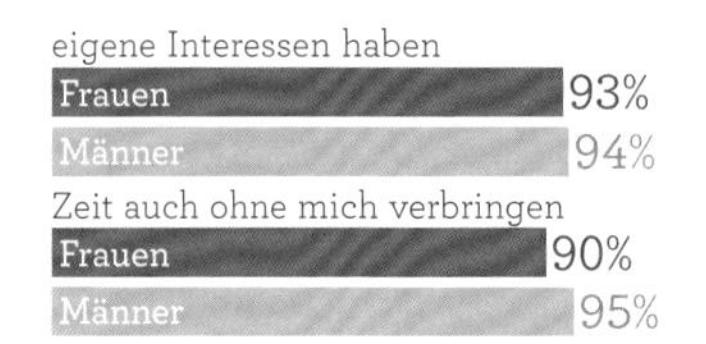

sich für meinen Job interessieren

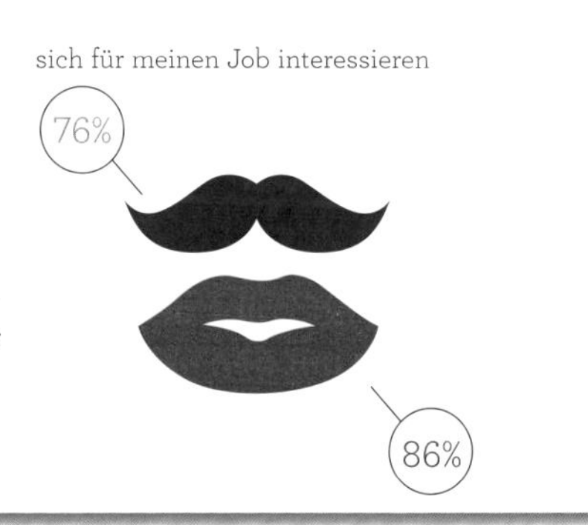

Kinder bekommen haben, fühlen sich beruflich im Nachteil. Hinzu kommt: Insbesondere Männer erleben die Gesellschaft als kinderfeindlich. Obgleich auch sie gerne Kinder hätten, bleiben sie unentschlossen. Frauen und Männer zögern die Familiengründung immer länger hinaus.

Frauen leisten noch immer mehr unbezahlte Arbeit als Männer

Frauen und Männer wünschen sich eine gesunde Balance zwischen Beruf und Familie – die Wirklichkeit sieht anders aus. Zeitintensive Arbeiten im

Haushalt wie Putzen, Waschen und Kochen werden mehrheitlich von den Frauen übernommen – auch dann, wenn noch keine Kinder im Haushalt leben. Auch Pflege und Kindererziehung bleiben Frauensache. Ein Drittel der Männer würde die Erwerbsarbeit nicht für die Kindererziehung unterbrechen, die restlichen Männer nur kurz.

Wer eine schlechte Ausbildung hat, bleibt auf der Strecke

Frauen und Männer mit guter Ausbildung sind heute erfolgreicher und sehr viel zufriedener mit ihrem Leben als jene mit schlechter Bildung. Diese waren 2007 noch ebenso selbstbewusst und zuversichtlich wie die gut Gebildeten. Heute bewerten sie ihre Chancen schlecht.

b Lesen Sie jetzt den Artikel. Welche weiteren Informationen finden Sie? Markieren Sie zu zweit.

c Welche Einstellungen haben sich im Lauf der Zeit verändert? Welche sind gleich geblieben? Notieren Sie Stichpunkte aus dem Artikel.

Finanzielles	Karriere	…
Frauen: 91 % Arbeit / eigenes Geld sehr wichtig → gleich geblieben		

3a Arbeiten Sie zu zweit und ordnen Sie die Überschriften den Redemitteln zu.

interessante Inhalte nennen · widersprechen/bezweifeln · über eigene Erfahrungen berichten · Inhalte wiedergeben · die eigene Meinung äußern · zustimmen

EINEN TEXT ZUSAMMENFASSEN UND DARÜBER DISKUTIEREN

______	______	______
In dem Text geht es um … Der Abschnitt … handelt von … Der Text behandelt die Themen …	Ich finde besonders auffällig/bemerkenswert, dass … Am besten gefällt mir … Ein wichtiges Ergebnis aus dem Text ist für mich …	Aus meiner Position kann ich zustimmen, dass … Auch ich glaube, dass … Ich sehe es genauso, dass …
______	______	______
Zum Thema … bin ich der Ansicht, dass … Ich meine/finde, dass … Meiner Meinung/Ansicht nach …	Ich habe erlebt, dass … Aus meiner Erfahrung kann ich dazu nur sagen, dass … Ich habe immer wieder festgestellt, dass …	Dazu habe ich eine andere Meinung: … Ich bin nicht sicher, ob … Da möchte ich widersprechen, denn …

P TELC b Diskutieren Sie mit Ihrem Partner / Ihrer Partnerin über den Inhalt des Textes, bringen Sie Ihre Erfahrungen ein und äußern Sie Ihre Meinung. Begründen Sie Ihre Argumente. Sprechen Sie über mögliche Lösungen.

▶ Ü 2–4

Der kleine Unterschied

4a Wie wünschen sich die Frauen im Kurs Männer in zehn Jahren? Wie wünschen sich die Männer im Kurs Frauen in zehn Jahren? Schreiben Sie ein Kurs-Forum.

> *Was Frauen sich wünschen …*
>
> *Ich würde mir wünschen, dass Männer sich mehr Rat bei den Frauen holen. Sie müssen nicht immer alles alleine machen, entscheiden und lösen; auch nicht in zehn Jahren. Frauen haben eine andere Perspektive als Männer. Sie betrachten Probleme oft von einer anderen Seite. Ich würde es toll finden, wenn Probleme gemeinsam gelöst werden.*
>
> *Katja*

b Hängen Sie die Beiträge im Kurs auf. Was sind die häufigsten Wünsche?

5a Frauen und Männer sind … anders. Deshalb sind sie auch oft Thema für Witze, Comics und das Kabarett. Was könnten typische Themen sein?

aufräumen …

1.33

b Hören Sie eine Szene aus einem Kabarett-Programm von Horst Schroth. Welche Probleme sieht er beim Zusammenleben von Mann und Frau? Kreuzen Sie an.

- [a] Der Mann macht nie sauber.
- [b] Man bemerkt alle unangenehmen Gewohnheiten.
- [c] Die Schwiegermutter hat immer recht.
- [d] Die Frau kauft zu viel Kleidung.
- [e] Der Mann hat keine Lust auf Gespräche.
- [f] Die Frau telefoniert stundenlang mit ihren Freundinnen.

c Horst Schroth berichtet von Macken, die Menschen haben können, und nennt zwei Beispiele. Welche?

d Was denken Sie: Was ist wahr? Was ist übertrieben? Diskutieren Sie im Kurs.

Männer wollen nur ihre Ruhe haben, wenn sie von der Arbeit kommen.

Das stimmt nicht. Ich freue mich immer darauf, mit meinen Kindern zu spielen!

6a Arbeiten Sie in Gruppen. Sammeln Sie typische Situationen mit Freunden, Kollegen oder Partnern, die Sie immer wieder nerven.

Bevor mein Freund aus dem Haus geht, muss er immer kontrollieren, ob der Herd aus ist.

b Sie möchten, dass jemand eine schlechte Angewohnheit ablegt. Er/Sie findet es aber gar nicht so schlimm. Überlegen Sie sich zu zweit einen Dialog. Wählen Sie eine Situation A–D oder erfinden Sie eine eigene.

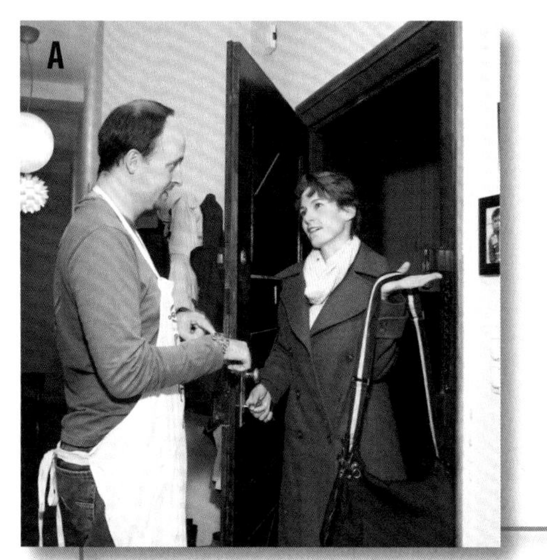

Sonja kommt schon wieder zu spät. Till hat keine Lust, immer zu warten.

Cindy hat sich bei Haide für den Urlaub fünf Reiseführer und einen Koffer ausgeliehen. Haide wartet seit sechs Monaten auf die Sachen. Wie immer!

Kai-Uwe spricht so laut am Telefon, dass sein Kollege Martin sich nur sehr schwer auf seine Arbeit konzentrieren kann.

Britta macht viel im Haushalt. Wenigstens die Zahnpastatube könnte Tobias mal wegräumen.

VERÄRGERUNG AUSDRÜCKEN / KRITIK ÜBEN	AUF KRITIK REAGIEREN
Du könntest wenigstens mal …	Tut mir leid, das ist mir gar nicht aufgefallen.
Es ist mir ein Rätsel, warum …	Du hast ja recht, aber …
Für mich wäre es leichter, wenn …	Ich kann dich schon verstehen, aber …
Ich habe keine Lust mehr, …	Ich verstehe, was du meinst, aber …
Ich verstehe nicht, wieso …	Was ist denn los? Ich habe/bin doch nur …
Ständig muss ich / machst du …	Immer bist du am Meckern, dabei …
Kannst du mir mal sagen, warum …?	Deine Vorwürfe nerven total. Ich finde …

c Spielen und vergleichen Sie die Dialoge. Wie können die Gespräche erfolgreich und ohne Streit verlaufen?

Die Tafeln

Lebensmittel für Bedürftige

Der Bundesverband Deutsche Tafeln e. V. wurde 1995 gegründet. Er kümmert sich darum, dass Essen bei denen auf den Tisch und in die Kühlschränke kommt, wo das Geld mehr als knapp ist. Die erste Tafel hat Sabine Werth 1993 in Berlin ins Leben gerufen und schon bald folgten ihr viele deutsche Städte. Aber wie funktioniert das mit den heute etwa 900 Tafeln genau? Vier Fragen an den Verband:

1. Was machen die Tafeln?
Die Idee, die hinter den Tafeln steckt, ist bestechend einfach: Auf der einen Seite gibt es Lebensmittel, die im Wirtschaftsprozess nicht mehr verwendet werden können, aber qualitativ noch einwandfrei sind. Auf der anderen Seite gibt es auch viele Bedürftige, die diese Lebensmittel gebrauchen können: vor allem Arbeitslose, Alleinerziehende, Geringverdiener, kinderreiche Familien und Rentner. Woche für Woche nutzen rund 1,5 Millionen Menschen das Angebot der Tafeln, ein Drittel davon sind Kinder und Jugendliche.

Gespendete Lebensmittel werden abgeholt

Die ehrenamtlichen Helfer sammeln die „überschüssigen" Lebensmittel und geben sie an Bedürftige weiter – unentgeltlich oder zu einem symbolischen Betrag. Die Tafeln helfen so wirtschaftlich benachteiligten Menschen und verhindern gleichzeitig, dass wertvolle Lebensmittel im Müll landen.

2. Wie stellen die Tafeln sicher, dass die Hilfe bei den Bedürftigen ankommt?
Durch ihre lokal begrenzten Gebiete kennen die Tafelbetreiber ihre Region sehr genau. Da sich zudem die Bedürftigen selbst bei den Tafeln melden, können die ehrenamtlichen Mitarbeiter vor Ort sicherstellen, dass die Hilfe direkt dort ankommt, wo sie benötigt wird.

Die Verwaltung der Tafeln ist schlank gehalten. Die typische Tafel-Mitarbeiterin bzw. der typische Tafel-Mitarbeiter engagiert sich ehrenamtlich.

3. Wie finanzieren sich die Tafeln?
Die Tafeln finanzieren sich grundsätzlich über Spenden. Doch wozu benötigen die Tafeln Geld, wenn sie Lebensmittel gespendet bekommen und ehrenamtlich arbeiten?
Um die gespendeten Lebensmittel an die Bedürftigen verteilen zu können, benötigen die Tafeln Fahrzeuge und Kraftstoffe. Für verderbliche Ware wie Milchprodukte, Wurst, Käse und Gemüse sind spezielle Kühlfahrzeuge nötig. Dazu kommen die Kosten für Miete, Lagerhaltung, Kühlräume etc. sowie die Infrastruktur für ein (wenn auch meist kleines) Büro.

Eine ehrenamtliche Helferin verteilt Lebensmittel

4. Wer unterstützt die Tafeln?
Bei den Tafeln gilt das Motto „Jeder gibt, was er kann". Vor Ort spenden insgesamt rund 50.000 ehrenamtliche Helfer ihre Freizeit und ihr Know-how dafür, dass gespendete Lebensmittel abgeholt und an Bedürftige ausgegeben werden – samt Organisation und Verwaltung der lokalen Tafeln. Bundesweit unterstützen tausende Unternehmen die Tafeln: Örtliche Bäckereien, Fleischereien, Supermärkte spenden Lebensmittel, Kfz-Betriebe reparieren Fahrzeuge, Grafiker erstellen Informationsmaterial und so weiter. Daneben engagieren sich bundesweit Sponsoren wie überregionale Handelsunternehmen, Lebensmittel- und Automobilhersteller, Mobilfunkanbieter und Beratungsagenturen.

In Österreich und in der Schweiz gibt es ähnliche Organisationen wie die *Wiener Tafel*, die *Schweizer Tafel* oder das *Tischlein deck dich*.

www  Mehr Informationen zu *Die Tafeln*.

Sammeln Sie Informationen über Persönlichkeiten oder Organisationen aus dem In- und Ausland, die für das Thema „Gesellschaft" interessant sind, und stellen Sie sie im Kurs vor. Sie können dazu die Vorlage „Porträt" im Anhang verwenden.

Beispiele aus dem deutschsprachigen Bereich: Rotes Kreuz – Margot Käßmann – Stiftung Warentest – Jutta Allmendinger – Margarete Mitscherlich – Helmut Schmidt

1 Relativsätze mit *wer*

Relativpronomen

Nominativ	wer
Akkusativ	wen
Dativ	wem

Bildung

Jemand	*hat Eintragungen bei der Polizei.*	*Er*	*hat sich seine Zukunft verbaut.*
Wer Nominativ	*Eintragungen bei der Polizei hat,*	***[der]*** Nominativ	*hat sich seine Zukunft verbaut.*
Jemand	*kommt ins Taekwondo-Training.*	*Ihn*	*bringt der Trainer nicht zur Polizei.*
Wer Nominativ	*ins Taekwondo-Training kommt,*	***den*** Akkusativ	*bringt der Trainer nicht zur Polizei.*
Jemandem	*bringt der Trainer Taekwondoo bei.*	*Er*	*lernt Respekt und Fairness.*
Wem Dativ	*der Trainer Taekwondo beibringt,*	***der*** Nominativ	*lernt Respekt und Fairness.*

Relativsätze mit *wer* beschreiben eine unbestimmte Person näher.
Der Nebensatz beginnt mit dem Relativpronomen *wer*, der Hauptsatz mit dem Demonstrativpronomen *der*. Der Kasus der Pronomen richtet sich nach dem Verb im jeweiligen Satz. Wenn beide Pronomen im gleichen Kasus stehen, kann *der/den/dem* entfallen.

2 Nomen-Verb-Verbindungen

Nomen-Verb-Verbindungen bestehen aus einem Verb, das nur eine grammatische Funktion hat, und einem Nomen, das die Bedeutung trägt. Manchmal kommt eine Präposition dazu. Es gibt zwei Typen:

Typ 1	Das Nomen und das zugrunde liegende Verb haben die gleiche Bedeutung: *jmd. in Aufregung versetzen = jmd. aufregen* *die Flucht ergreifen = fliehen* *eine Wirkung haben = wirken* *den Anfang machen = anfangen* *sich Hoffnungen machen = hoffen*
Typ 2	Die Bedeutung der Nomen-Verb-Verbindung kann man nicht direkt vom Nomen ableiten: *unter Druck stehen = gestresst sein* *eine Rolle spielen = relevant/wichtig sein* *in Betracht kommen = möglich sein* *sich vor etw. in Acht nehmen = vorsichtig sein* *etw. in Frage stellen = etw. bezweifeln*

Nomen-Verb-Verbindungen können eine aktivische oder passivische Bedeutung haben:
Aktiv: *jmd. eine Frage stellen = jmd. fragen* Passiv: *Beachtung finden = beachtet werden*

Eine Liste mit wichtigen Nomen-Verb-Verbindungen finden Sie im Anhang des Arbeitsbuchs.

Blind geboren

1a Was verbinden Sie mit „Blindsein“? Welche Schwierigkeiten haben blinde Menschen vermutlich im Alltag und wie lösen sie sie?

b Schließen Sie die Augen und packen Sie mit geschlossenen Augen Ihre Sachen (Buch, Heft, Stifte usw.) vom Tisch in Ihre Tasche. Wie ist es, eine alltägliche Sache zu machen, ohne zu sehen?

1

2a Sehen Sie die erste Filmsequenz. Was erfahren Sie über Kevin und seine Familie? Fassen Sie kurz zusammen.

2

b Sehen Sie die zweite Filmsequenz und ergänzen Sie den Text.

Kevins Eltern war es wichtig, dass ihr Sohn trotz seiner Behinderung so ______________ (1) wie möglich aufwächst. So hat Kevin schon mit vier Jahren begonnen, ______________ (2) zu spielen. Mit ______________ (3) Jahren kam er in die Schulband. Außer ______________ (4) spielt Kevin auch ______________ (5) und Schlagzeug. Kevin ist nicht nur musikalisch begabt. Die Blindenschrift Braille beherrschte er schon im ______________ (6) Schuljahr. Jetzt lernt er Steno für Blinde. Durch den Computer ist es ihm möglich, mit Menschen aus aller Welt zu ______________ (7).

3

c Wählen Sie eine Frage. Sehen Sie die dritte Filmsequenz und tauschen Sie dann Ihre Antworten in Gruppen aus.

- Wie „sieht“ Kevin?
- Wie verstehen sich Kevin und sein Bruder Dennis?
- Was machen die Eltern, um Kevin zu unterstützen?

1-3

3 **Sehen Sie die Filmsequenzen 1–3 noch einmal. Arbeiten Sie zu zweit: Ordnen Sie die Adjektive den Personen zu und beschreiben Sie die Familie.**

entschieden begabt liebevoll besorgt bewundernd konzentriert geschockt glücklich schnell stolz vielseitig vorausschauend neugierig leidenschaftlich sicher verständnisvoll musikalisch interessiert ruhig hilfsbereit fürsorglich selbstständig

Kevin	*Dennis*	*Eltern*

4

4 **Sehen Sie die letzte Filmsequenz und machen Sie Notizen zu den folgenden Punkten.**

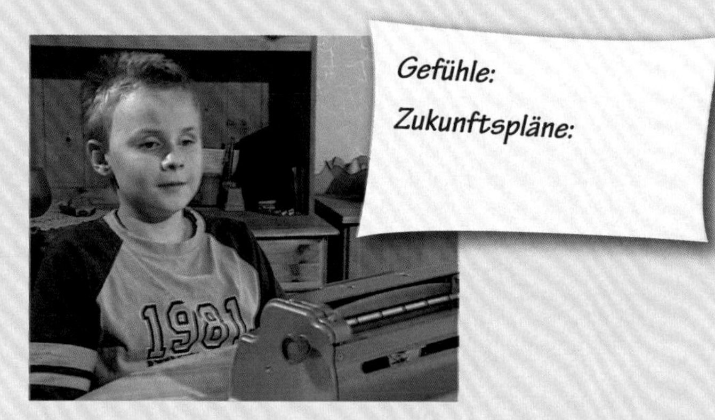

Gefühle:

Zukunftspläne:

5 **Bilden Sie zwei Gruppen. Jede Gruppe wählt einen von Kevins Wunschberufen. Überlegen Sie gemeinsam, was Kevin für diesen Beruf besonders auszeichnet und welche Hindernisse er vermutlich überwinden muss, wenn er den Beruf ausüben will.**

6a **Lesen Sie den Text zu „Dialog im Dunkeln". Was kann man hier machen? Was ist die Idee der Ausstellung?**

b **Wie finden Sie die Idee? Hätten Sie Lust, die Ausstellung zu besuchen? Kennen Sie ähnliche Angebote?**

c **Was ist Ihrer Meinung nach im Miteinander von Menschen mit und ohne Behinderung am wichtigsten? Diskutieren Sie in Gruppen.**

Ausstellung

Schärfen Sie Ihre Sinne – und überprüfen Sie, wie eine Welt ohne Augenschein auf Sie wirkt. Betreten Sie unsere Ausstellung, in der Sie unterschiedliche Alltagssituationen in kompletter Dunkelheit erleben und in der blinde Menschen zu Sehenden werden. Im Rahmen einer 90-minütigen Tour erleben Sie einen Spaziergang durch den Park, das Überqueren einer Straßenkreuzung in der Stadt, eine Bootsfahrt und den Besuch in der Dunkel-Bar. Hören, fühlen, schmecken Sie und tauchen Sie ein in diese nicht-visuelle Welt. Hoch kompetente blinde und sehbehinderte Mitarbeiter führen Sie durch die Ausstellungsräume und sorgen dafür, dass Sie sich in dieser ungewohnten Szenerie stets wohlfühlen.

Wer Wissen schafft, macht

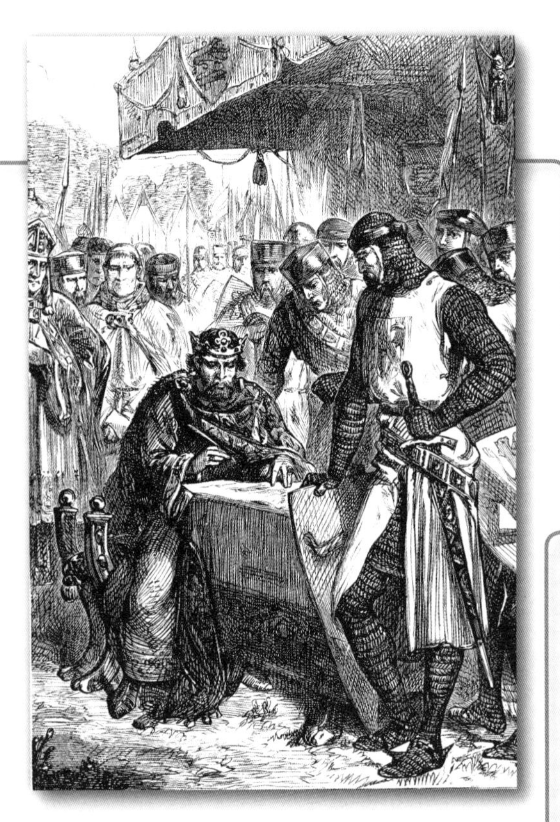

1. Das Mittelalter dauerte ______ Jahrhunderte.

2. Für jeden Schritt aktiviert der Mensch 54 ______________.

3. Katzen verschlafen etwa _____ Prozent ihres Lebens.

4. Was ist die kleinste Längeneinheit?
   - (a) Millimeter
   - (b) Femtometer
   - (c) Nanometer

Sie lernen

Modul 1 | Einen Text zum Thema „Kinder und Wissenschaft" verstehen

Modul 2 | Ein Radiofeature zum Thema „Lügen" verstehen und eine kurze Geschichte schreiben

Modul 3 | Einen Artikel über eine Zukunftsvision verstehen und eigene Szenarien entwickeln

Modul 4 | Ein Interview zum Thema „Büroschlaf" verstehen

Modul 4 | Einen Leserbrief schreiben

Grammatik

Modul 1 | Passiv und Passiversatzformen

Modul 3 | Indefinitpronomen

5. Wer entwickelte den ersten Benzinmotor?
   (a) Nicolaus Otto (b) Gottlieb Daimler (c) Wilhelm Maybach

Wissenschaft 5

▶ AB Wortschatz

6. Wie viele Kalorien haben diese Lebensmittel? 546, 810 oder 898 pro 100 g?

Schokolade	Speck	Olivenöl
a ________	b ________	c ________

8. Wo ist die Lebenserwartung am höchsten?
   ⓐ In der Schweiz. ⓑ In Schweden. ⓒ In Spanien.

7. Die älteste Schrift entwickelten ...
   ⓐ die Ägypter (Hieroglyphen).
   ⓑ die Sumerer (Keilschrift).
   ⓒ die Phönizier (Alphabet).

9. Eine Mücke schlägt pro Sekunde
   ⓐ 100 Mal
   ⓑ 500 Mal
   ⓒ 1.000 Mal
   mit ihren Flügeln.

10. Die Top 3 der Flüsse im deutschsprachigen Raum. Welcher ist am längsten?
    ⓐ Elbe ⓑ Donau ⓒ Rhein

1a Lösen Sie das Quiz in Gruppen.

b Vergleichen Sie Ihre Lösungen im Kurs. Schlagen Sie dann auf Seite 196 nach.

c Aus welchen Wissenschaften stammen die Quizfragen?

2 Welche Informationen finden Sie wichtig? Für wen und wozu ist dieses Wissen nützlich? Sprechen Sie zu zweit.

3 Sammeln Sie interessante Informationen aus unterschiedlichen wissenschaftlichen Bereichen und erstellen Sie in Gruppen ein eigenes Quiz.

Wissenschaft für Kinder

1 Was passt zusammen? Ordnen Sie zu.

____ 1. eine Fähigkeit erwerben	A einen Plan in eine Richtung lenken
____ 2. wie ausgewechselt sein	B gespannt zuhören
____ 3. an den Lippen hängen	C sich bestmöglich entwickeln
____ 4. die Weichen stellen	D völlig anders sein
____ 5. sich voll entfalten	E etwas lernen

SPRACHE IM ALLTAG

Abkürzungen in Texten

z. B. = zum Beispiel
bzw. = beziehungsweise
d. h. = das heißt
usw. = und so weiter
u. Ä. = und Ähnliche/m/s
v. a. = vor allem

2a Lesen Sie den Artikel und sagen Sie in einem Satz, worum es geht.

Kleine Nachwuchskräfte

Oft klagen Lehrer über die mangelnde Konzentration und Motivation ihrer Schüler im Unterrichtsalltag. Doch ein Tag im „NatLab" ist alles andere als Alltag. Die Schüler hängen einem jungen 5 Mann an den Lippen, stellen interessierte Fragen und versuchen begeistert, Antworten zu geben.

Kurze Zeit später stehen die Kinder im Labor und führen ein Experiment durch. Gespannt folgen sie der Anleitung bzw. erklären sie sich gegenseitig, wie sie 10 vorgehen müssen. Beim Besuch des Mitmach- und Experimentierlabors „NatLab" der Freien Universität (FU) Berlin, das speziell für Schüler konzipiert worden ist, sind die Kinder konzentriert bei der Sache. In diesem Umfeld lässt sich die Scheu der Kinder vor der Forscher- 15 welt leicht abbauen. Seit sie sich ihre weißen Laborkittel angezogen haben, sind sie wie ausgewechselt. Im „NatLab" werden die Kinder sanft und mit viel Spaß an die Wissenschaft herangeführt. Naturwissenschaftliche Phänomene sind so viel besser verständlich. Das 20 „NatLab" der FU wurde 2002 gegründet und ist nur eine von vielen Einrichtungen in der Hauptstadt, in die Schulen ihre Schüler zu Experimentierkursen schicken.

Kinder in der Wissenschaft – das klang vor Jahren noch außergewöhnlich, doch wird es heute von deutschen 25 Forschungseinrichtungen sogar als überlebenswichtig gesehen. Denn der Bedarf an qualifiziertem Personal ist hoch und bereits jetzt absolvieren zu wenige junge Deutsche ein Studium in den Natur- und Ingenieurwissenschaften. Durch die schrumpfende Kinderzahl wird 30 das Problem verschärft.

Außerdem weiß man heute, dass die Weichen für spätere Studien- und Berufsentscheidungen viel früher gestellt werden, als man bisher dachte. Mathematische und andere analytische Fähigkeiten müssen von Kin- 35 dern schon früh erworben werden, damit sie sich voll entfalten können. D. h. die Begeisterung der Kinder für die Wissenschaft muss möglichst früh geweckt werden, denn sie stellt sich nach dem Abitur nicht über Nacht ein.

40 In Berlin gibt es bundesweit die meisten Initiativen dieser Art. Sie wollen bei Kindern die Freude am Experimentieren wecken. Die Kinder sollen Spaß daran haben, Phänomene der Natur zu verstehen.

Auch im Kindergartenalter können bereits naturwis- 45 senschaftliche Experimente durchgeführt werden, wie z. B. in einem Kindergarten in Berlin-Neukölln. Dort steht eine Gießkanne mit Wasser auf dem Tisch. „Kommt, wir bauen einen wackligen Wasserberg", sagt ein Pädagoge. Dann spritzen die Kinder mit Pi- 50 petten Wasser in einen Becher, bis dieser sehr voll ist. Das Wasser steht ein wenig über den Rand hinaus. Alle Kinder zusammen lassen den Wasserberg vorsichtig wackeln. „Warum fällt das Wasser nicht herunter?" Die Kinder wundern sich, wissen jedoch 55 keine Antwort. Der Pädagoge bittet sie, sich im Kreis die Hände zu geben und sich dann zurückfallen zu lassen: Der Kreis hält, kein Kind fällt um. „Ihr seid wie die Wasserteilchen", sagt er, „die echten Teilchen halten genauso zusammen wie ihr."

b Arbeiten Sie zu zweit und beantworten Sie die Fragen.

1. Was machen die Kinder im „NatLab"?
2. Warum ist es wichtig, Kinder schon früh an die Wissenschaft heranzuführen?
3. Wie wird den Kindern der „Wasserberg" erklärt?

c Wie finden Sie solche Initiativen? Gab es in Ihrer Schulzeit Ähnliches?

▶ Ü 1–2

3a Ergänzen Sie die richtige Form von *werden* in den Passivsätzen. Markieren Sie dann alle Verbteile, die zum Passiv gehören.

G

Passiv	
Präsens	*Im „NatLab" ________________ die Kinder an die Wissenschaft herangeführt.*
Präteritum	*Das „NatLab" ________________ 2002 gegründet.*
Perfekt	*Das Labor ________________ speziell für Schüler konzipiert ________________.*
mit Modalverb	*Analytische Fähigkeiten müssen von Kindern früh erworben ________________.*

▶ Ü 3–4

b Statt Passiv mit Modalverb kann man auch Passiversatzformen verwenden. Ergänzen Sie die Tabelle mit den passenden Alternativen aus dem Artikel in 2a.

1.	***sein* + *zu* + Infinitiv** *Die Begeisterung der Kinder für die Wissenschaft ist möglichst früh zu wecken.*	**Passiv mit *müssen/können/sollen***
2.	***sich lassen* + Infinitiv**	**Passiv mit *können*** *In diesem Umfeld kann die Scheu der Kinder vor der Forscherwelt leicht abgebaut werden.*
3.	**Adjektiv mit Endung *-bar*** *Auch im Kindergartenalter sind bereits naturwissenschaftliche Experimente durchführbar.*	**Passiv mit *können***
4.	**Adjektiv mit Endung *-lich***	**Passiv mit *können*** *Naturwissenschaftliche Phänomene können so viel besser verstanden werden.*

▶ Ü 5

4 Wählen Sie für jeden Satz eine andere Passiversatzform und schreiben Sie ihn um.

1. Kinder können leicht motiviert werden.

   → ____

2. Viele Projekte für Kinder können ohne staatliche Hilfe nicht finanziert werden.

   → ____

3. Die Aufgaben müssen von den Kindern gelöst werden.

   → ____

▶ Ü 6–7

Wer einmal lügt, …

1a Lesen Sie die Aussagen. Was bedeuten sie? Welcher stimmen Sie zu?

Der Erfinder der Notlüge liebte den Frieden mehr als die Wahrheit.
(J. Joyce)

Die Lüge ist wie ein Schneeball: Je länger man sie wälzt, desto größer wird sie.
(M. Luther)

Die Wahrheit enthält immer auch Lüge.
(J. W. v. Goethe)

b Kennen Sie Sprichwörter oder Redewendungen über Wahrheit und Lüge in Ihrer Sprache? Erklären Sie sie.

▶ Ü 1

c Suchen Sie Nomen, Verben und Adjektive zu Wahrheit und Lüge. Arbeiten Sie mit dem Wörterbuch.

Wahrheit	Lüge
ehrlich	*die Notlüge*

2a Wie oft lügt man am Tag und in welchen Situationen? Sprechen Sie im Kurs.

GI 2.2-5

b Hören Sie nun ein Radiofeature zum Thema „Wahrheit und Lüge". Sie hören es zunächst einmal ganz, danach ein zweites Mal in Abschnitten. Kreuzen Sie die richtige Antwort an.

1. Was haben amerikanische Untersuchungen zum Thema „Lügen" herausgefunden?
[a] Die meisten Versuchspersonen finden Menschen, die lügen, unsympathisch.
[b] Über die Hälfte einer Versuchsgruppe hat gelogen, um Sympathie zu wecken.
[c] 40 Prozent wirkten unsympathisch, weil sie die Wahrheit über sich sagten.

2. Wie werden die Lügen der Männer beschrieben?
[a] Die männlichen Kandidaten haben versucht, mit falschen Komplimenten Sympathie zu wecken.
[b] Einige Probanden haben dermaßen übertrieben, dass ihnen niemand glaubte.
[c] Männer zeigten die Tendenz, sich besonders positiv zu präsentieren.

3. Wie lauten die Hauptaussagen der Versuchsreihe?
[a] Lügen ist ein häufiges Phänomen, das besonders in längerfristigen Beziehungen eine Rolle spielt.
[b] Das Lügen ist weit verbreitet, besonders in kurzfristigen Bekanntschaften.
[c] Viele Menschen lügen, aber in längerfristigen Beziehungen sagen sie die Wahrheit.

4. Wieso ist aktives Lügen ein Zeichen für die intellektuelle Entwicklung?
[a] Weil erst Jugendliche zwischen Wahrheit und Lüge unterscheiden können.
[b] Weil Lügen die Fähigkeit voraussetzt, abstrakte Inhalte zu verbinden.
[c] Weil Kinder erst ab einem bestimmten Alter Lügengeschichten erzählen können.

5. Aus welchem Grund ist Lügen intellektuell anspruchsvoller, als die Wahrheit zu sagen?
[a] Weil beim Lügen ein Netz von Nervenzellen aufgebaut werden muss.
[b] Weil in Untersuchungen nachgewiesen wurde, dass nur intelligente Menschen gut schwindeln können.
[c] Weil man nicht nachdenken muss, wenn man die Wahrheit sagt.

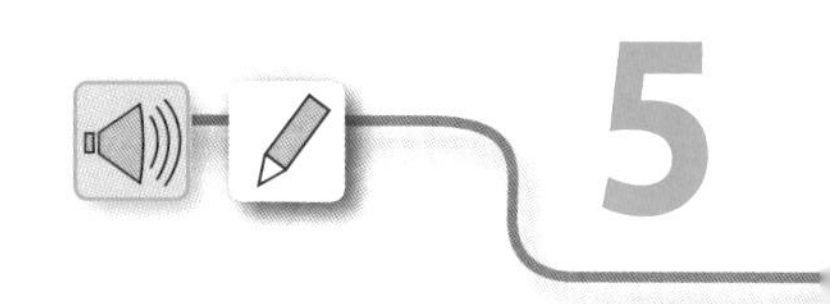

6. Sind auch Tiere in der Lage, ihre Artgenossen zu täuschen?

[a] Ja. Sie setzen z. B. akustische Warnsignale für ihre Interessen ein.
[b] Nein. Sie verfügen nicht über ausreichende Kommunikationsmittel.
[c] Tiere haben kein Interesse an der Täuschung von Artgenossen.

7. Was ist ein häufiger Grund, um zu einer Lüge zu greifen?

[a] Die Lüge wird benutzt, um jemandem zu gefallen.
[b] Es wird gelogen, weil alle anderen Menschen auch nicht die Wahrheit sagen.
[c] Man lügt, um Konflikten aus dem Weg zu gehen.

8. Wie wird das Lügen heute gesellschaftlich bewertet?

[a] Das Lügen ist eine Eigenschaft, die jeder nutzt, die aber negativ bewertet wird.
[b] Das Lügen verschafft Vorteile und steht bei der Bewertung von Eigenschaften auf Platz fünf.
[c] Lügen ist weit verbreitet und wurde in die Liste der wünschenswerten Eigenschaften aufgenommen.

9. Wieso erkennen die meisten Menschen viele Lügen nicht?

[a] Die Lügen sind so gut, dass wir sie nicht von der Wahrheit unterscheiden können.
[b] Lügen regulieren unser Zusammenleben. Deshalb ignoriert unser Gehirn oftmals eine Lüge.
[c] Viele Menschen akzeptieren nicht, dass andere lügen. Darum übersehen sie die Lügen.

10. Wieso sollten wir nicht nur andere, sondern auch uns selbst täuschen können?

[a] Weil die meisten die Wahrheit nicht ertragen. Die Psyche kann nur Positives verarbeiten.
[b] Weil die Psyche ab und zu positive Informationen braucht, auch wenn diese nicht wahr sind.
[c] Weil wir unser Gehirn kontinuierlich trainieren müssen, um glaubwürdig lügen zu können.

3 Lesen Sie die Situationen. Welche Lüge finden Sie am schlimmsten? Wie könnte man anders reagieren?

Sebastian hat im Moment kein Geld. Das ist ihm peinlich, weil er alte Schulden bezahlen musste. Er muss aber noch die Miete zahlen. Sein Mitbewohner Jan fragt schon danach.

Frau Günther hat einen Besprechungstermin vergessen. Ihr Chef fragt sie, warum sie nicht bei der Besprechung war.

Paul trifft sich das erste Mal mit Sabrina und schenkt ihr einen großen Strauß rote Rosen. Sabrina findet das total übertrieben und unpassend. Sie möchte Paul aber nicht verletzen.

▶ Ü 2–3

4 Jetzt dürfen Sie lügen. Schreiben Sie ein wahres oder erfundenes Erlebnis aus Ihrem Leben auf und lesen Sie es vor. Die anderen raten, ob Sie lügen. Erzählen Sie, was an Ihrer Geschichte wahr oder falsch ist.

Ich habe mal eine Geldbörse mit 1200 Euro, Kreditkarten und Papieren gefunden. Ich habe sie dem Besitzer zurückgebracht, aber …

Ist da jemand?

1a Stellen Sie sich vor, dass es auf der Erde keine Menschen mehr gibt. Was würde sich in 10, 50, 1.000 … Jahren verändern?

b Lesen Sie den Artikel und ordnen Sie die Überschriften den Abschnitten zu.

A Durch die Zukunft die Gegenwart verstehen
B Das Ende der Atomenergie
C Langlebige Überreste
D Die Natur vernichtet Großstädte
E Der Zerfall der Architektur
F Tierische Gewinner und Verlierer

STRATEGIE

Überschriften schaffen Orientierung

Lesen Sie für einen ersten Überblick die Überschriften eines Textes. Sie verraten bereits viel über den Inhalt und den Aufbau. Das Verstehen des gesamten Textes ist danach leichter.

Irgendwer zu Hause?

Nach zahlreichen Gesprächen mit Forschern und Technikern zeigt uns der Journalist Alan Weisman seine Vision von der Zukunft: Eine Welt ohne die Spezies Mensch.

5 Ökologen freuen sich schon jetzt über die Prognosen, die Weisman in seinem Buch „The world without us" beschreibt: Unsere Erde kann gut ohne den Menschen auskommen und es gibt kaum einen, der uns vermissen würde. Die Natur würde sich Städte und Gebäu- 10 de schnell zurückerobern, wenn der Mensch nicht mehr da ist. Trotzdem hinterlassen wir Spuren, die auch noch in Millionen von Jahren sichtbar wären.

___ 1 Bereits nach 48 Stunden ohne Menschen, schreibt Weisman, würde die New Yorker U-Bahn un- 15 ter Wasser stehen. Der Grund: Ohne Pumpen, um die sich niemand mehr kümmern könnte, läuft Grundwasser in die U-Bahn. Bis zu 40 Millionen Liter Wasser hätten dann freie Bahn und keiner hält sie auf. Auch andere Bauwerke in der Stadt würden ohne uns bereits 20 nach einigen Jahren einstürzen. Die Straßen versinken in der Erde und bilden eine gute Basis für neue Flüsse. Die Natur braucht nur zwei Jahrzehnte und niemanden von uns als Hilfe, um die Städte wieder fest im Griff zu haben.

25 ___ 2 Grüne Städte können einen schon fast romantisch stimmen, aber die Entwicklung hätte auch dramatische Seiten. Die Atomkraftwerke wären nach einem Jahr zerstört, nicht eins hätte noch einen Atommeiler, der intakt wäre. Denn schon nach wenigen 30 Tagen fällt das Kühlsystem aus. Es ist eben keiner da, um Diesel für die Notversorgung aufzutanken. Doch die Kraftwerke sind nicht ohne Leben. Tiere würden sich in der radioaktiven Umgebung ansiedeln, darunter auch viele Vögel.

35 ___ 3 Und diese würden sich enorm vermehren, denn ohne unsere Lichter und Stromleitungen könnten nach Schätzung von Weisman eine Milliarde mehr von ihnen überleben. Schlecht hätten es dagegen Tiere, die mehr oder weniger direkt vom Menschen leben: Läuse, Ratten 40 oder Kakerlaken wären dann vom Aussterben bedroht. Es gibt also doch jemanden, dem wir fehlen würden.

___ 4 Von den Strukturen, die der Mensch geschaffen hat, bleibt nur wenig, sagt Weisman. Brücken, Dämme und Städte sind nach 1.000 Jahren zerfallen 45 oder vom Wasser zerstört. Nur geschützte Gebäude werden bleiben wie der Tunnel unter dem Atlantik, der England auch weiter mit Europa verbinden wird. Aber wird er jemandem nützen? Wohl kaum.

___ 5 Trotzdem wird uns die Welt nicht so schnell 50 vergessen. Bis die Erde frei von Blei wäre, würden 35.000 Jahre vergehen. Für das Plutonium aus unseren Waffen sind sogar 250.000 Jahre nötig. An Giften aus Kunststoffen und Farben würde die Welt noch die nächsten Millionen Jahre leiden. Und Plastiktüten, die 55 irgendwer vor langer Zeit weggeworfen hat, wird unser Planet erst wieder los, wenn es neue Arten von Bakterien gibt, die diese Stoffe abbauen können.

___ 6 Klingt das nun deprimierend oder eher romantisch? Weisman will weder das eine noch das an- 60 dere. Aber das Spiel mit dem Gedanken, was passiert, wenn niemand mehr von uns auf diesem Planeten lebt, ist „eine Art zu begreifen, was in unserer Gegenwart geschieht". Eine wesentliche Information lautet: Die Natur ist eine Kämpferin. Sie würde sich die Welt schnell 65 zurückerobern – auch wenn es Ausnahmen gibt. Und die andere gute Nachricht von Weisman ist: „Ich glaube nicht, dass wir alle verschwinden müssen, damit sich die Erde wieder erholt."

▶ Ü 1

c Was würde sich verändern, wenn die Menschen nicht mehr auf der Erde wären? Notieren Sie.

Was?	Wie?	Warum?
- Großstadt	*- U-Bahn voll Grundwasser* *- Häuser stürzen ein*	*- keine Pumpen*

d Stimmen die Aussagen mit Ihren Vermutungen aus 1a überein?

2a Markieren Sie die Indefinitpronomen im Artikel. Ergänzen Sie dann die Tabelle.

G

Indefinitpronomen

Nominativ	man	(k) /(k) / (k)eine		jemand	
Akkusativ	(k) /(k)eins/(k)eine			*jemanden*	irgendwen
Dativ	(k)einem/(k)einem/(k)einer		niemandem		irgendwem

▶ Ü 2

b Ergänzen Sie die Regel mit den folgenden Wörtern.

~~man~~ irgendwer irgendwas irgendwann ~~etwas~~ irgendwo jemand ~~irgendwohin~~ irgendwoher eins

G

Die Indefinitpronomen beziehen sich auf Personen: *man* / ______ / ______, Orte: ______ / ______ / *irgendwohin* sowie Zeiten: ______ und Dinge: ______ / *etwas*, die nicht genauer definiert werden.

einer/______ /*eine* können Personen und Dinge beschreiben.

So bekommen Aussagen mit Indefinitpronomen einen allgemeinen Charakter.

▶ Ü 3–4

c Schreiben Sie drei Fragen mit Pronomen aus 3b und spielen Sie Minidialoge.

Kannst du mich heute irgendwann anrufen?
Ja, klar. Heute Abend.

d Jemand? – Niemand! Welche Wörter verneinen die Pronomen aus 3b? Erstellen Sie eine Tabelle mit den Wörtern im Kasten.

~~niemand~~ nirgendwo nichts nie nirgendwohin ~~keiner~~ nirgendwoher niemals nirgends

Person	*man, jemand, einer, irgendwer*	*niemand, keiner*

▶ Ü 5

3 „Ich glaube nicht, dass wir alle verschwinden müssen, damit sich die Erde wieder erholt."
Was können/müssen wir jetzt für die Erde tun? Diskutieren Sie.

Man müsste stärker …
Wir sollten irgendwas tun, zum Beispiel …
Wenn wir irgendwann handeln, ist es zu spät, darum …
Man kann irgendwo anfangen. Vielleicht …

Gute Nacht!

1a Wie viele Stunden schlafen Sie? Wann schlafen Sie besonders gut, wann nicht so gut?

b Arbeiten Sie zu zweit. Erklären Sie sich gegenseitig die Ausdrücke. Der Partner / Die Partnerin rät, welcher Ausdruck passt. Sie können auch mit dem Wörterbuch arbeiten.

verschlafen	noch einmal über etwas schlafen	wie ein Murmeltier schlafen	ausschlafen
dösen	ein Nickerchen machen	übernachten	mit offenen Augen schlafen

2a Lesen Sie den Artikel und notieren Sie fünf Fragen zum Inhalt.

Eintauchen in eine geheimnisvolle Welt

Die Menschen werden immer rastloser, schlafen viel weniger als vor 100 Jahren – das hat Folgen

Bis heute weiß die Wissenschaft nicht, warum der Mensch ein Drittel seines Lebens verschläft. Damit die Organe entspannen? Damit Hirn und Seele verarbeiten können, was sie erleben? Oder weil die Erde kahl wäre, gäbe der Allesfresser Mensch nicht zwischendurch Ruhe?

Vor hundert Jahren schliefen die Menschen im Schnitt neun Stunden, vor zwanzig Jahren waren es noch mehr als acht, heute sind es sieben, den verlängerten Wochenend-, Feiertags- und Urlaubsschlaf eingerechnet. Die Industrieländer mit ihren 24-Stunden-Gesellschaften werden schlaflos: Eine Nacht durchzuarbeiten gilt als Ausweis besonderer Leistungsfähigkeit im Zeitalter globaler Konkurrenz; bis nach Mitternacht auszugehen gilt als Teil gehobener Lebenskunst. Spät ins Bett: Das ist für die Pubertierenden der Beweis dafür, dass sie schon erwachsen sind, und für die Gealterten ist es ein Beleg ihrer ewigen Jugend. Wer will schon das Leben verpennen? Nur klingelt beim Durchschnitts-Deutschen der Wecker bereits morgens vor halb sieben.

Viel zu früh nach Ansicht von Schlafforschern wie denen vom Schlaflabor der Berliner Charité. Einmal, weil die meisten Menschen vor acht Uhr kaum vernünftig denken können, und dann, weil dauerhafter Schlafmangel krank macht, weil Schlaflose hungrig werden und dick, Bluthochdruck bekommen und am Ende gar den Herzinfarkt. Die Zahl der Menschen mit Schlafstörungen steigt; jeder vierte Deutsche wälzt sich nachts im Bett, statt zu ruhen. Inzwischen gibt es über 300 Schlaflabors im Land; Bettenhäuser preisen Spezialmatratzen; Pillen, Tropfen und Tees haben einen soliden Markt. Die Ärzte entdecken die Wirkung des mittelalterlichen Heilschlafs neu, Mediziner und Feuilletonisten preisen gleichermaßen die Kultur des Nickerchens: zwanzig Minuten im Bürostuhl, und die Welt sieht wieder ganz anders aus.

In Japan gilt es als Zeichen vorbildlichen Eifers, wenn einer mittags müdegearbeitet den Kopf auf die Schreibtischplatte und abends an die Schulter des U-Bahn-Nachbarn sinken lässt; in China machen Schulkinder ein Mittagsschläfchen. Nie haben Schüler den Ministerpräsidenten von Baden-Württemberg mehr geliebt als an jenem Tag, da er vorschlug, die Schule eine Stunde später beginnen zu lassen.

Und die Nachteulen, die Bettflüchter, Partylöwen, Einsam-am-Schreibtisch-Sitzer? Die können sich mit jenen Studien trösten, denen zufolge zu viel Schlaf auch nicht gesund ist, und es Menschen gibt, die nach fünf Stunden Ruhe wieder fit sind. Thomas Alva Edison war als Erfinder der Glühbirne ohnehin der ärgste Feind des Schlafs. „Alles, was die Arbeit hemmt, ist Verschwendung", pflegte er zu sagen; vier Stunden Schlaf seien ausreichend. Doch als Henry Ford, der Autobauer, den genialen Erfinder besuchte, sagte Edisons Assistent: „Psst, der Meister hält ein Nickerchen." Edison holte sich seinen Schlaf tagsüber – ein guter Grund, selbst mal ein kleines Schläfchen zwischendurch zu machen.

b Arbeiten Sie zu zweit. Stellen Sie sich gegenseitig Ihre Fragen und antworten Sie.

c Sammeln Sie alle wichtigen Informationen aus dem Artikel in Stichworten. Vergleichen Sie im Kurs.

2.6-7

3a Hören Sie ein Interview zum Thema „Mittagsschlaf". Welche Teilthemen werden angesprochen? Kreuzen Sie an.

- ☐ A Empfohlene Dauer des Mittagsschlafs
- ☐ B Zusammenhang zwischen zu wenig Schlaf und Herzproblemen
- ☐ C Ruf des Mittagsschlafs
- ☐ D Mittagsschlaf in anderen Ländern
- ☐ E Tipps bei Einschlafproblemen
- ☐ F Experiment des Schlafforschers Jürgen Zulley
- ☐ G Gymnastik nach dem Mittagsschlaf

Dr. Gesa Hartmann, Schlafexpertin

b Hören Sie das Interview noch einmal in Abschnitten.

2.6

Abschnitt 1: Sind die Aussagen richtig oder falsch? Kreuzen Sie an.

	richtig	falsch
1. Bei dem Experiment mussten alle Teilnehmer einen Mittagsschlaf halten.	☐	☐
2. Die Menschen hatten schnell kein Gefühl mehr für die Tageszeiten.	☐	☐
3. Fazit des Experiments: Jeder Mensch schläft dreimal pro Tag, wenn er kann.	☐	☐
4. Jürgen Zulley setzt sich für den Mittagsschlaf im Büro ein.	☐	☐
5. In deutschen Unternehmen wird der Mittagsschlaf noch wenig akzeptiert.	☐	☐

2.7

Abschnitt 2:

A Welche Informationen erhalten Sie über den Mittagsschlaf in anderen Ländern? Ergänzen Sie die Tabelle.

Land	*Japan*		
Information			

B Beantworten Sie die Fragen.

1. Wie lange sollte der Mittagsschlaf dauern? ____________________
2. Um wie viel Prozent steigert sich die Leistungsfähigkeit durch die Pause? ____________________
3. Was ist beim Mittagsschlaf hilfreich und warum? ____________________

____________________ ▶ Ü 1

4 Wie verbringen Sie normalerweise Ihre Mittagspause und wie fit fühlen Sie sich danach? ▶ Ü 2

5 Im Internet lesen Sie die folgende Meldung:

Wissenschaftler fordern Mittagsschlaf im Büro
„Uns fehlt der bewusste Umgang mit Ruhezeiten, angenehmen Schlafräumen und gesunder Ernährung", so Ingo Fietze, Leiter der schlafmedizinischen Abteilung in der Berliner Charité. Schlafforscher Jürgen Zulley fordert einen Kulturwandel. „Der Mittagsschlaf wird immer noch mit Faulenzertum verbunden", sagt der Wissenschaftler. Nach Zulleys Angaben schläft derzeit rund ein Viertel der Beschäftigten heimlich im Büro. Wird es bald normal sein, bei einem Service-Unternehmen anzurufen, und auf dem Anrufbeantworter lautet es: „Wir halten gerade Büroschlaf. Bitte rufen Sie in 30 Minuten wieder an."? Schaden und Nutzen für die Unternehmen werden sich erst im Lauf der Zeit zeigen.

a Sie möchten als Reaktion auf diese Meldung an die Online-Redaktion schreiben. Diese Redemittel helfen Ihnen dabei. Ordnen Sie die Überschriften zu.

Beispiele und eigene Erfahrungen anführen | zusammenfassen | eine Reaktion einleiten | Meinung äußern und Argumente abwägen

EINEN LESERBRIEF SCHREIBEN

____

Mit großem Interesse habe ich Ihren Artikel „…" gelesen.

Ihr Artikel „…" spricht ein interessantes/wichtiges Thema an.

______________________	______________________
Ich vertrete die Meinung / die Ansicht / den Standpunkt, dass …	Ich kann dazu folgendes Beispiel nennen: …
Meiner Meinung nach …	Man sieht das deutlich an folgendem Beispiel: …
Man sollte bedenken, dass …	An folgendem Beispiel kann man besonders gut sehen, dass/wie …
Ein wichtiges Argument für/gegen … ist die Tatsache, dass …	Meine eigenen Erfahrungen haben mir gezeigt, dass …
Zwar …, aber …	Aus meiner Erfahrung kann ich nur bestätigen, …
Dafür/Dagegen spricht …	
Einerseits …, andererseits …	

____

Insgesamt kann man feststellen, …

Zusammenfassend lässt sich sagen, …

Abschließend möchte ich nochmals betonen, …

b Markieren Sie pro Rubrik mindestens eine Formulierung, die Sie in Ihrer Reaktion verwenden wollen.

GI/TELC

c Schreiben Sie jetzt Ihre Reaktion auf die Meldung. Die Adresse der Internetredaktion brauchen Sie nicht anzugeben. Vergessen Sie nicht Anrede und Gruß. Schreiben Sie mindestens 180 Wörter.

Sagen Sie,
- wie sich die Unternehmen Ihrer Meinung nach verhalten sollen,
- wie Sie Situation und Folgen beurteilen,
- was Sie in Ihrer Mittagspause tun,
- was Sie anders machen würden, wenn Sie könnten.

d Kontrollieren Sie Ihren Text und überprüfen Sie die folgenden Punkte:

- Sind Sie auf alle Inhaltspunkte eingegangen?
- Finden sich im Text typische Fehler wie z. B. Wortstellung, Endungen, Tempusform?
- Sind die Sätze miteinander verbunden? Haben Sie Konnektoren verwendet?

e Tauschen Sie Ihren Text mit einem Partner / einer Partnerin und korrigieren Sie sich gegenseitig.

▶ Ü 3

6a Sie wollen die Arbeitsbedingungen in Ihrer Firma verbessern. Arbeiten Sie zu viert und sammeln Sie Ideen und Argumente.

Idee	Argumente
– Ruheräume einrichten *– …*	*– höhere Leistungsfähigkeit der Mitarbeiter*

b Überzeugen Sie Ihren Arbeitgeber. Spielen Sie zu zweit. Einer erklärt die Ideen und Argumente dafür. Der Partner / Die Partnerin stimmt zu, widerspricht oder macht eigene Vorschläge. Am Ende sollten Sie zu einer Lösung kommen.

VORSCHLÄGE MACHEN	VORSCHLÄGE ANNEHMEN
Wie wäre es, wenn wir …?	Das hört sich gut an.
Was halten Sie von folgendem Vorschlag: …?	Ja, das könnte man so machen.
Könnten Sie sich vorstellen, dass …?	Ich kann diesem Vorschlag nur zustimmen.
Ich finde, man sollte …	Das ist eine hervorragende Idee.
Man könnte doch …	Ich denke, das könnte man umsetzen.
VORSCHLÄGE ABLEHNEN	**SICH EINIGEN**
Das halte ich für keine gute Idee.	Wir könnten uns vielleicht auf Folgendes einigen: …
Dieser Vorschlag ist nicht durchführbar.	Wie wäre es mit einem Kompromiss: …?
Wie soll das funktionieren?	Was halten Sie von einem Kompromiss: …?
Das kann man so nicht machen.	Wären Sie damit einverstanden, wenn …?
Das lässt sich nicht realisieren.	

Albert Einstein *(14. März 1879–18. April 1955)*

Physiker und Nobelpreisträger

„Aus Ihnen wird nie etwas, Einstein!"

Albert Einstein wird am 14. März 1879 in Ulm geboren und wächst in München auf. 1901 gibt Einstein die deutsche Nationalität auf und wird Bürger der Schweiz.

Lehrer meinen, aus Einstein werde nie etwas, weil er sich nichts sagen lässt und unaufmerksam ist. Auch als Student zeigt er sich als eigensinnig und fehlt oft bei den Pflichtveranstaltungen, um zu Hause die Meister der theoretischen Physik zu studieren.

Einstein sitzt oft stundenlang da und grübelt. Er versucht stets, Fragen von möglichst vielen Seiten zu betrachten und von unterschiedlichen Disziplinen her zu beleuchten.

Seine Beiträge zur theoretischen Physik veränderten maßgeblich das physikalische Weltbild. Einsteins Hauptwerk ist die Relativitätstheorie, die das Verständnis von Raum und Zeit revolutionierte. Im Jahr 1905 erscheint seine Arbeit mit dem Titel „Zur Elektrodynamik bewegter Körper", deren Inhalt heute als spezielle Relativitätstheorie bezeichnet wird. 1916 publiziert Einstein die allgemeine Relativitätstheorie. Auch zur Quantenphysik leistet er wesentliche Beiträge: Für seine Erklärung des photoelektrischen Effekts, die er ebenfalls 1905 publiziert hat, wird ihm 1921 der Nobelpreis für Physik verliehen.

Albert Einstein, Physiker

Er ist Professor in Zürich, danach in Prag und Berlin, wo er von 1914 bis 1932 arbeitet. In seinem berühmtesten Buch „Über die Spezielle und die Allgemeine Relativitätstheorie" (1917) gibt er eine allgemein verständliche Erklärung seiner Gedanken. Im Rahmen einer Sonnenfinsternis-Expedition der Royal Society of London wird die Richtigkeit seiner Theorie 1919 bestätigt. Auf einen Schlag wird Einstein weltberühmt.

Er beginnt, seinen Namen verstärkt für seine politischen Überzeugungen einzusetzen, und engagiert sich aktiv für den Pazifismus. Für Einstein, der die politische Entwicklung mit wachem Blick verfolgt, kommt der Nationalsozialismus nicht unerwartet. Nach einer Vortragsreihe in den USA kündigt der jüdische Wissenschaftler an, dass er nicht nach Deutschland zurückkehren wird. Einsteins gesamtes Vermögen wird von den Nationalsozialisten konfisziert und er entscheidet sich, in den USA zu bleiben. Dort erhält er den Ruf als Professor an das „Institute for Advanced Study" in Princeton. Auch in seiner neuen Position ist er politisch aktiv. Einstein bemüht sich zusammen mit anderen Physikern erfolglos darum, den Einsatz der Atombombe durch Präsident Truman zu verhindern. Auch nach dem Krieg wendet er sich vehement gegen alle Formen der Unterdrückung und Militarisierung und ruft die Intellektuellen dazu auf, sich für die Meinungsfreiheit einzusetzen.

Inhaltlich versucht Einstein jetzt, eine einheitliche Feldtheorie zu formulieren, die Gravitation und Elektrizität miteinander vereint. Aber auch nach langwieriger Arbeit gelingt es ihm nicht, sie zu formulieren. Seitdem sind alle Versuche, eine „Weltformel" zu formulieren, ohne Erfolg geblieben. Einstein, der als Inbegriff des Forschers und Genies gilt, stirbt am 18. April 1955 in Princeton.

www Mehr Informationen zu Albert Einstein.

Sammeln Sie Informationen über Persönlichkeiten oder Institutionen aus dem In- und Ausland, die zum Thema „Wissenschaft" interessant sind, und stellen Sie sie im Kurs vor. Sie können dazu die Vorlage „Porträt" im Anhang verwenden.

Beispiele aus dem deutschsprachigen Bereich: Wilhelm Conrad Röntgen – Josef Penninger – Lise Meitner – Jugend forscht

1 Passiv und Passiversatzformen

Das Passiv wird verwendet, wenn ein Vorgang oder eine Handlung im Vordergrund steht (Vorgangspassiv).

Bildung des Passivs

Präsens	*werde/wirst/wird/...* + Partizip II	*Die Begeisterung wird geweckt.*
Präteritum	*wurde/wurdest/wurde/...* + Partizip II	*Die Begeisterung wurde geweckt.*
Perfekt	*bin/bist/ist/...* + Partizip II + *worden*	*Die Begeisterung ist geweckt worden.*
Plusquamperfekt	*war/warst/war/...* + Partizip II + *worden*	*Die Begeisterung war geweckt worden.*
mit Modalverb	Modalverb + Partizip II + *werden*	*Die Begeisterung soll geweckt werden.*

Passiversatzformen

Passiv
Die Experimente können bereits von Kindergartenkindern durchgeführt werden.

Passiv mit *müssen/können/sollen* → *sein* + *zu* + Infinitiv
Die Experimente sind bereits von Kindergartenkindern durchzuführen.

Passiv mit *können* → *sich lassen* + Infinitiv
Die Experimente lassen sich bereits von Kindergartenkindern durchführen.

Passiv mit *können* → *sein* + Adjektiv mit Endung *-bar/-lich*
Die Experimente sind bereits von Kindergartenkindern durchführbar.
Naturwissenschaftliche Phänomene sind so viel besser verständlich.

2 Indefinitpronomen

Indefinitpronomen beziehen sich auf Personen, Orte, Zeiten und Dinge, die nicht genauer definiert werden. So bekommen Aussagen mit Indefinitpronomen einen allgemeinen Charakter.

Nominativ	*man*	*(k)einer/(k)eins/(k)eine*	*niemand*	*jemand*	*irgendwer*
Akkusativ	*einen*	*(k)einen/(k)eins/(k)eine*	*niemanden**	*jemanden**	*irgendwen*
Dativ	*einem*	*(k)einem/(k)einem/(k)einer*	*niemandem**	*jemandem**	*irgendwem*

* In der gesprochenen Sprache wird im Akkusativ und Dativ auch die Form des Nominativs benutzt:
○ *Hast du **jemand** getroffen, den du kennst?*
● *Nein, **niemand**.*

	Indefinitpronomen		**Negation**
Person	*man, jemand, einer, irgendwer*	→	*niemand, keiner*
Ort	*irgendwo, irgendwoher, irgendwohin*	→	*nirgendwo, nirgendwoher, nirgendwohin, nirgends*
Zeit	*irgendwann*	→	*nie, niemals*
Dinge	*irgendwas, etwas, eins*	→	*nichts, keins*

An der Nase herumgeführt

1 **Stellen Sie sich vor, Sie gehen durch die Fußgängerzone einer Stadt: Was sehen Sie? Was hören Sie? Was riechen Sie? Notieren Sie und vergleichen Sie mit einem Partner / einer Partnerin.**

2a ***riechen*** **hat zwei Bedeutungen. Ordnen Sie die Bedeutungen den Sätzen zu.**

A einen Geruch wahrnehmen B einen Geruch haben/verströmen

____ 1. Das Gebäck riecht nach Vanille.
____ 2. Er ist erkältet und kann nicht so gut riechen.
____ 3. Der Hund schnuppert an den Würstchen.
____ 4. Wir müssen dringend lüften. Hier riecht es nicht gut.
____ 5. Du hast ein neues Parfüm. Darf ich mal riechen?
____ 6. Der Käse stinkt fürchterlich.
____ 7. Ich liebe Rosen. Sie duften so gut!

b ***riechen – duften – stinken*****. Ordnen Sie die Wörter in der Skala an.**

stinken der Wohlgeruch duften schlecht riechen der Duft der Gestank gut riechen

negativ *riechen* *positiv*

c **Woran denken Sie, wenn Sie die folgenden Dinge riechen? Welche der Gerüche empfinden Sie als angenehm bzw. unangenehm? Sprechen Sie zu zweit. Gibt es Gemeinsamkeiten?**

Meer Regen Zigarettenrauch Pferd Tanne Fisch Zimt Lavendel Farbe

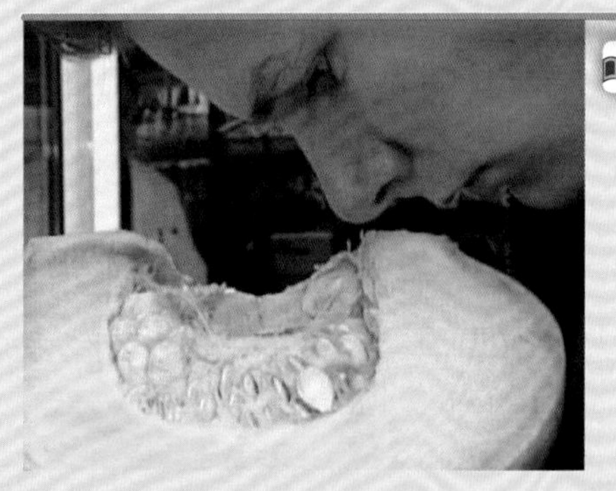

1

3 **Sehen Sie die erste Filmsequenz. Was erfahren Sie über das Riechen? Wie wirken Gerüche oder Düfte auf den Menschen? Welche Konsequenz zieht die Industrie daraus?**

A

Hans Hatt, Uniklinik Bochum

2

4a **Sehen Sie die zweite Filmsequenz und ordnen Sie die Aussagen den Experten zu.**

1. Düfte lösen Erinnerungen aus und beeinflussen unsere Gefühle.
2. Düfte haben genauso Einfluss auf die Kaufentscheidung wie Werbung.
3. Vielleicht kann man mit Düften sogar Gefühle hervorrufen.
4. Gerüche bewirken nicht, dass der Käufer etwas kauft, was er gar nicht haben will.
5. Düfte beeinflussen unsere Entscheidungen, ohne dass wir es merken.

Hans Voit, Spezialist für Duftmarketing

b **Welche Beispiele für den Einsatz von Düften werden im Film genannt? Was sollen die Düfte bewirken? Sammeln Sie weitere Beispiele.**

5a **Wir werden im Alltag von künstlichen Düften umgeben. Welche Gefahren oder Probleme kann das mit sich bringen?**

b **Sehen Sie nun die dritte Filmsequenz. Was kritisiert Carel Mohn, ein Mitarbeiter der Verbraucherzentrale? Vergleichen Sie mit Ihren Vermutungen aus 5a.**

3

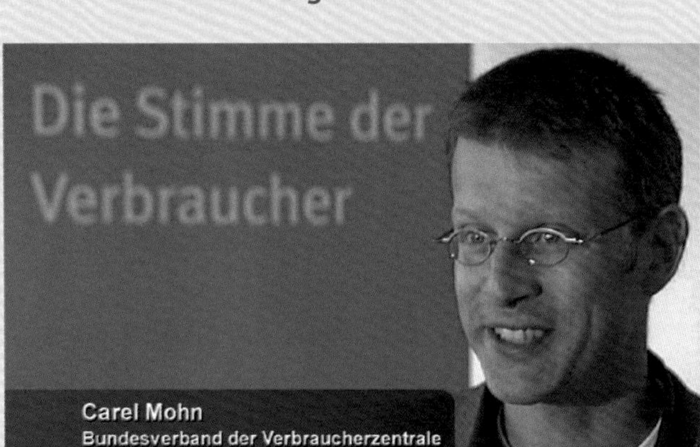

6 **Sie haben die Sendung über Duftmarketing im Fernsehen gesehen. Schreiben Sie in einer E-Mail an die Redaktion Ihre Meinung zum Thema.**

- Fassen Sie den Inhalt der Sendung kurz zusammen.
- Schreiben Sie etwas über Ihre persönlichen Erfahrungen oder nennen Sie weitere Beispiele.
- Was ist Ihre Meinung zum Einsatz von künstlichen Düften? Begründen Sie.

7a **Was bedeuten die folgenden Ausdrücke und Redewendungen zu *Nase* und *riechen*? Ordnen Sie zu.**

____ 1. jemanden an der Nase herumführen	a nur knapp verpasst
____ 2. einen guten Riecher für etwas haben	b jemanden in die Irre führen
____ 3. jemanden nicht riechen können	c sich in Dinge einmischen, die einen nichts angehen
____ 4. vor der Nase weggefahren	d jemanden nicht mögen
____ 5. seine Nase in etwas stecken	e einen Misserfolg erleben
____ 6. auf die Nase fallen	f ein gutes Gespür für etwas haben, Chancen oder Möglichkeiten erkennen

b **Gibt es in Ihrer Sprache ähnliche Ausdrücke und Wendungen? Erzählen Sie.**

c **Überlegen Sie sich zu zweit Situationen, in denen die Ausdrücke von 7a passen können. Schreiben und spielen Sie kleine Dialoge.**

Marco hat sich mit seiner Firma selbstständig gemacht und ist schon jetzt sehr erfolgreich.

Ja, mit seiner Idee hat er einen guten Riecher gehabt.

Fit für ...

A Kurioses

1. Ein paar Monate haben 31 Tage. Wie viele Monate haben 28 Tage? ___________
2. Der Vater von Monika hat genau fünf Töchter: Lala, Lele, Lili, Lolo. Wie heißt die fünfte Tochter? ___________
3. Wenn hier drei Äpfel liegen und Sie nehmen sich zwei weg: Wie viele haben Sie dann? _________
4. Drei Katzen fressen drei Mäuse in drei Minuten. Hundert Katzen fressen hundert Mäuse in wie vielen Minuten? _________
5. Ein Bauer hat 17 Schafe. Alle bis auf neun sterben. Wie viele Schafe hat der Bauer? ___________

B Verwandte finden

1. Sie ist nicht meine Schwester, aber die Tochter der Schwester meiner Mutter. Wer ist sie?

   ☐ Tante ☐ Mutter ☐ Nichte ☐ Cousine

2. Ein Mann blickt auf ein Bild an der Wand und sagt: „Ich habe weder Brüder noch Schwestern, aber der Vater dieses Mannes ist der Sohn meines Vaters." Vor wessen Bild steht der Mann?

   ☐ Großvater ☐ Schwager ☐ Sohn ☐ Bruder

3. Die Mutter dieses Mannes ist die Schwiegermutter meiner Mutter. Wer ist der Mann?

   ☐ Bruder ☐ Vater ☐ Neffe ☐ Cousin

4. Ein Vater hat sieben Söhne. Jeder Sohn hat eine Schwester. Wie viele Kinder hat der Vater?

   ☐ 12 ☐ 14 ☐ 18 ☐ 8

C Gemeinsamkeiten finden

Unterstreichen Sie in jeder Reihe die zwei Wörter, für die es einen gemeinsamen Oberbegriff gibt.

1. Joghurt – Eier – Fleisch – Quark – Brot
2. New York – Madrid – Sydney – Berlin – Kapstadt
3. Sport – Geschichte – Englisch – Physik – Biologie
4. Eisen – Gold – Schmuck – Silber – Diamanten

Sie lernen

Modul 1 | Eine Ratgebersendung zum Thema „Einkaufen im Internet" verstehen
Modul 2 | Telefongespräche erfolgreich bewältigen
Modul 3 | Tipps für den Umgang mit Kollegen am Arbeitsplatz verstehen
Modul 4 | Informationen aus einem Text weitergeben
Modul 4 | Einen persönlichen Brief schreiben

Grammatik

Modul 1 | Passiv mit *sein*
Modul 3 | Vergleichssätze mit *als*, *als ob* und *als wenn* im Konjunktiv II

D Buchstabenreihen ergänzen

Die folgenden Buchstabenreihen sind nach einer bestimmten Regel aufgebaut. Ihre Aufgabe ist es, diese Reihe zu erkennen und durch einen weiteren Buchstaben sinnvoll zu ergänzen.

1.	Z	A	Y	B	X	____
2.	C	E	G	I	K	____
3.	E	F	L	M	G	____
4.	M	N	O	O	N	____

E Analogien bilden

Finden Sie ein passendes Wort.

1. lang : kurz = dick : ______________________
2. finden : verlieren = erinnern : ______________________
3. Gebirge : Stein = Ozean : ______________________
4. Wind : Sturm = reden : ______________________

F Den richtigen Tag finden

1. Übermorgen ist Dienstag. Welcher Tag war vorgestern?
   ____
2. Vor einer Woche war es einen Tag vor Sonntag.
   Welcher Tag ist heute? ______________________
3. Vorgestern war Silvester. Welches Datum ist übermorgen?
   ____
4. In 16 Tagen werde ich meinen 25. Geburtstag feiern.
   An welchem Tag findet die Feier statt, wenn vorgestern Sonntag war? ______________________

1a Wie fit sind Sie? Wie gut können Sie kombinieren, erkennen, logisch denken und sich konzentrieren? Machen Sie den Test. Sie haben 15 Minuten Zeit. Für jede richtige Antwort gibt es einen Punkt.

b Kontrollieren Sie Ihre Antworten mit der Lösung auf Seite 196. Wie sind Sie auf Ihre Antworten gekommen? Sprechen Sie im Kurs.

2 Arbeiten Sie zu dritt. Recherchieren Sie im Internet nach Denksportaufgaben und erstellen Sie ein Quiz. Tauschen Sie dann Ihr Quiz mit einer anderen Gruppe und lösen Sie es.

Fit für den Onlineeinkauf

1a Was kaufen Sie in Geschäften? Was kaufen Sie im Internet?

b Ordnen Sie die Wörter mit Artikel in die Tabelle. Es gibt mehrere Möglichkeiten.

Konsument ~~Browser~~ ~~Benutzerkonto~~ Virenschutzprogramm Bezahlung Rechnungsbetrag Firewall Datenschutz Verschlüsselung Passwort Kontodaten Doppelklick Onlinebanking Webseite Bestellung Suchmaschine Virus Startseite

Surfen im Internet	Einkaufen im Internet
der Browser	*das Benutzerkonto*

▶ Ü 1

2.8–9

2a Hören Sie eine Ratgebersendung zum Thema „Einkaufen im Internet". Notieren Sie, über welche vier Teilthemen gesprochen wird.

1. ______________________
2. ______________________
3. ______________________
4. ______________________

2.8

b Hören Sie den ersten Teil noch einmal. Markieren Sie, welche Vor- und Nachteile Herr Hansen nennt.

Vorteile

☐ 1. Auswahl
☐ 2. Produktbeschreibungen
☐ 3. Preisvergleich
☐ 4. Service
☐ 5. keine Wartezeit
☐ 6. kein Stress
☐ 7. Bequemlichkeit
☐ 8. Schnelligkeit
☐ 9. Öffnungszeiten
☐ 10. viele Zahlungsmöglichkeiten

Nachteile

☐ 1. Versandkosten
☐ 2. keine Anprobe
☐ 3. lange Lieferzeiten
☐ 4. Kreditkartenbetrug
☐ 5. Reklamation
☐ 6. Mindestbestellwert
☐ 7. fehlende Kommunikation

2.9

c Hören Sie den zweiten Teil noch einmal. Notieren Sie die Zahlungsmöglichkeiten und die Tipps für die Datensicherheit, die Herr Hansen gibt.

Zahlungsmöglichkeiten	Tipps für die Datensicherheit
– Rechnung *– …*	*– aktuelles Virenschutzprogramm* *– …*

▶ Ü 2

d Welche Erfahrungen haben Sie beim Einkaufen im Internet gemacht? Berichten Sie.

3a Passiv mit *werden* und *sein*. Wann verwendet man was? Verbinden Sie die Erklärungen und Beispiele mit den passenden Bildern.

Wichtig ist der Vorgang / die Aktion: Was passiert?

Wichtig ist der neue Zustand / das Resultat der Handlung.

Die Ware wird verpackt.

Die Ware ist verpackt.

b Ergänzen Sie die Regel.

	Passiv mit ***werden***	Passiv mit ***sein***
Bildung	*werden +* ______________	______________
Bedeutung	______________	______________

c Vorgang oder Zustand? Ergänzen Sie *werden* oder *sein* im Präsens.

Mittlerweile gehört der Interneteinkauf für viele Menschen zum Alltag. Trotzdem (1) *ist* ________ er manchmal mit Problemen verbunden. Wenn im Internet Ware bestellt (2) ____________, trägt der Verkäufer das Versandrisiko. Geht das Paket auf dem Weg verloren oder (3) ____________ die Ware bei Empfang beschädigt, muss der Verkäufer den Schaden ersetzen. Will der Kunde die Ware nicht behalten, muss er ein Formular ausfüllen, das ihm vom Händler zur Verfügung gestellt (4) ____________. Sobald der Kunde das Formular mit der Ware an den Händler zurückgeschickt hat, (5) ____________ der Kaufvertrag widerrufen. (6) ____________ die Rechnung bereits bezahlt, muss der Verkäufer den Rechnungsbetrag erstatten. Soll die Ware umgetauscht (7) ____________, schickt der Verkäufer Ersatz. Falls das Produkt ausverkauft ist, (8) ____________ der Kaufvertrag aufgehoben.

d Warum war die Bestellung nicht erfolgreich? Schreiben Sie Sätze im Passiv mit *sein* im Präteritum.

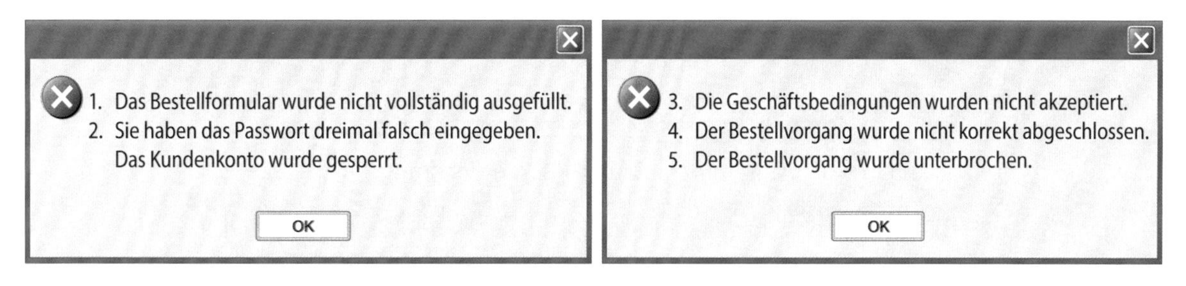

1. Das Bestellformular war nicht vollständig ausgefüllt.

▶ Ü 3-5

4 Sammeln Sie im Kurs Sätze aus dem Alltag, in denen das Passiv mit *sein* vorkommt.

Dieser Tisch ist leider reserviert. *Das Geschäft ist bis 18. August …*

Fit am Telefon

▶ Ü 1 **1** Telefonieren Sie gern? Vor welchen Telefongesprächen sind Sie ein bisschen nervös? Warum?

2.10–11

2a Hören Sie zwei Dialoge am Telefon. Was macht der Anrufer im ersten Dialog nicht so gut? Was ist dagegen im zweiten Dialog positiv? Notieren Sie.

Dialog 1:	*Dialog 2:*
unhöflich	...

2.12

b Hören Sie das Interview mit dem Coach Jonas Becktal. Was sollte man beim Telefonieren beachten? Notieren Sie seine Ratschläge in Stichwörtern.

3 Auf der folgenden Seite finden Sie wichtige Redemittel zum Telefonieren. Ordnen Sie sie den Aktivitäten im Diagramm zu.

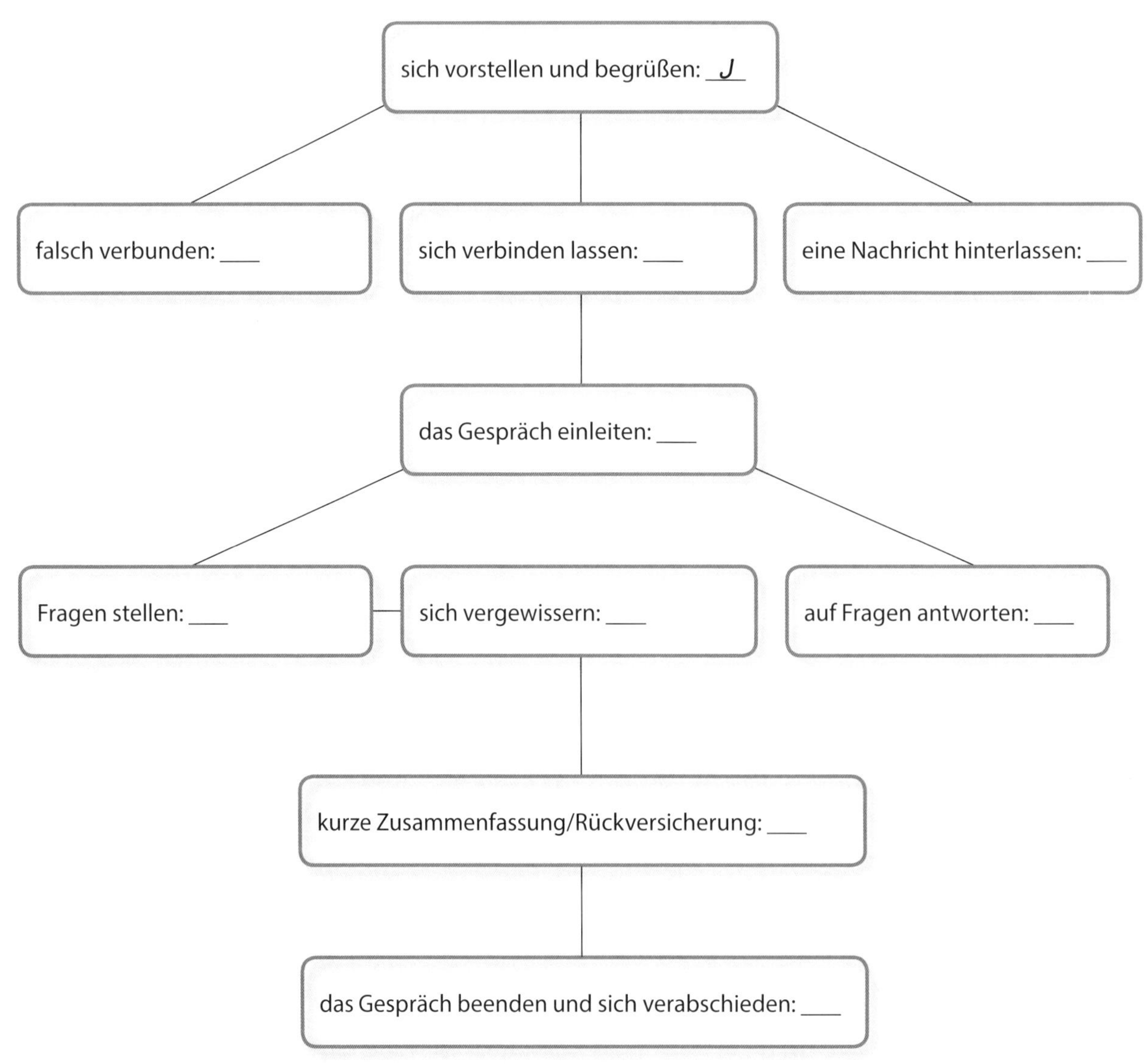

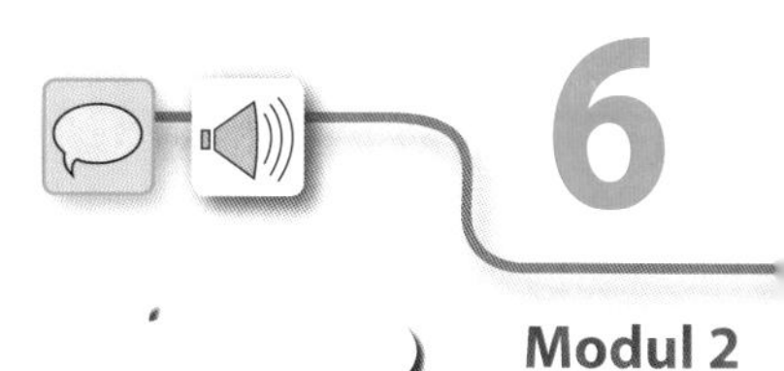

EIN TELEFONGESPRÄCH FÜHREN

A Gut, vielen Dank für die Auskunft. Das hat mir sehr geholfen, vielen Dank. Ich melde mich dann noch mal. Auf Wiederhören!	**F** Könnte ich eine Nachricht für … hinterlassen? Könnten Sie Herrn/Frau … bitte etwas ausrichten und zwar: …?
B Ich würde gern wissen, … Mich würde auch interessieren, … Wie ist das denn, wenn …? Ich wollte auch noch fragen, …	**G** Könnten Sie mich bitte mit Herrn/Frau … verbinden? Ich würde gern mit … sprechen. Könnten Sie mir vielleicht die Durchwahl geben?
C Ich rufe an wegen … Es geht um Folgendes: … Ich hätte gern Informationen zu … Ich interessiere mich für …	**H** Ja, also, das ist so: … Dazu kann ich Ihnen sagen: … Normalerweise machen wir das so: …
D Entschuldigung, mit wem spreche ich? Oh, da habe ich mich verwählt, Verzeihung. Ich glaube, ich bin falsch verbunden. Entschuldigen Sie. Spreche ich nicht mit …?	**I** Könnten Sie das bitte noch einmal wiederholen? Ich bin mir nicht ganz sicher, ob ich Sie richtig verstanden habe. Sie meinen also, …
E Gut, dann können wir festhalten: … Wir verbleiben also so: … Also, dann machen wir das so: …	**J** Ja, guten Tag, mein Name ist … Hallo, hier spricht …

▶ Ü 2-3

4 **Üben Sie zu zweit Telefongespräche. Markieren Sie in 3 die Redemittel, die Sie verwenden wollen. Denken Sie auch an die Tipps aus 2b.**

- Wählen Sie drei Situationen aus.
- Notieren Sie, was Sie fragen könnten und was Ihr Partner / Ihre Partnerin antworten könnte.
- Üben Sie die Gespräche und spielen Sie eines im Kurs vor.

STRATEGIE

Telefonieren

Sie müssen ein Telefongespräch auf Deutsch führen? Schreiben Sie sich vorher wichtige Redemittel und Wörter zu Ihren Fragen und Notizen.

1 Sie möchten ein Praktikum in einem Hotel machen. Rufen Sie dort an und erkundigen Sie sich nach Aufgaben, Zeitraum und Bezahlung.

2 Sie studieren ab dem nächsten Semester in einer anderen Stadt. Rufen Sie bei einem Studentenwohnheim an und fragen Sie nach freien Zimmern, Miete und Kaution.

3 Sie rufen bei einer Sprachschule an und informieren sich über Kursprogramm, Kurszeiten, Kursort und Preise.

4 Sie rufen bei einem Fitnessstudio an und wollen dort Mitglied werden. Erkundigen Sie sich nach Preisen, Trainern und Öffnungszeiten.

5 Sie rufen die Stadtbibliothek an und möchten wissen, wie man einen Ausweis bekommt und wie lange man Bücher ausleihen kann. Fragen Sie auch nach Preisen und Öffnungszeiten.

6 Sie möchten eine Fernreise buchen und telefonieren mit dem Reisebüro, um Informationen über Flüge, Hotels, Klima und Visabestimmungen zu erhalten.

▶ Ü 4

Fit für die Kollegen

1a Was ist für Sie bei Kollegen besonders wichtig? Kreuzen Sie fünf Punkte an und begründen Sie.

- ☐ 1. Kommunikationsfähigkeit
- ☐ 2. Humor
- ☐ 3. Teamfähigkeit
- ☐ 4. Freundlichkeit
- ☐ 5. Höflichkeit
- ☐ 6. Offenheit
- ☐ 7. Wertschätzung
- ☐ 8. Aussehen
- ☐ 9. Kritikfähigkeit
- ☐ 10. aktives Zuhören
- ☐ 11. Hilfsbereitschaft
- ☐ 12. Benehmen
- ☐ 13. Respekt

b Lesen Sie die Tipps für den Umgang mit Kollegen am Arbeitsplatz. Welche Eigenschaften aus 1a passen zu den Texten? Ordnen Sie zu. Es gibt mehrere Möglichkeiten.

A Man sagt: „Das Arbeitsklima ist das einzige Klima, das man selbst bestimmen kann." Wenn man unter bestimmen *mitbestimmen* versteht, dann stimmt das. Denn die Beziehungen unter den Beschäftigten einer Firma sind sehr wichtig für das Arbeitsklima. Diese Beziehungen zu gestalten und menschlich angenehm zu machen, ist zu einem großen Teil Aufgabe der Beschäftigten selbst. Das setzt natürlich die Bereitschaft voraus, mit anderen zusammenzuarbeiten und offen für andere Ideen und Vorschläge zu sein.

B Viele Beschäftigte klagen im beruflichen Alltag über die schlechte Kommunikation am Arbeitsplatz. Dabei ist gerade die Kommunikation die Basis für ein gutes Arbeitsklima. Deshalb sollte man persönlichen Gesprächen mit Kollegen immer den Vorzug geben, besonders dann, wenn Probleme geklärt werden müssen und Diskussionsbedarf besteht. Zwar ist heute eine Kommunikation ohne E-Mails in einer Firma undenkbar, aber E-Mails können niemals das leisten, was ein persönliches Gespräch ausmacht: die Kommunikation mit allen Sinnen.

C Ein unfreundlicher Umgangston hat negative Auswirkungen auf das Arbeitsklima. Wenn man sich morgens nicht grüßt, wenig lacht und schlecht übereinander redet, dann ist die Arbeitsatmosphäre schlecht. Ein freundschaftliches Miteinander lässt sich leider nicht befehlen, aber man kann selbst Vorbild sein. Gibt es etwas, wofür man sich bedanken kann, z. B. für eine Information oder einen Tipp? Ein kurzer Dank ist neben einem freundlichen Gruß am Morgen ein einfaches, sympathisches Mittel, einer anderen Person Achtung und Respekt entgegenzubringen.

D Sehr großes Konfliktpotenzial stellt unangemessen vorgetragene Kritik dar. Das bedeutet allerdings nicht, dass man am Arbeitsplatz gar nichts mehr kritisieren sollte. Vielmehr ist es wichtig, Probleme offen anzusprechen und das Konzept der positiven Kritik anzuwenden: Was genau will man warum kritisieren? Welche Veränderung soll die Kritik bewirken? Passt der Zeitpunkt? Der Kritisierte sollte immer die Möglichkeit haben, eine Erklärung zu geben und mit Argumenten auf die Kritik zu reagieren.

E Alle Menschen brauchen Bestätigung, ein positives und wohlwollendes Feedback. Wenn man gut mit Kollegen zusammenarbeitet, sollte man ihnen auch zeigen, dass man sie würdigt. Ein Lob zur rechten Zeit, eine nette E-Mail oder ein anerkennendes Wort in der Teambesprechung zeigen, dass man die Leistungen anderer wahrnimmt und schätzt.

▶ Ü 1

2.13–14

2a Hören Sie zwei Stellungnahmen zum Thema „Berufliche Zufriedenheit". Notieren Sie, warum die Personen (nicht) zufrieden sind.

Maria T.	Markus S.

▶ Ü 2

2.15

b Hören Sie folgende Sätze aus den Stellungnahmen noch einmal und ergänzen Sie *als, als ob* und *als wenn*.

1. Die Kollegen tun ständig so, ______________ sie alle perfekt wären.
2. Es kommt mir wirklich so vor, ______________ würde ich nicht in dieses Team passen.
3. Es sieht oft so aus, ______________ wir alle beste Freunde wären.
4. Der Chef behandelt uns, ______________ wären wir gleichberechtigte Partner.

c Unterstreichen Sie in den Sätzen aus 2b die Verben. Wo stehen sie?

d In den Sätzen wird der Konjunktiv II verwendet. Was drückt er hier aus?

☐ Höflichkeit ☐ Vermutung ☐ Irreales

e Ergänzen Sie die Regel.

am Ende	irrealen	Konjunktiv II	Position 2

G

Vergleichssätze mit *als, als ob* und *als wenn*

Sätze mit *als, als ob* und *als wenn* drücken einen ______________________ Vergleich aus. Deswegen wird der ______________________ verwendet.

Nach *als* steht das konjugierte Verb auf ______________________. Nach *als ob* und *als wenn* steht das konjugierte Verb ______________________.

Irreale Vergleichssätze stehen nach Verben des Wahrnehmens, Fühlens und Verhaltens: *Ich habe das Gefühl, … / Ich fühle mich, … / Es kommt mir so vor, … / Es sieht so aus, … / Es hört sich so an, … / Er benimmt sich, … / Er verhält sich, …* usw.

3 Meine Kollegin. Schreiben Sie Sätze mit *als, als ob, als wenn*.

1. Meine Kollegin verhält sich, als ob … (die Chefin / sein)
2. Sie tut immer so, als … (alles / wissen)
3. Es kommt mir so vor, als ob … (nicht kritikfähig / sein)
4. Sie benimmt sich so, als … (das Büro / ihr Zuhause / sein)
5. Es sieht so aus, als wenn … (auch andere Kollegen / Probleme mit ihr / haben)

1. Meine Kollegin verhält sich, als ob sie die Chefin wäre.

▶ Ü 3-6

4 Wie zufrieden sind/waren Sie mit Ihrer (letzten) Arbeitssituation? Was hat Ihnen gefallen, was nicht? Berichten Sie.

Fit für die Prüfung

1 Prüfungen – Was fällt Ihnen dazu ein? Erstellen Sie zu zweit eine Mindmap und vergleichen Sie.

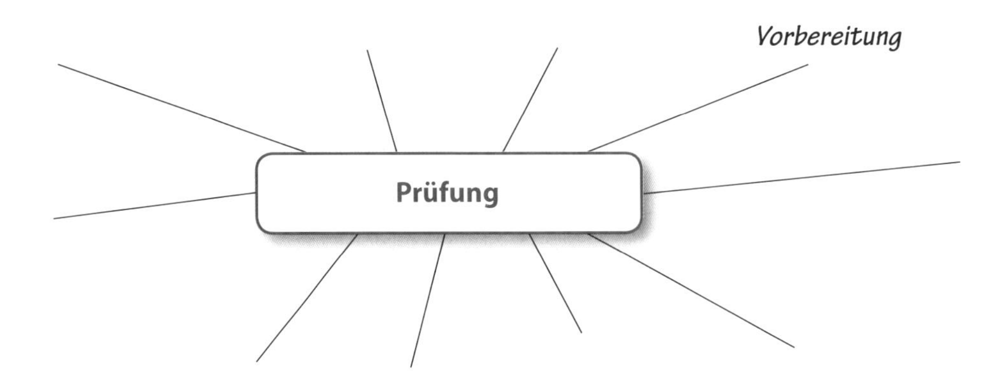

▶ Ü 1

2a Was gehört zusammen? Ordnen Sie zu. Manchmal gibt es mehrere Möglichkeiten.

___ 1. sich auf eine Prüfung	a gönnen
___ 2. sich die Zeit	b fallen
___ 3. sich eine Pause	c beherrschen
___ 4. an Prüfungsangst	d einprägen
___ 5. den Stoff	e vorbereiten
___ 6. sich Informationen	f einteilen
___ 7. eine Prüfung	g leiden
___ 8. durch eine Prüfung	h bestehen

Ihr bekommt alle dieselbe Aufgabe: Schwimmt durch den See.

2.16–18

b Lesen Sie zuerst die Sätze und hören Sie dann die Aussagen der drei Personen. Welcher Satz passt zu wem? Kreuzen Sie an.

	Johanna	Mats	Anja
1. Meistens bin ich mit der Vorbereitung spät dran und kann mir dann nicht mehr alles merken.	☐	☐	☐
2. Ich fange früh genug an zu lernen und bin deshalb vor Prüfungen nicht sehr nervös.	☐	☐	☐
3. Obwohl ich eigentlich alles weiß, habe ich Angst vor Prüfungen.	☐	☐	☐
4. Ich habe schon alles Mögliche gegen Prüfungsangst ausprobiert.	☐	☐	☐
5. In Zukunft will ich mit anderen zusammen lernen.	☐	☐	☐
6. Ich finde es wichtig, auch in der Lernphase schöne Dinge zu unternehmen.	☐	☐	☐

c Wie bereiten Sie sich auf Prüfungen vor? Haben Sie Prüfungsangst? Was tun Sie dagegen? Sprechen Sie in Gruppen.

3a Arbeiten Sie zu zweit. Eine Person liest Text A, die andere Text B. Notieren Sie die wichtigsten Informationen in Stichwörtern.

A Die richtige Vorbereitung

Informieren Sie sich zunächst genau über die Prüfung, so können Sie den Lernstoff eingrenzen. Versuchen Sie, sich einen Überblick über den gesamten Prüfungsstoff zu verschaffen und erstellen Sie eine Liste mit allen Themen, auf die Sie sich vorbereiten müssen.

Hilfreich ist auch ein dazu passender Zeitplan, auf dem Sie festhalten, wann genau Sie welches Thema lernen. Der Plan sollte aber unbedingt realistisch sein und vergessen Sie nicht, immer genug Pausen einzuplanen. Spätestens nach 90 Minuten Lernen brauchen Sie zehn Minuten Pause, um sich wieder voll konzentrieren zu können. Auch Zeiten für Wiederholung und Puffertage sollten Sie einplanen. An den letzten Tagen vor der Prüfung sollten Sie keinen neuen Stoff mehr lernen, sondern sich ausschließlich der Gesamtwiederholung widmen oder anhand von Musterklausuren das Gelernte üben.

Treffen Sie sich auch in den intensiven Lernphasen ab und zu mit Freunden und unternehmen Sie etwas Schönes. Auch Sport hilft dabei, sich zu entspannen und abzulenken. Unbedingt meiden sollten Sie jedoch Menschen, die unter großer Prüfungsangst leiden und nur Nervosität verbreiten. Diese malen sich oft die schlimmsten Dinge aus, durch die Sie nur verunsichert werden. Gehen Sie ebenfalls denen aus dem Weg, die stets mit ihrem Wissen angeben und die Sie genauso verunsichern. Wichtig ist, dass Sie auf sich selbst und Ihre Vorbereitung vertrauen. Machen Sie sich klar, was schlimmstenfalls passieren könnte: Sollten Sie durch die Prüfung fallen, geht davon die Welt auch nicht unter.

B Am Prüfungstag

Ist der Blutzucker zu niedrig, kann man sich nur noch schwer konzentrieren. Sie sollten also unbedingt vor jeder Prüfung gut frühstücken. Während der Prüfung hilft Traubenzucker, Ihren Blutzuckerspiegel konstant zu halten.

Um nicht bereits gestresst am Prüfungsort anzukommen, gehen Sie rechtzeitig von zu Hause los und planen Sie auch Stau oder Ähnliches mit ein. Doch zu langes Warten vor dem Prüfungsraum macht ebenfalls nervös. Insgesamt sehen Sie dem Test am besten möglichst positiv entgegen: Freuen Sie sich darauf, dass Sie endlich die Gelegenheit haben, Ihr Wissen zu präsentieren.

Wenn es losgeht, lesen Sie zuerst alle Aufgaben mehrmals ganz genau und in Ruhe durch. Bearbeiten Sie zuerst die leichten, anschließend die schweren Aufgaben. Am Ende sollten Sie Ihre Antworten noch einmal durchlesen und kontrollieren, ob Sie wirklich jeden Prüfungsteil bearbeitet haben. Teilen Sie sich also die Prüfungszeit gut ein. Geben Sie sich auch Mühe, ordentlich zu schreiben. Eine unleserliche Schrift kann die Prüfer negativ beeinflussen.

Gehören Sie zu den Menschen, die am meisten

Angst vor der mündlichen Prüfung haben? Machen Sie sich das Positive an einer mündlichen Prüfung bewusst: Sie ist in der Regel wesentlich kürzer als eine schriftliche Prüfung und Missverständnisse können im Gespräch sofort geklärt werden. Auch eine Korrektur der Antworten ist leichter möglich. Falls Sie eine Frage nicht richtig verstehen, haken Sie nach und bitten Sie um eine andere Formulierung. Sie wissen die Antwort trotzdem nicht? Bitten Sie um ein Stichwort oder eine neue Frage. Und vergessen Sie nicht, dass die Prüfer auch nur Menschen sind und Ihnen normalerweise nicht schaden wollen.

SPRACHE IM ALLTAG

Denkpausen

In mündlichen Prüfungen schaffen Sie sich kurze Denkpausen mit Wörtern wie *also*, *nun*, *na ja* oder *tja*.

b Informieren Sie Ihren Partner / Ihre Partnerin über die wichtigsten Aussagen Ihres Textes.

▶ Ü 2

4a Sie haben von einem Freund eine E-Mail bekommen. Lesen Sie sie. Was ist Lukas' Problem?

Liebe/r ...,
danke für deine E-Mail. Schön, mal wieder was von dir zu hören.
Ich habe mich so lange nicht gemeldet, weil ich einfach mal wieder wahnsinnig viel um die Ohren habe. Bei mir stehen gerade die ganzen Abschlussprüfungen an. Ich kann dir sagen, ich sehe echt kein Land. Das Schlimmste ist, dass ich Prüfungsangst habe. Die erste Prüfung ist erst in drei Wochen und ich kann jetzt schon nicht mehr schlafen. Besonders vor den mündlichen Prüfungen habe ich richtig Bammel. Ich habe so Panik, dass ich in der Prüfung bin und mir dann plötzlich überhaupt nichts mehr einfällt.
Also, wenn du irgendwelche Tipps gegen Prüfungsangst auf Lager hast, wäre ich dir sehr dankbar. ☺
Übrigens habe ich Isabella letzte Woche getroffen und soll dich grüßen. Sie hat auch gefragt, wann du mal wieder nach Kiel kommst. Vielleicht können wir ja meinen Abschluss zusammen feiern? Was meinst du?
Melde dich!
Viele Grüße
Lukas

b In der E-Mail finden Sie einige umgangssprachliche Ausdrücke. Was bedeuten sie? Lesen Sie die E-Mail noch einmal und ordnen Sie die Bedeutungen zu.

____ 1. wahnsinnig viel um die Ohren haben	a etwas wissen
____ 2. etwas steht an	b überlastet sein
____ 3. kein Land sehen	c Angst haben
____ 4. Bammel haben	d etwas findet bald statt
____ 5. etwas auf Lager haben	e sehr viel zu tun haben

c Schreiben Sie eine Antwort an Lukas. Arbeiten Sie in folgenden Schritten.

Schritt 1:
Nummerieren Sie die Reihenfolge, in der Sie über die Themen schreiben wollen.

____ Lukas viel Glück wünschen

____ Verständnis für Lukas' Situation äußern

____ einen Terminvorschlag für den Besuch bei Lukas machen

____ sich für die E-Mail bedanken

____ Tipps gegen Prüfungsangst geben

____ über eigene Erfahrungen berichten

Schritt 2:
Notieren Sie zu den einzelnen Punkten Stichwörter.

Schritt 3:
Schreiben Sie die E-Mail und achten Sie darauf, dass die Sätze sinnvoll miteinander verbunden sind.

Schritt 4:
Überprüfen Sie Ihren Text noch einmal: Stehen die Verben und Subjekte an der richtigen Position? Sind alle Artikel korrekt? Stimmen alle Endungen?

5a Bereiten Sie sich auf die folgende Prüfungsaufgabe vor. Lesen Sie die Aufgabe und sammeln Sie für jedes Foto Pro- und Contra-Argumente.

Für einen Beitrag in der Uni-Zeitung zum Thema „Prüfungsangst – Was tun?" sollen Sie eines der drei Fotos auswählen.
- **Machen Sie einen Vorschlag und begründen Sie ihn.**
- **Widersprechen Sie Ihrem Gesprächspartner / Ihrer Gesprächspartnerin.**
- **Kommen Sie am Ende zu einer Entscheidung.**

b Sammeln Sie in Gruppen passende Redemittel.

VORSCHLÄGE MACHEN UND BEGRÜNDEN	WIDERSPRECHEN	SICH EINIGEN

▶ Ü 3

GI

c Bearbeiten Sie jetzt zu zweit die Aufgabe und reagieren Sie auf den Vorschlag Ihres Partners / Ihrer Partnerin.

Porträt

Fit im Sport

Sebastian Vettel

(* 3. Juli 1987)

Sebastian Vettel gehört mit Michael Schumacher zu den erfolgreichsten deutschen Formel-1-Fahrern. Er begann bereits als Kind mit Kartrennen und fährt seit 2007 Formel-1-Rennen. Mit 23 Jahren wurde er 2010 jüngster Formel-1-Weltmeister aller Zeiten und gewann den Weltmeistertitel viermal in Folge. Sebastian Vettel lebt mit seiner Familie in der Schweiz.

David Alaba

(* 24. Juni 1992)

Der in Wien geborene Fußballer war bereits mit 17 Jahren Spieler der österreichischen Nationalmannschaft.

2013 wurde er zu Österreichs Sportler des Jahres gewählt. Auch seine Karriere beim FC Bayern begann er relativ jung, 2010 gehörte er bereits zum Kader der Profimannschaft, mit der er alle großen Pokale gewonnen hat.

Andrea Petkovic

(* 9. September 1987)

Als Andrea Petkovic sechs Monate alt war, wanderte ihre Familie aus dem heutigen Bosnien und Herzegowina nach Deutschland aus, wo Andrea im Alter von sechs Jahren mit dem Tennissport begann. Als Tennisprofi studiert sie nebenher Politikwissenschaft an einer Fernuniversität und schreibt auf der Webseite der Frankfurter Allgemeinen Zeitung gelegentlich über ihr Leben und ihre Erlebnisse auf dem Tennisplatz.

Isabella Laböck

(* 6. April 1986)

Zum Snowboardfahren kam die Bayerin Isabella Laböck im Alter von sechs Jahren durch ihren Bruder. Zwei Jahre später fuhr sie erste Rennen und war im Kinder- und Jugendbereich lange ungeschlagen. Nach dem Abitur machte sie bei der Bundespolizei eine Ausbildung zur Polizeimeisterin, weil sie dort auch die Möglichkeit hatte, Sport auf hohem Niveau zu betreiben. 2013 wurde Isabella Laböck Weltmeisterin bei der Snowboard-WM in Kanada.

Giulia Steingruber

(* 24. März 1994)

Die Schweizer Kunstturnerin gewann bereits mehrere Titel, unter anderem Gold bei den Europameisterschaften 2013 und 2014 und wurde 2013 zur Schweizer Sportlerin des Jahres gewählt. Giulia entdeckte ihre Leidenschaft für das Kunstturnen mit sieben Jahren und trainiert mindestens 28 Stunden in der Woche.

Anna Schaffelhuber

(* 26. Januar 1993)

Die Monoskibobfahrerin kam mit einer Querschnittslähmung zur Welt und ist seit ihrer Geburt auf den Rollstuhl angewiesen. Seit ihrem fünften Lebensjahr fährt sie Monoski. Anna Schaffelhuber gewann bei den Paralympics 2014 in Sotchi fünfmal Gold für Deutschland. Wenn sie nicht gerade Ski fährt, studiert sie Jura in München. Anna Schaffelhuber wurde mehrfach für ihre sportlichen Leistungen ausgezeichnet.

www  Mehr Informationen zu S. Vettel, D. Alaba, A. Petkovic, I. Laböck, G. Steingruber und A. Schaffelhuber.

Sammeln Sie Informationen über Persönlichkeiten aus dem In- und Ausland, die für das Thema „Fit für ...“ interessant sind, und stellen Sie sie im Kurs vor. Sie können dazu die Vorlage „Porträt“ im Anhang verwenden.

Beispiele aus dem deutschsprachigen Bereich: Roland Berger – Günther Jauch – Dirk Nowitzki – Nadine Angerer – Carina Vogt – Manuel Neuer

1 Passiv mit *sein*

Bedeutung
Das Passiv mit *werden* beschreibt einen Vorgang / eine Aktion.
Das Passiv mit *sein* beschreibt einen neuen Zustand / das Resultat einer Handlung.

Bildung

	Vorgangspassiv	**Zustandspassiv**
	werden + Partizip II	*sein* + Partizip II
Präsens	*Die Ware **wird** verschickt.*	*Die Ware **ist** verschickt.*
Präteritum	*Die Ware **wurde** verschickt.*	*Die Ware **war** verschickt.*

2 Vergleichssätze mit *als, als ob* und *als wenn*

Sätze mit *als, als ob* und *als wenn* drücken einen irrealen Vergleich aus.
Deswegen wird der Konjunktiv II verwendet.
Der Vergleichssatz kann dem Hauptsatz nicht vorangestellt werden.

Vergleichssätze mit *als ob* und *als wenn*

Hauptsatz	**Nebensatz**
Die Kollegen tun immer so,	***als ob** sie alle perfekt wären.*
Es scheint so,	***als wenn** wir uns schon lange kennen würden.*

Vergleichssätze mit *als*

Hauptsatz	**Hauptsatz**
Der Chef behandelt uns,	***als** wären wir gleichberechtigte Partner.*

Irreale Vergleichssätze stehen nach Verben des Wahrnehmens, Fühlens und Verhaltens:
Ich fühle mich, …
Es kommt mir so vor, …
Es hört sich so an, …
Er verhält sich, …
Ich habe das Gefühl, …
Es sieht so aus, …
Er benimmt sich, …

3 Formen des Konjunktiv II Gegenwart und Vergangenheit

Konjunktiv II Gegenwart		**Konjunktiv II Vergangenheit**	
würde + Infinitiv	*er würde gehen* *sie würde anrufen*	*hätte/wäre* + Partizip II	*er wäre gegangen* *sie hätte angerufen*
haben *sein* *brauchen* *müssen* *können* *dürfen* *wissen*	*hätte* *wäre* *bräuchte* *müsste* *könnte* *dürfte* *wüsste*	**Konjunktiv II Vergangenheit mit Modalverb** *hätte* + Infinitiv + Modalverb	 *er hätte gehen können* *sie hätte anrufen müssen*

Faszination Freeclimbing

1 a **Warum muss man sich in diesen Situationen besonders konzentrieren? Sprechen Sie im Kurs.**

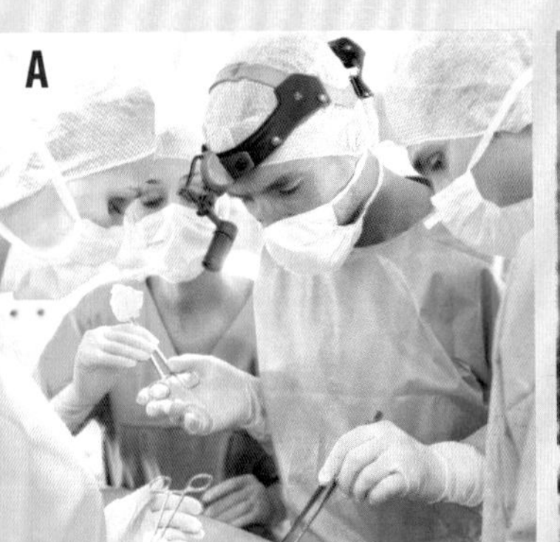

Ein Arzt muss sich bei seiner Arbeit sehr konzentrieren, vor allem bei Operationen. Er muss sehr genau arbeiten und darf auf keinen Fall ...

b **Was wissen Sie über Freeclimbing? Sammeln Sie im Kurs.**

2 **Arbeiten Sie zu zweit. Wählen Sie einen Text und informieren Sie Ihren Partner / Ihre Partnerin über den Inhalt.**

Freeclimbing

Unter „Freeclimbing" oder auf Deutsch auch „Freiklettern" versteht man eine Form des Bergkletterns, bei der Seile und Haken nur zur Sicherung beim Klettern, nicht aber als Kletterhilfe benutzt werden dürfen. Geklettert wird nur mit Händen und Füßen. Dieser Kletterstil entwickelte sich Ende des 19. Jahrhunderts in der Sächsischen Schweiz, wurde später in den USA populär und gelangte dann wieder nach Deutschland. Die Anfang des 20. Jahrhunderts veröffentlichten Kletterregeln für die Sächsische Schweiz gelten auch heute noch fast unverändert. Eine extreme und sehr gefährliche Variante des Freeclimbings ist das Free-Solo-Klettern. Hier klettert der Kletterer allein, ohne Seil und ohne Sicherung.

Die Sächsische Schweiz

Als Sächsische Schweiz bezeichnet man eine Gebirgslandschaft in Sachsen. Das Gebiet liegt südöstlich von Dresden entlang der Elbe. Der Name „Sächsische Schweiz" stammt aus dem 18. Jahrhundert. Zwei Schweizer Künstler, die an der Dresdner Kunstakademie arbeiteten, fühlten sich durch diese Landschaft so sehr an ihre Heimat erinnert, dass sie von der „Sächsischen Schweiz" sprachen.

Die schöne Natur und die interessanten Felsformationen ziehen viele Touristen an. Die Sächsische Schweiz ist ein ideales Wandergebiet, in dem man viele seltene Tiere und Pflanzen beobachten kann. Oder man genießt die beeindruckende Landschaft bei einer Bootstour auf der Elbe. Die Sächsische Schweiz gehört zu den bekanntesten Klettergebieten in Deutschland.

1

3 **Sehen Sie die erste Filmsequenz ohne Ton und notieren Sie, was Ihnen zu den folgenden Punkten einfällt. Vergleichen Sie in Gruppen.**

Landschaft/Natur: grün, steile Felsen ...
Sport/Bewegung:
Gefahr:
Gefühle/Atmosphäre:

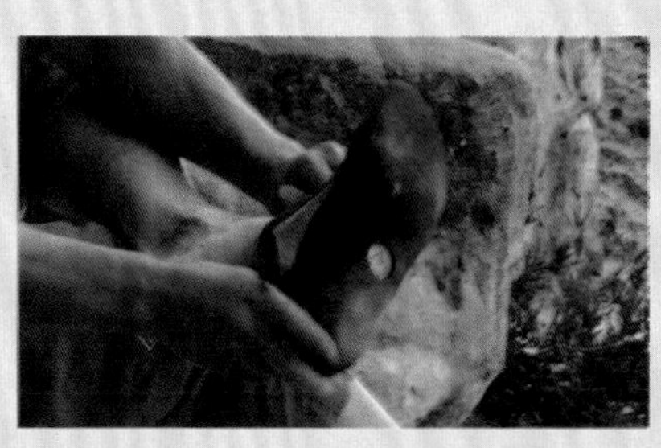

4a **Sehen Sie jetzt den ganzen Film.**
Was sagt Robert Hahn über den Sport? Was fasziniert ihn daran? Was sagt er zum Thema „Gefahr"? Warum benutzt er kein Seil?

b **Was ist Ihre Meinung zu diesem Sport? Kennen Sie andere Extremsportarten? Welche?**

c **Welche fünf Eigenschaften sind Ihrer Meinung nach besonders wichtig, wenn man einen Extremsport machen will? Diskutieren Sie in Gruppen.**

durchtrainiert sportlich muskulös organisiert engagiert kommunikativ intelligent mutig motiviert kreativ diszipliniert konzentriert willensstark risikobereit ausgeglichen zielstrebig kontrolliert routiniert vernünftig ruhig ausdauernd entspannt gesund groß rational fit ehrgeizig ängstlich

5a **Lesen Sie das Zitat von Robert aus dem Film. Was ist Ihre Meinung dazu?**

„Es gibt im Leben so viele Ausreden, [...] aber wenn man in der Wand* ist und 50 Meter überm Boden, dann [...] kann [man] nicht sagen: ‚Ich fühle mich heute nicht gut.' oder ‚Das Wetter ist schlecht.' [...] Du musst das dann machen und diese Ehrlichkeit hat man halt selten im Leben, dieses Bedingungslose."

* Wand: *hier* Felswand

b **Lesen Sie die Beiträge in einem Forum zum Film. Antworten Sie und schreiben Sie Ihre Meinung.**

marti93 / 19:35 Uhr
Habe heute einen Film über einen Typen gesehen, der ohne Seil klettert. Er ist sich der Gefahr bewusst, aber er macht es trotzdem. Ich finde, das ist Wahnsinn. Natürlich möchte ich beim Sport auch meine Grenzen austesten, aber hier geht es um Leben und Tod! Ich würde mein Leben niemals riskieren!

---

julie / 20:22 Uhr
Also, Klettern ist super. Mein Freund und ich klettern auch oft. Ich finde, das ist ein ganz besonderer Sport, weil man sich nur auf sich und den Berg konzentriert. Aber ohne Seil, das ist lebensmüde. Wir klettern immer mit Helm und Sicherung. Die Gefahr abzustürzen ist einfach viel zu groß.

Hopsmüller12 / 23:14 Uhr
@marti93: Du hast recht. Es sind ja glücklicherweise auch nur sehr, sehr wenige Leute, die sowas machen. Wenn ich Sport mache, genieße ich es vor allem, in der Natur zu sein. Extremsportarten sind eigentlich nichts für mich.

Kulturwelten

A

Neo Rauch (geboren 1960)

August Macke (1887-1914)

B

C

Angelika Kauffmann (1741–1807)

Sie lernen

Modul 1 | Informationen über ein UNESCO-Weltkulturerbe zusammenfassen

Modul 2 | Eine kurze Kriminalgeschichte schreiben

Modul 3 | In einem Artikel Gründe für das Sterben von Sprachen verstehen

Modul 4 | Die positiven und negativen Bewertungen in einer Buchrezension erkennen

Modul 4 | Ein Buch oder ein kulturelles Ereignis vorstellen

Grammatik

Modul 1 | Textzusammenhang

Modul 3 | Modalsätze mit *dadurch, dass* und *indem*

D

Georg Baselitz (geboren 1938)

Georg Flegel (1566–1638)

E

1a Sehen Sie die Bilder an. Welches gefällt Ihnen am besten? Beschreiben Sie es.

b Erfinden Sie eine Geschichte zu „Ihrem" Bild.

Bild D: Rüdiger ist gerade umgezogen und dabei, seine neue Wohnung einzurichten. Gerade hat er versucht, eine neue Lampe an der Decke aufzuhängen …

2 Was sonst kann alles Kunst sein? Nennen Sie Beispiele.

Für mich ist die Musik von … echte Kunst.
Ich finde …

3 Bringen Sie ein Foto von einem Kunstwerk mit, das Ihnen gut gefällt. Alle Kunstwerke werden aufgehängt. Beschreiben Sie Ihr Bild und warum es Ihnen gefällt. Die anderen raten, um welches Bild es geht.

Weltkulturerbe

▶ Ü 1-2

1 Welche Bauwerke oder Landschaften der Welt sind Ihrer Meinung nach sehr berühmt und schützenswert? Warum?

2.19

2a Hören Sie einen Auszug aus dem Audioguide über das Schloss Schönbrunn in Wien. Worauf beziehen sich die Zahlen?

1.441: ______________________

1.600.000: ______________________

7,6 Millionen: ______________________

1996: ______________________

17. Jahrhundert: ______________________

um 1800: ______________________

b In der nächsten Aufgabe hören Sie einen weiteren Auszug aus dem Audioguide. Ordnen Sie zuerst die Wörter den Stationen der Schlossbesichtigung zu.

~~den Thron besteigen~~ das Tiergehege drei verschiedene Klimazonen die erste Giraffe das größte Glashaus Europas die Schulpflicht einführen exotische Pflanzen die prominentesten Bewohner die Regierungszeit durch Gitter und Mauern getrennt die Verwaltung reformieren die Pflanzensammlung die Staatsgeschäfte führen der Schlossgarten das Hofzeremoniell einhalten die Tiere besichtigen

Kaiserliche Familie	Palmenhaus	Tiergarten
den Thron besteigen		

2.20–23

c Arbeiten Sie zu viert. Jeder wählt zwei Stationen der Schlossbesichtigung. Hören Sie dann den Audioguide. Machen Sie zu Ihren Stationen Notizen.

1. Kaiserin Maria Theresia *2. Kaiserpavillon im Tiergarten* *3. Kaiser Franz Joseph und Sissi* *4. Palmenhaus*

d Vergleichen und ergänzen Sie Ihre Notizen in der Gruppe.

3a Lesen Sie eine Zusammenfassung des Audioguides. Was finden Sie daran nicht gut? Warum?

Südwestlich von Wien liegt das weltbekannte Schloss Schönbrunn. Das Schloss gehört zu den wichtigsten Kulturdenkmälern Österreichs. Viele Touristen kommen jedes Jahr ins Schloss. Das Schloss ist unglaublich groß: Das Schloss verfügt über 1.441 Zimmer und eine große Schlossanlage. Zur Schlossanlage gehört auch ein Park. Im Park gehen die Schlossbesucher gern spazieren. Beim Spazierengehen besichtigen sie
5 auch das Palmenhaus. Das Palmenhaus ist 111 m lang, 28 m breit und 25 m hoch. Im Palmenhaus gibt es drei Klimazonen. Im Palmenhaus wachsen seltene Pflanzen. Berühmt ist auch der Tiergarten. Auf den Tiergarten sind die Wiener besonders stolz. Der Tiergarten entstand im 18. Jahrhundert. Der Tiergarten gilt als der älteste Zoo in Europa. Im Schloss lebten viele bekannte Persönlichkeiten. Zu den Persönlichkeiten gehören Kaiserin Maria Theresia, Kaiser Franz Joseph und Kaiserin Sissi. Sissi kennt man aus vielen Filmen.
10 Wegen der langen Geschichte des Schlosses und der vielen Attraktionen hat die UNESCO das Schloss und die gesamte Anlage 1996 auf die Liste des Welterbes gesetzt.

b Textzusammenhänge. So kann man den Text auch zusammenfassen. Unterstreichen Sie, was sich positiv verändert hat.

Südwestlich von Wien liegt das weltbekannte Schloss Schönbrunn. Es gehört zu den wichtigsten Kulturdenkmälern Österreichs. Viele Touristen besuchen es jedes Jahr. Das Schloss ist unglaublich groß: Es verfügt nicht nur über 1.441 Zimmer, sondern auch über eine große Schlossanlage. Dazu gehört ein Park, in dem die Schlossbesucher gern spazieren gehen. Dabei besichtigen viele auch das Palmenhaus, das 111 m
5 lang, 28 m breit und 25 m hoch ist. Weil es darin drei Klimazonen gibt, wachsen dort seltene Pflanzen. Berühmt ist auch der Tiergarten, auf den die Wiener besonders stolz sind, denn er entstand im 18. Jahrhundert und gilt als der älteste Zoo in Europa. Im Schloss lebten viele bekannte Persönlichkeiten. Zu ihnen gehören Kaiserin Maria Theresia, Kaiser Franz Joseph und Kaiserin Sissi, die man aus vielen Filmen kennt. Wegen seiner langen Geschichte und der vielen Attraktionen hat die UNESCO dieses imposante Bauwerk
10 und die gesamte Anlage 1996 auf die Liste des Welterbes gesetzt.

c Ergänzen Sie die Regel mit Beispielen aus dem Text in 3b.

Textzusammenhang

In einem lesefreundlichen Text sollten sich Sätze und Textabschnitte logisch aufeinander beziehen. Dabei helfen folgende Wörter:

1. Artikelwörter: *der,* ____________________
2. Pronomen: *es,* ____________________
3. Orts- und Zeitangaben: *dort,* ____________________
4. Konnektoren: *denn,* ____________________
5. Präpositionaladverbien: *dazu,* ____________________
6. Synonyme: *dieses imposante Bauwerk,* ____________________

▶ Ü 3-4

4 Recherchieren Sie ein Welterbe aus Ihrem oder einem deutschsprachigen Land und schreiben Sie einen Text darüber.

Salzburg

Jungfrau mit Eiger und Mönch

Kunstraub

2.24

1a Hören Sie die Nachrichtenmeldung. Was ist passiert?

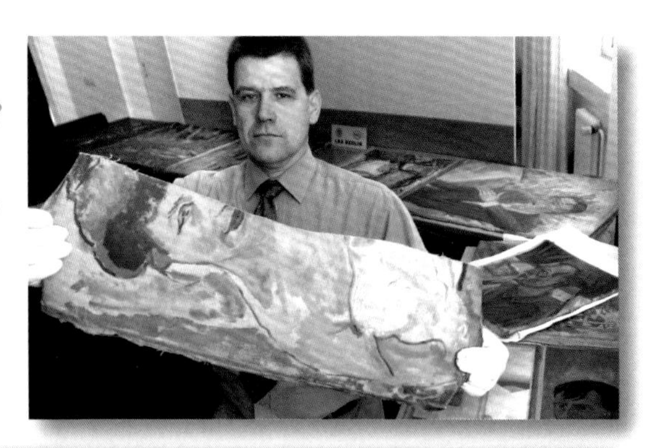

b Hören Sie die Meldung noch einmal und machen Sie Notizen: Wann? Wo? Wer? Was?

▶ Ü 1-2

2a Lesen Sie den Anfang des Kurzkrimis, der auf der Meldung in 1a basiert. Wer ist der Ich-Erzähler? Welche zwei Dinge überraschen ihn?

Die zweite Hälfte

Der Tag fing wieder so an wie die letzten Tage: Die Nacht war ein einziger Albtraum. Manchmal denke ich, ich habe bei der Wahl meines Berufs etwas falsch gemacht – meine Nerven machen das einfach nicht mehr mit ...

Vor einigen Wochen hatte ich es im Radio gehört: Einbruch im Brücke-Museum, neun expressionistische Bilder gestohlen – berühmte Bilder. Ich dachte mir noch: „Welcher Idiot klaut denn so bekannte Bilder? Die kauft doch kein Mensch, so berühmt, wie die sind ..." Und dann, vor ein paar Tagen, der Anruf: „Es gibt drei Verdächtige ... Die Bilder sind in einer Wohnung in Berlin gefunden worden. Von einem Bild, Pechsteins ‚Junges Mädchen', fehlt die Hälfte. Sind Sie bereit, vor Gericht die Interessen der Verdächtigen zu vertreten?" Damit hatte ich nicht im Traum gerechnet: Ich sollte in diesem so aufsehenerregenden Fall eine Rolle spielen? Schlagartig wurde mir klar, dass diese Aufgabe eine besondere Herausforderung war – und natürlich nahm ich sie an.

Meine erste Begegnung mit einem der Verdächtigen war filmreif: Ich wartete schon einige Minuten in der Besucherzelle auf ihn, als er plötzlich direkt vor mir stand. Ich hatte ihn nicht kommen hören und fast fiel mir mein Notizblock runter – das war mir noch nie passiert. Ein Gespräch war nicht möglich, denn er knurrte nur schlecht gelaunt vor sich hin. Ich wollte gerade wieder gehen, da – aus heiterem Himmel – nuschelte er den entscheidenden Satz: „... weiß, wo das ‚Mädchen' ist."

Ich schwitzte. Er hatte zwar gestanden, dass er beim Einbruch dabei war, aber den Chef der Bande hatte die Polizei noch nicht gefasst – und von der zweiten Hälfte des Gemäldes fehlte bislang jede Spur. Wollte er mir sagen, dass er wusste, wo das Bild war?

b Lesen Sie weiter. Welche Aussagen stehen im Text? Kreuzen Sie an.

☐ 1. Anwalt Huld ist froh, dass er bei der Polizei anrufen kann.

☐ 2. Der Mandant von Huld weiß ungefähr, wo die zweite Hälfte des Bildes versteckt ist.

☐ 3. Der Mandant hat das Bild von einem Komplizen verstecken lassen.

☐ 4. Huld versteht plötzlich, warum das Bild zerschnitten wurde.

„Hauptkommissar Ratić, guten Tag."

„Guten Tag, Herr Ratić, hier spricht Anwalt Huld. Es geht um den Gemälderaub im Brücke-Museum. Mein Mandant hat eine wichtige Information für Sie."

„Aha, was gibt es denn so Dringendes?"

„Es geht um das Bild ‚Junges Mädchen'. Er sagt, er weiß, wo die zweite Hälfte ist."

„Na, da bin ich ja gespannt. Und wo ist sie?"

„Im Wald an der B96a in der Nähe des Ortes Kleinbeeren. Er sagt, das Bild ist in Tüten verpackt und irgendwo geschützt abgelegt. Wo genau, kann er nicht sagen."

Der Anruf war mir nicht leicht gefallen. Wenn das Bild wirklich dort war, würde es schwierig werden, die Polizei und das Gericht davon zu überzeugen, dass mein Informant zwar wusste, wo das halbe Bild war, es aber nicht selbst dort versteckt hatte – wie er mir glaubhaft versichert hatte. Und was immer noch unklar war: Wer hatte das Bild zerschnitten? Und vor allem: Warum?

Ich war gerade dabei, mir ein Brot zu machen, als mir alles klar wurde: „Welcher Idiot klaut denn so bekannte Bilder? Die kauft doch kein Mensch, so berühmt, wie die sind ..." Das war doch mein erster Gedanke gewesen – es konnte also nur um Erpressung gehen! Der Täter hatte das Bild zerschnitten, um eine Hälfte an das Museum zurückzuschicken und für die andere Hälfte Lösegeld zu erpressen. Aber dazu kam es nicht mehr, weil 35 seine Gehilfen gefasst worden waren und er seitdem auf der Flucht war!

c Sehen Sie sich die typischen Merkmale für Krimis an. Lesen Sie dann den Kurzkrimi noch einmal und markieren Sie entsprechende Stellen.

- Die Geschichte wird aus der persönlichen Perspektive einer Person erzählt.
- Alltägliche Handlungen sind oft erwähnt.
- Der Schlüssel zur Lösung wird oft schon am Anfang angedeutet.
- Wichtige Informationen werden über direkte Rede vermittelt.
- Gedanken und Gefühle der Hauptperson werden deutlich.

▶ Ü 3

3a Schreiben Sie nun zu zweit einen Kurzkrimi. Wählen Sie zuerst eine Situation oder erfinden Sie eine eigene.

Ein Juweliergeschäft wurde ausgeraubt.
Aus einem Banktresor sind Goldbarren verschwunden.
Ein teures Rennpferd wurde entführt.
...

b Überlegen Sie, aus welcher Perspektive Sie Ihren Krimi schreiben wollen. Ist die Hauptfigur Kommissar/in, Reporter/in, Detektiv/in, Zeuge/Zeugin ...?

c Notieren Sie wichtige Inhalte zu den einzelnen Phasen Ihres Krimis.

1. Die Tat (Was ist passiert? Welche Hinweise gibt es?)
2. Nach der Tat (Verschwinden der Diebe, Arbeit der Polizei ...)
3. Die Aufklärung (Wer wird verdächtigt? Wie kommt die Polizei dem Täter auf die Spur?)
4. Das Ende (Wer findet den Täter? Wie sind die Reaktionen? Was passiert mit dem Täter?)

d Überlegen Sie, welche Informationen Sie Ihren Lesern/Leserinnen erst am Schluss geben möchten und wie Sie Spannung aufbauen können. Markieren Sie die Redemittel, die Sie verwenden möchten.

SPANNUNG AUFBAUEN

Schlagartig wurde ihm/ihr klar/bewusst, ...
Ihm/Ihr blieb vor Schreck der Atem weg.
Ihm/Ihr schlug das Herz bis zum Hals.
Wie aus dem Nichts stand plötzlich ...
Was war hier los?
Warum war es auf einmal so ...?
Was war das?
Ohne Vorwarnung war ... da / stand ... vor ihm/ihr.
Eigentlich wollte ... gerade ..., als aus heiterem Himmel ...
Damit hatte er/sie nicht im Traum gerechnet: ...
Was sollte er/sie jetzt nur machen?

▶ Ü 4-5

e Der erste Satz entscheidet, ob die Leser/Leserinnen weiterlesen möchten oder nicht. Finden Sie einen Anfang für Ihren Krimi und geben Sie ihm einen Titel. Schreiben Sie dann den Krimi zu zweit und hängen Sie ihn im Kurs auf.

SPRACHE IM ALLTAG 

Wenn es spannend wird, ...

Ich halte es nicht mehr aus!
Ich hab' schon Gänsehaut!
Mir zittern die Knie!
Ich kann gar nicht hinsehen!

Sprachensterben

1 Welche Sprachen werden von vielen Menschen gesprochen? Welche Sprachen kennen Sie, die nur wenige Leute sprechen oder die heute nicht mehr gesprochen werden?

▶ Ü 1

2a Lesen Sie den Artikel über Sprachensterben. Welche Überschrift passt zu welchem Absatz? Zwei Überschriften passen nicht.

____ Sich anpassen oder sterben
____ Die Entstehung der Sprachen
____ Globale Sprachen auf dem Vormarsch
____ Gefühle sind nicht übersetzbar
____ Ein Beispiel für das Sprachensterben
____ Neue Wörter in alten Sprachen

Alle zwei Wochen stirbt eine Sprache

1 Am 1. August 1996 starb der US-Indianer Samuel Taylor Blue. Als letzter Catawba-Indianer, dessen Stamm zu den Sioux zählte und am Catawba-River lebte, beherrschte er das ursprüngliche Catawba. Dadurch, dass Samuel Taylor starb, starb auch seine Sprache. Catawba ist bei Weitem kein Einzelfall.

2 Weltweit gibt es nach Angaben der UNESCO etwa 6.000 verschiedene Sprachen. Davon ist gut die Hälfte vom Aussterben bedroht. Der international führende Sprachforscher David Crystal nimmt an, dass alle zwei Wochen eine Sprache stirbt. Das Todesurteil fällt immer, wenn ein Volk beschließt, seinen Kindern die eigene Sprache nicht weiterzuvererben. Dafür vermittelt es ihnen lieber eine Sprache, die mehr Menschen sprechen und verstehen. Zu den globalen Sprachen, deren Verbreitung oft auf Kosten der kleinen erfolgt, zählen das chinesische Mandarin, Hindi und Englisch. Von diesen ist Mandarin mit 982 Millionen die weltweit am meisten gesprochene Muttersprache. Platz zwei belegt Hindi mit 460 Millionen Muttersprachlern, Platz drei Englisch mit 375 Millionen.

3 Sprachen sind etwas Lebendiges und sie müssen sich – ebenso wie Tiere, Pflanzen, Menschen und andere lebende Organismen – ihren Lebensräumen anpassen. Dadurch, dass eine Sprache an Einfluss gewinnt, werden andere Sprachen verdrängt. Sprachforscher nehmen an, dass es in der Evolution der Menschheit bisher etwa 150.000 Sprachen gab. Die meisten davon verschwanden, ohne eine Spur zu hinterlassen. Einige aber sind noch erhalten, zum Beispiel Latein, Sanskrit, Koptisch und Altgriechisch. Diese alten Sprachen spielen heute nur noch in Religion, Geschichte und Wissenschaft eine Rolle. Andere Sprachen veränderten sich so sehr, dass man sie nicht mehr wiedererkennen kann. So verstehen wir zum Beispiel das Deutsch des Mittelalters, dessen Klang und Wortschatz ganz anders war, heute nicht mehr. Und umgekehrt würde ein Mensch aus dem Mittelalter heute nichts mit Wörtern wie „Internet", „Hochtechnologien" oder „Roboter" anzufangen wissen.

4 Sprachen sterben oft dadurch, dass eine Muttersprache nicht an die nächste Generation weitergegeben wird. Damit stirbt oft auch ein großer Teil der Kultur aus. Dazu kommt, dass viele der aussterbenden Sprachen überwiegend mündlich vermittelt werden und es deshalb keine schriftlichen Belege gibt. Geschichten und Fantasiewelten, die mit der jeweiligen Kultur verbunden sind, gehen gemeinsam mit der Sprache verloren. Wer mehrere Sprachen sehr gut beherrscht, weiß, wie schwer die genaue Übertragung von komplexen Gedanken und Gefühlen in eine andere Sprache ist. Oft schafft man das auch nicht, indem man ein Wörterbuch benutzt. Wie schwierig es ist, genau zu übersetzen, zeigt ein Beispiel aus den Inuit-Sprachen, in denen es für das Wort „Schnee" viele Ausdrücke mit unterschiedlichen Bedeutungen gibt. Sie beschreiben, ob man im Schnee fahren, damit Häuser bauen oder darin Tierspuren lesen kann. Die genauen Bedeutungsnuancen kann man nur erlernen, indem man jahrelang unter den Inuit lebt. Und selbst dann lassen sich die Worte kaum ohne Bedeutungsverlust übertragen. Mit dem Sprachensterben geht dieses konkrete Wissen verloren, weil die Kenntnisse vieler Völker über Tiere und Pflanzen nur in der eigenen Sprache weitergegeben werden können.

b Welche Gründe werden für das Sprachensterben genannt? Markieren Sie sie im Artikel.

3a Modalsätze. Unterstreichen Sie die Konnektoren und bestimmen Sie Haupt- und Nebensatz.

1. Dadurch, dass Samuel Taylor starb, starb auch seine Sprache.
2. Sprachen sterben oft dadurch, dass eine Muttersprache nicht an die nächste Generation weitergegeben wird.
3. Oft schafft man eine genaue Übersetzung auch nicht, indem man ein Wörterbuch benutzt.
4. Die genauen Bedeutungsnuancen kann man nur erlernen, indem man unter den Inuit lebt.

b Ergänzen Sie die Regel.

Nebensatz	kausale	Hauptsatz	zwei	Nebensatz

G

Modalsätze mit *dadurch, dass* und *indem*

Mit Modalsätzen wird die Art und Weise ausgedrückt, wie etwas geschieht.

1. Der Konnektor *dadurch, dass* hat __________ Teile: *dadurch* steht im __________, *dass* leitet den __________ ein.
2. Oft hat der Konnektor *dadurch, dass* auch eine __________ Bedeutung und entspricht einem Nebensatz mit *weil*:
   Dadurch, dass *Samuel Taylor starb, starb auch seine Sprache.*
   = ***Weil*** *Samuel Taylor starb, starb auch seine Sprache.*
3. Der Konnektor *indem* leitet einen modalen __________ ein und beschreibt oft das Instrument oder Mittel einer Handlung.
   Oft schafft man eine genaue Übersetzung auch nicht, ***indem*** *man ein Wörterbuch benutzt.*

4 Ergänzen Sie die Sätze.

1. Dadurch, dass ich __________________________________, lerne ich Deutsch.
2. Ich lerne neue Wörter, indem ich __________________________________.
3. __________________________________, indem ich ein Wörterbuch benutze.
4. Dadurch, dass ich viel lese, __________________________________.
5. Das Hören trainiere ich, indem __________________________________.
6. Dadurch, dass __________________________________, habe ich die Prüfung bestanden.

▶ Ü 2-4

5 Welche Sprachen oder Dialekte werden in Ihrem Land gesprochen? Werden sie von allen verstanden? Berichten Sie.

Das Haus am Meer

1 Sehen Sie die Fotos an: Wie könnten sie in eine Geschichte passen? Überlegen Sie zu dritt und erzählen Sie.

2a Lesen Sie die Besprechung zu dem Buch „Nächsten Sommer" von Edgar Rai. Markieren Sie alle Textstellen, die eine positive Bewertung ausdrücken, mit einer Farbe und die Textstellen, die Skepsis oder eine negative Bewertung ausdrücken, mit einer anderen Farbe.

STRATEGIE

Bewertungen verstehen

Achten Sie auf positive Formulierungen wie Verben (z. B. *gefallen, mögen, gelingen …*), Adjektive (z. B. *gut, gern, ausgewogen, gelungen …*) und Nomen (z. B. *Gewinn, Genuss …*) sowie auf negative Formulierungen (z. B. *stören, problematisch, Nachteil …*). Bei Wörtern, die Gegensätze ausdrücken (*trotzdem, dennoch, aber …*), sollten Sie besonders genau hinsehen: Ist die vorausgehende Bewertung positiv oder negativ? Kommt der Autor / die Autorin zu einer klaren Meinung oder bleibt er/sie skeptisch?

Felix ist Mitte bis Ende Zwanzig und sein Zuhause ist ein alter Bauwagen. Er fühlt sich wohl in seiner „Hundehütte" und verbringt die meiste Zeit mit seinen besten Freunden Bernhard, Zoe und Marc. Ganz nebenbei erzählt er den Freunden, dass er von seinem Onkel ein Haus am Meer geerbt hat, und schon (5) am nächsten Tag beginnt das Abenteuer: Sie fahren mit einem alten VW-Bus von Berlin nach Südfrankreich, um das Haus zu besichtigen.
Edgar Rai gelingt es, in seinem Roman Spannung aufzubauen und bis zum Schluss zu halten. Auch die Mischung aus Abenteuerlust und Melancholie, Neugier und Resignation bleibt immer gut ausgewogen. Fraglich ist, ob die (10) sehr unterschiedlichen Charaktere der Freunde und deren Beschreibung an manchen Stellen zu klischeehaft sind, trotzdem schließt man die Personen schnell ins Herz und begleitet sie gerne auf ihrer Reise.

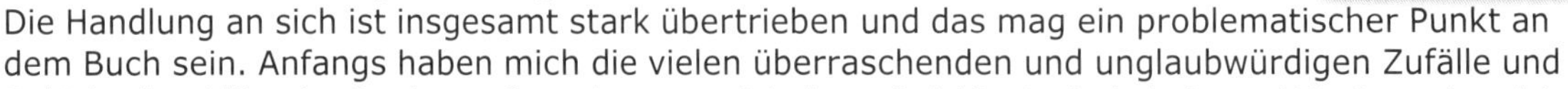

Die Handlung an sich ist insgesamt stark übertrieben und das mag ein problematischer Punkt an dem Buch sein. Anfangs haben mich die vielen überraschenden und unglaubwürdigen Zufälle und (15) Schicksalsschläge im Buch gestört, aber wer sich darauf einlässt wie bei einem Märchen, dem ist Spaß an der Lektüre sicher. Ich konnte das Buch nicht mehr weglegen und habe sehr genossen, wie Felix über sein Leben und seine Pläne spricht. Auch seine Gedanken über den Sinn des Lebens und seine ersten philosophischen Überlegungen fand ich sehr gelungen dargestellt.
Überzeugt hat mich auch die Art und Weise, in der Edgar Rai die Personen zu sich selbst finden lässt. (20) Wie in so vielen Road Movies ist auch bei dieser Reise nicht das Haus, sondern die Reise selbst das Ziel. Die Personen reifen durch ihre Erfahrungen und kommen gestärkt und verändert in Südfrankreich an. So kann auch Felix nach dieser Reise Konflikten ganz anders begegnen als vorher.
Die Lektüre ist ein Gewinn für jeden und es war spannend zu erfahren, warum Felix seinen verstorbenen Onkel so lange nicht gesehen hat und warum er seinen Vater so gar nicht leiden kann. (25) Ein wundervolles Buch, das mir beim Lesen viel Freude bereitet hat. Und obwohl das Ende offen bleibt, hatte ich am Schluss ein fröhliches und entspanntes Lächeln auf dem Gesicht.

von Helene Gramschitz

▶ Ü 1

P GI

b Lesen Sie die Buchbesprechung noch einmal. Stellen Sie fest, wie die Autorin des Textes folgende Fragen beurteilt: a positiv oder b negativ bzw. skeptisch. Wie beurteilt die Autorin …

1. den Unterhaltungswert des Buches? [a] [b]
2. die Beschreibung der Personen im Buch? [a] [b]
3. die verschiedenen Situationen, die die Personen im Buch erleben? [a] [b]
4. die Art und Weise, wie Felix von sich, seinen Ideen und seinen Zielen erzählt? [a] [b]
5. die Entwicklung der Personen? [a] [b]

3a Lesen Sie nun einen Ausschnitt aus dem Roman. Felix betritt mit einer Freundin das Haus in Frankreich. Machen Sie Notizen zu den Punkten „Betreten des Hauses" und „Im Haus".

„Hast du den Schlüssel?", fragte Zoe.
Habe ich. Brauche ich aber nicht. Das Tor ist unverschlossen. Zoe und ich wechseln einen Blick, dann drücke ich den Flügel auf. Er quietscht in den Angeln. Zwei Eidechsen verschwinden in einer Mauerritze. Wir gehen den Weg um das Haus herum, bis wir vor der baumbeschatteten Eingangstür stehen.
5 Mein Schlüssel passt nicht.
„Doch nicht das richtige Haus?", fragt Zoe.
Ich deute auf die Tür: „Da ist ein neues Schloss drin."
Zoe besieht sich den glänzenden Schließzylinder. „Und jetzt?"
„Terrasse?", schlage ich vor.
10 Die äußeren Holztüren sind unverschlossen, die inneren, mit dem Glaseinsatz, nur angelehnt. Wieder sehen wir uns an. Was jetzt? Zoe drückt mit dem ausgestreckten Zeigefinger gegen das Glas. Schwerelos schwingt der Türflügel auf.
Die Terrakottafliesen glänzen warm im Sonnenlicht, der Raum erwacht wie aus dem Mittagsschlaf. Unsere Schatten haben sich bereits ins Haus geschlichen. Zoe dreht eine Handfläche nach oben, ihre schlanken
15 Finger weisen ins Haus – eine Geste wie auf einem Renaissancegemälde.
„Welcome home, Sir", sagt sie.
Als wir eintreten, ergreift uns dieselbe Empfindung. Das Haus wirkt seltsam beseelt. Sein Geist geht noch um, denke ich. Als sei Onkel Hugo nur mal eben einkaufen gegangen und komme gleich zurück. Dann bemerke ich die frischen Schuhabdrücke in der feinen Staubschicht, die den Boden bedeckt.
20 „Ich dachte, dein Onkel sei gestorben", sagt Zoe.

Betreten des Hauses: Schlüssel passt nicht, aber Haus richtig …

b Lesen Sie weiter. Wer könnte der Mann sein?

Schon wieder werde ich in meine Kindheit katapultiert. Es dauert einen Moment, bevor ich begreife, was der Grund dafür ist. Der Geruch. Es riecht nach Onkel Hugos Pfeife, dem Weihnachtsgeruch meiner Kindheit. Gleichzeitig steigt ein warnendes Gefühl in mir auf. Da ist noch etwas anderes, wie das Ticken einer Bombe in einem schlechten Film. Raus hier, denke ich, mach, dass du wegkommst.
25 Ich suche noch nach einer Zuordnung, nach etwas, was diesem Gefühl einen Sinn verleiht, als ich das Rauschen von Wasser höre – eine Toilettenspülung. Im nächsten Moment wird im Flur eine Tür geöffnet. Zum dritten Mal wechseln Zoe und ich einen fragenden Blick. […] Dann wird die Tür zum Wohnzimmer aufgerissen.
„Wird auch langsam Zeit, dass du kommst", begrüßt er mich, „hab schließlich nicht ewig Zeit."

c Umschreiben Sie mit einfachen Worten die folgenden Sätze aus dem Text.

1. Schon wieder werde ich in meine Kindheit katapultiert.
2. Gleichzeitig steigt ein warnendes Gefühl in mir auf.

Das Haus am Meer

4a **Lesen Sie weiter. Wie beschreibt der Autor den Mann? Markieren Sie passende Adjektive.**

rücksichtsvoll	siegessicher	selbstbewusst	zurückhaltend	fürsorglich	gepflegt
alternd	verwahrlost	jung	besorgt	unsicher	liebevoll	gütig

„Ich will das Haus."
Der Satz ist eine Feststellung. Er ist es gewohnt, durch das, was er sagt, Fakten zu schaffen. Indem er sagt: „Ich will das Haus", gehört es ihm praktisch. Er steht vor mir, wie er vor mir stand, als ich noch Kind war. Halb erwarte ich, ihn sagen zu hören: „Gehst du freiwillig?"
5 Seine Haltung ist die eines Mannes, der niemandem Rechenschaft abzulegen hat, sein Auftreten ist fehlerlos: Die Finger manikürt, Uhr, Gürtel, Schuhe, Anzug – alles perfekt. Doch das Alter beginnt an ihm zu nagen. Seine Tränensäcke liegen auf den Wangen auf, und sein Haar wird langsam durchsichtig.
„Ist das dein Onkel?", fragt Zoe.
„Nein, mein Vater."
10 [...]
„Gibt's hier ein Schachbrett?", frage ich.
„Was?!" Mein Vater hasst es, aus dem Konzept gebracht zu werden.
„Weißt du, ob es in diesem Haus ein Schachspiel gibt?", wiederhole ich meine Frage.
„Natürlich. Steht im Arbeitszimmer."
15 „Dann lass uns spielen", schlage ich vor.
„Was?" Wenn er in seinem Groll gefangen ist, muss man ihm alles zweimal erklären.
„Wir spielen darum", sage ich. „Wenn du gewinnst, bekommst du das Haus. Gewinne ich, verlässt du mein Haus – und mein Leben."
Unter den fülligen Wangen beginnen seine Kiefer zu mahlen. Das Knirschen seiner Zähne ist zu hören.
20 [...] „Pah!" Er dreht sich um und stapft aus dem Zimmer. „Hier lang!"

▶ Ü 2

b **Wie würden Sie das Verhältnis zwischen Vater und Sohn beschreiben?**

5a **Wie geht die Geschichte weiter? Wer gewinnt das Spiel und was passiert dann? Überlegen Sie in Gruppen und schreiben Sie ein mögliches Ende.**

▶ Ü 3

2.25

b **Hören Sie, wie es wirklich weitergeht. Wer gewinnt die Partie?**

c **Hören Sie noch einmal und diskutieren Sie die Fragen im Kurs.**

1. Welche Gründe hat Felix, den Vater gewinnen zu lassen?
2. In welchen Stimmungen ist der Vater während des Spiels?
3. Warum spielt der Vater nicht bis zum Ende?

6 **Wie haben Ihnen die Ausschnitte aus dem Buch gefallen? Hätten Sie Lust, das ganze Buch zu lesen? Warum? Warum nicht?**

7 **Recherchieren Sie Informationen über Edgar Rai. Stellen Sie den Autor vor.**

- Wo lebt er?
- Was hat er gelernt?
- Welche Bücher hat er noch geschrieben? Welches würde Sie interessieren?
- ...

8a Welches Buch haben Sie zuletzt gelesen oder welchen Film haben Sie zuletzt gesehen? Was ist Ihr Lieblingsbuch/-film? Oder wollen Sie lieber von einer Reise, einem Sportereignis oder einem Konzert berichten? Wählen Sie ein Thema und machen Sie Notizen.

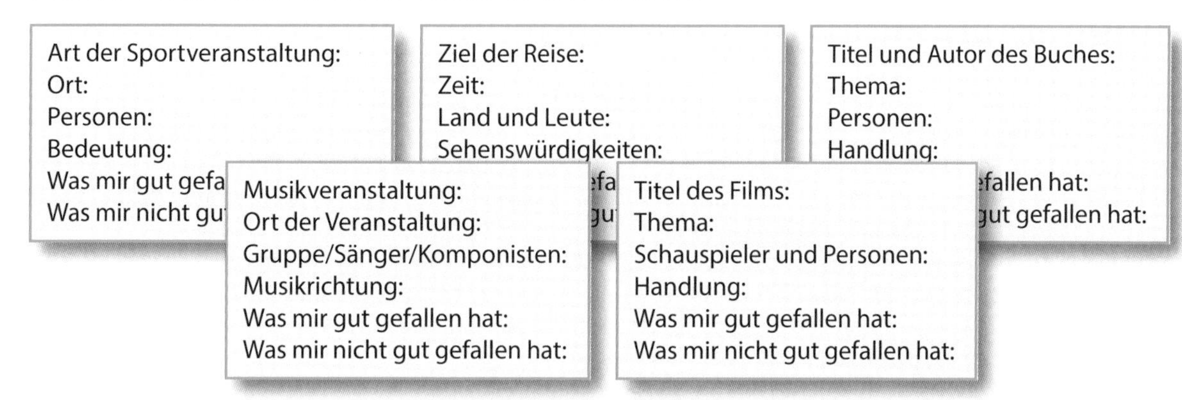

Art der Sportveranstaltung:
Ort:
Personen:
Bedeutung:
Was mir gut gefa
Was mir nicht gu

Ziel der Reise:
Zeit:
Land und Leute:
Sehenswürdigkeiten:

Titel und Autor des Buches:
Thema:
Personen:
Handlung:
fallen hat:
gut gefallen hat:

Musikveranstaltung:
Ort der Veranstaltung:
Gruppe/Sänger/Komponisten:
Musikrichtung:
Was mir gut gefallen hat:
Was mir nicht gut gefallen hat:

Titel des Films:
Thema:
Schauspieler und Personen:
Handlung:
Was mir gut gefallen hat:
Was mir nicht gut gefallen hat:

b Arbeiten Sie zu zweit. Ordnen Sie die Redemittel zu den verschiedenen Themen. Manche passen mehrmals.

Die Veranstaltung war letzten Sommer / letztes Wochenende / … im … / in der …
Es geht um … / Dabei geht es um …
Die Schauspieler sind … / … spielt mit.
Der Autor/Regisseur ist …
Ich wollte nach … fahren.
Ich war in …
Ich bin mit dem Bus/Flugzeug/Zug/Schiff/Rad/… nach … gefahren.
Der FC … hat gegen … gespielt.
Eine bekannte/berühmte Attraktion ist …
Natürlich habe ich mir auch … angesehen.
Das Konzert war von …
… hat/haben gespielt.
Das Buch / Der Film ist von …
Ich war … Wochen unterwegs.
… war auch mit dabei.

Sport-/Musikveranstaltung	Reise	Buch/Film

TELC

c Lösen Sie jetzt die Prüfungsaufgabe zu zweit.

Präsentieren Sie Ihrem Partner / Ihrer Partnerin kurz eines der folgenden Themen (die Stichpunkte in Klammern können Ihnen dabei helfen). Sie haben dazu ca. zwei Minuten Zeit. Nach Ihrer Präsentation beantworten Sie die Fragen Ihres Partners / Ihrer Partnerin. Nachdem Ihr Partner / Ihre Partnerin ebenfalls sein/ihr Thema präsentiert hat, stellen Sie ihm/ihr einige Fragen, die Sie interessieren. Während der Präsentation unterbrechen Sie Ihren Partner / Ihre Partnerin möglichst nicht.

- Ein Buch, das Sie gelesen haben (Thema, Autor, Ihre Meinung usw.) oder
- Einen Film, den Sie gesehen haben (Thema und Handlung, Schauspieler, Ihre Meinung usw.) oder
- Eine Reise, die Sie unternommen haben (Ziel, Zeit, Land und Leute, Sehenswürdigkeiten usw.) oder
- Eine Musikveranstaltung, die Sie besucht haben (Musikrichtung, Musiker, Ort, persönliche Vorlieben usw.) oder
- Ein Sportereignis, das Sie besucht haben (Sportart, Ort, Personen, Ereignis usw.)

Neo Rauch (* 1960)

Kunstikone und Professor

Neo Rauch wurde 1960 in Leipzig geboren. Seine Eltern starben bei einem Zugunglück, als er erst vier Wochen alt war. Er wuchs bei den Großeltern in Aschersleben auf.
Von 1981 bis 1986 studierte Rauch an der Leipziger Hochschule für Grafik und Buchkunst bei Prof. Arno Rink und Prof. Bernhard Heisig, dessen Meisterschüler er von 1986 bis 1990 war. Nach der Wende, von 1993 bis 1998, arbeitete er als Assistent von Arno Rink und Sighard Gille an der Leipziger Hochschule für Grafik und Buchkunst. Im August 2005 folgte Rauch seinem ehemaligen Lehrer Arno Rink als Professor nach. 2009 trat Neo Rauch eine Honorarprofessur an der Hochschule für Grafik und Buchkunst Leipzig an. Zusammen mit seiner Frau, der erfolgreichen Malerin Rosa Loy, mit der er seit 1985 verheiratet ist, lebt und arbeitet Neo Rauch in einer ehemaligen Fabrikanlage in der Nähe von Leipzig. Er selbst sagt: „Es ist ein Ort der Konzentration und der Inspiration. Mir wachsen hier die besten Einfälle zu."

Neo Rauch mit seiner Frau Rosa Loy

Neo Rauch gilt als einer der führenden Vertreter der „Leipziger Schule" und gehört zu den erfolgreichsten Malern der Gegenwart. Sogar das Museum of Modern Art in New York und das Guggenheim Museum Berlin haben Werke von ihm angekauft. Seine Bilder sind schon vor der Fertigstellung verkauft – für sechsstellige Summen. Die Wartezeiten für ein neues Bild sind enorm, deswegen schlagen viele Einkäufer, fasziniert vom Mythos des Labels „New Leipzig School", bereits zu, bevor auch nur ein Tropfen Farbe die Leinwand berührt hat. Verkaufsausstellungen seines Galeristen und Entdeckers Gerd Harry Lybke sind grundsätzlich nach wenigen Minuten leer gekauft.
Neo Rauch trug den Namen der „Neuen Leipziger Schule" in die Welt hinaus. Die „Neue Leipziger Schule" bezeichnet eine Strömung der modernen gegenständlichen Malerei. Sie entstand in den 90er-Jahren in Leipzig. Die „Leipziger Schule" geht auf große Maler wie Werner Tübke, Wolfgang Mattheuer und Bernhard Heisig zurück. Deren Schüler, die Leipziger Malereiprofessoren Sighard Gille und Arno Rink, können als die zweite Generation der Leipziger Schule angesehen werden. Die dritte Generation wird als „Neue Leipziger Schule" bezeichnet. Ihre Arbeiten sind ebenfalls gegenständlich, vermitteln aber keine Botschaften, zumindest keine vordergründigen, wie das noch für die beiden vorangegangenen Leipziger Maler-Generationen charakteristisch ist.
Die beiden prominentesten Vertreter der „Neuen" sind Neo Rauch und seine Ehefrau Rosa Loy. In den Gemälden von Neo Rauch verbinden sich Elemente der Werbegrafik, des Sozialistischen Realismus und des Comics. Seine Motive kann man der Tradition des Surrealismus zuordnen. Rauchs zumeist großformatige Werke sind surreal erstarrte Alltagsszenen. Sie sind reich an Motiven. Das zwingt den Betrachter, Rauchs Gemälde genauer wahrzunehmen.

www Mehr Informationen zu Neo Rauch.

Sammeln Sie Informationen über Persönlichkeiten aus dem In- und Ausland, die für das Thema „Kunst und Kultur" interessant sind, und stellen Sie sie im Kurs vor. Sie können dazu die Vorlage „Porträt" im Anhang verwenden.

Beispiele aus dem deutschsprachigen Bereich: Max Pechstein – Christine Nöstlinger – Andreas Gursky – Meret Oppenheim – Peter Zumthor – Sasha Waltz

1 Textzusammenhang

Funktion	Beispiele
Artikelwörter … machen deutlich, ob ein Wort im Text bereits genannt wurde. Possessivartikel verweisen auf andere Nomen.	bestimmter Artikel: *der, das, die …* Demonstrativartikel: *dieser, dieses, diese …* Possessivartikel: *sein, sein, seine …*
Pronomen … verweisen auf Nomen, Satzteile oder ganze Sätze.	Personalpronomen: *er, es, sie …* Possessivpronomen: *seiner, seines, seine …* Relativpronomen: *der, das, die …* Indefinitpronomen: *man, niemand, jemand …* Demonstrativpronomen: *dieser, dieses, diese …*
Orts- und Zeitangaben … machen Zeitbezüge deutlich und ordnen die Ereignisse räumlich ein.	Temporaladverbien: *damals, heute …* Verbindungsadverbien: *zuerst, dann …* andere Zeitangaben: *im selben Moment, im 18. Jahrhundert …* Lokaladverbien: *hier, dort …*
Konnektoren … geben Gründe, Gegengründe, Bedingungen, Folgen, Zusammenhänge usw. wieder.	*weil, doch, deshalb, obwohl, trotzdem, nachdem, sowohl … als auch, nicht nur …, sondern …*
Präpositionaladverbien … stehen für Sätze und Satzteile.	*darüber, daran, darauf …* *worüber, woran, worauf …*
Synonyme und Umschreibungen … vermeiden Monotonie und machen den Text interessanter.	*das Schloss Schönbrunn – die Hauptattraktion der Stadt Wien – das imposante Bauwerk – der Palast*

2 Modalsätze

Mit Modalsätzen wird die Art und Weise ausgedrückt, wie etwas geschieht.

Der Konnektor ***dadurch, dass*** hat zwei Teile: *dadurch* steht im Hauptsatz, *dass* leitet den Nebensatz ein.

*Sprachen sterben **dadurch**, **dass** eine Muttersprache nicht an die Kinder weitergegeben wird.*

Hauptsatz — Nebensatz

***Dadurch**, **dass** Samuel Taylor starb, starb auch seine Sprache.*

Hauptsatz — Nebensatz — Hauptsatz

Oft hat der Konnektor *dadurch, dass* auch eine kausale Bedeutung und entspricht einem Nebensatz mit *weil*:
***Dadurch, dass** Samuel Taylor starb, starb auch seine Sprache.*
= ***Weil** Samuel Taylor starb, starb auch seine Sprache.*

Der Konnektor ***indem*** leitet einen modalen Nebensatz ein und beschreibt oft das Instrument oder Mittel einer Handlung.
*Oft schafft man eine genaue Übersetzung auch nicht, **indem** man ein Wörterbuch benutzt.*

Der modale Konnektor *indem* wird immer zusammengeschrieben und sollte nicht mit Relativsätzen mit der Präposition *in* verwechselt werden:
Die Übersetzung schafft man nur mit einem Wörterbuch, in dem alle Bedeutungen der Wörter aufgelistet sind.

Kunstwerke auf ehemaligen Abraumhalden

1a **Was ist typisch für Industriegebiete? Was wird dort produziert oder abgebaut? Welche Vor- und Nachteile hat es, in einer Industrieregion zu leben? Sammeln Sie in Gruppen.**

b **Beschreiben Sie die Fotos. Wie wirken sie auf Sie?**

Zeche Consolidation in Gelsenkirchen

Industriegebiet in Duisburg

c **Lesen Sie den Text über das Ruhrgebiet und fassen Sie die Entwicklung der Region in ein bis zwei Sätzen zusammen.**

Wer das Wort ***Ruhrgebiet*** hört, denkt auch heute noch oft an Industrie und Bergbau. Die Region, zu der unter anderem die Städte Dortmund, Duisburg und Essen gehören, ist mit über 5 Millionen Einwohnern eine der am dichtesten besiedelten Gegenden Deutschlands und eines der bedeutendsten Industriegebiete Europas.

Im Ruhrgebiet wurde über lange Zeit vor allem Steinkohle abgebaut und Eisen zu Stahl verarbeitet. Zu Beginn der 1960er Jahre wurde der Kohlebergbau immer unrentabler. Die Region stürzte in eine Krise. Viele Bergwerke – auch Zechen genannt – mussten schließen und die Bergleute verloren ihren Arbeitsplatz.

Erst nach und nach setzte ein Strukturwandel ein: Universitäten wurden gegründet, neue Firmen ließen sich nieder, ehemalige Industrieanlagen wurden zu Kultureinrichtungen umfunktioniert. Viele Halden – künstliche Hügel, die durch den Abfall des Bergbaus entstanden waren –, bieten mittlerweile unterschiedlichste Freizeitmöglichkeiten. Heute lockt die ***Metropole Ruhr*** Besucher mit einem breiten kulturellen Angebot, bekannten Theatern, Museen und Musicals an. Seit 2001 gehört das Kulturzentrum ***Zeche Zollverein*** in Essen zum UNESCO-Weltkulturerbe; 2010 war die Stadt Essen stellvertretend für das Ruhrgebiet Kulturhauptstadt Europas.

2 **Sehen Sie den Film. Um welche Aspekte geht es? Kreuzen Sie an und vergleichen Sie zu zweit.**

☐ Kunst	☐ Veränderung	☐ Wirtschaft	☐ Geschichte	☐ Literatur
☐ Sport	☐ Zukunft	☐ Industrie	☐ Umweltschutz	☐ Sprache
☐ Klimawandel	☐ Abfall	☐ Arbeitsbedingungen	☐ Vergangenheit	☐ Theater
☐ Bergbau	☐ Natur	☐ Freizeitmöglichkeiten		

1

3a **Sehen Sie die erste Sequenz des Films noch einmal. Was sagen die Menschen über ihre Region? Was gefällt ihnen daran?**

A

B

C

2

b **Alles falsch. Sehen Sie die zweite Filmsequenz noch einmal und korrigieren Sie die Aussagen.**

1. Im Ruhrgebiet gibt es ca. 30 Halden.
2. Die Natur war im Ruhrgebiet immer genauso wichtig wie die Industrie.
3. Viele Menschen im Ruhrgebiet stören sich heute an den Halden.
4. Ab 2018 wird in Deutschland nur noch in der Zeche Prosper-Haniel Kohle gefördert.

4a Im Film werden verschiedene Kunstwerke gezeigt. Welches gefällt Ihnen am besten, welches gar nicht? Warum?

b **Sehen Sie den Film noch einmal. Was erfahren Sie über die Kunstwerke? Arbeiten Sie zu dritt. Jeder wählt ein Kunstwerk.**

	Name	Künstler	Ort	Bedeutung	Material
A		-	*Halde Rhein-Elbe*	-	
B					
C					

c **Beschreiben Sie eine Skulptur, ein Kunstwerk oder ein bekanntes Gebäude möglichst genau. Die anderen raten.**

Das Kunstwerk hängt in Paris. Man sieht eine Frau, die geheimnisvoll lächelt. Sie ...

5 Kennen Sie andere Regionen, in denen es in den letzten Jahren oder Jahrzehnten zu großen Veränderungen gekommen ist? Wie war es früher dort? Wie ist es heute?

Das macht(e) Geschichte

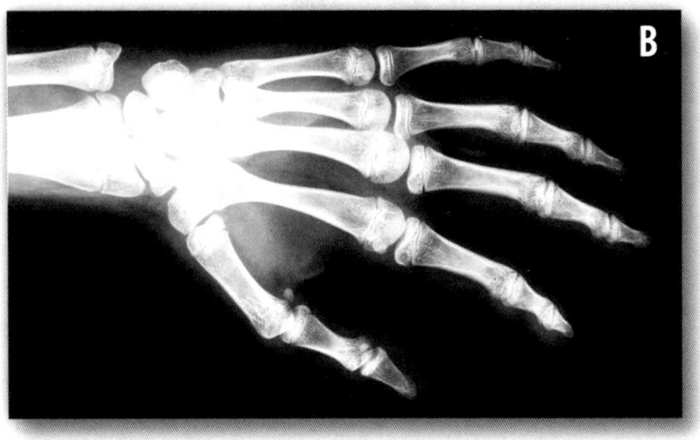

Sie lernen

Modul 1 | Einen Text zum Thema „Gelebte Geschichte" verstehen

Modul 2 | Informationen aus unterschiedlichen Quellen in einer Kurzpräsentation zusammenfassen

Modul 3 | Irrtümer der Geschichte kennenlernen und darüber berichten

Modul 4 | Informationen über die Teilung Deutschlands kommentiert zusammenfassen

Modul 4 | Zeitzeugenaussagen und eine Chronik zum Tag des Mauerfalls verstehen

Grammatik

Modul 1 | Nomen, Verben und Adjektive mit Präpositionen

Modul 3 | Indirekte Rede mit Konjunktiv I

E

1 Sehen Sie die Bilder an. Welche Themen aus der Geschichte werden angesprochen?

3.2–9

2a Hören Sie das Radiofeature. Zu welchen Bildern passen die Texte?

b Sammeln Sie zum Thema eines Fotos Wörter und erstellen Sie ein Wörternetz.

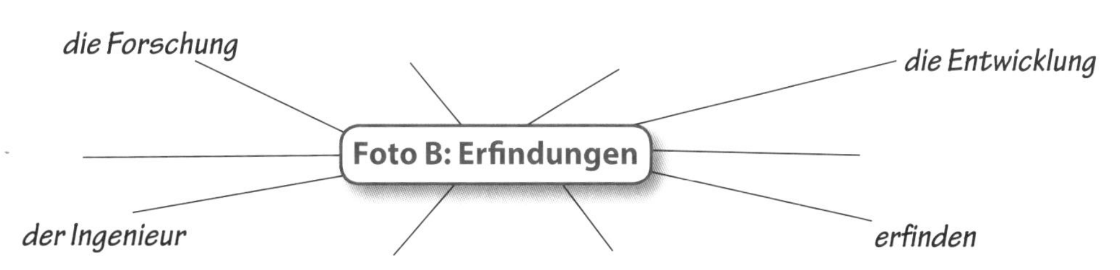

3 Berichten Sie kurz von einem wichtigen Ereignis aus Ihrem Land oder aus der Weltgeschichte.

Geschichte erleben

1a Sie dürfen eine Zeitreise machen. In welche Zeit würden Sie gerne reisen? Was wissen Sie darüber oder was möchten Sie erfahren? Sprechen Sie in Gruppen.

▶ Ü 1

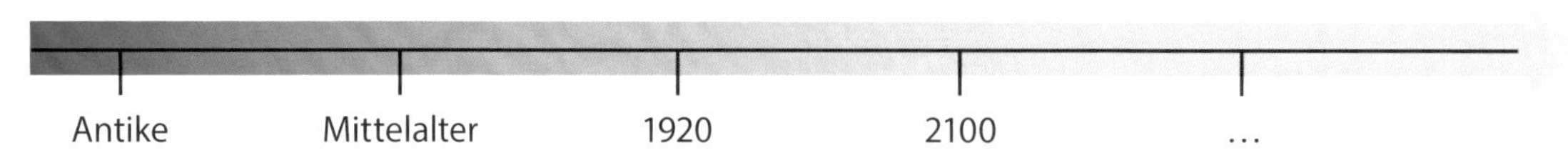

b Reise ins Mittelalter. Klären Sie zuerst unbekannte Wörter. Ordnen Sie die Nomen dann in thematische Gruppen. Es gibt mehrere Möglichkeiten.

Burg Stadt Bauer Krieger Armut Ritter Handwerker Kampf
Musikant Kälte Waffe Dorf Knecht Krankheit Magd Burgdame Turnier

c Lesen Sie den Artikel und ergänzen Sie die Aussagen.

1. Das Mittelalter ist ein beliebtes Thema für …
2. Dass diese Epoche so viele Menschen fasziniert, ist erstaunlich, denn …
3. Der Rollentausch auf Zeit ist unproblematisch, weil …

Zurück ins Mittelalter?!

Zeitreisen sind wieder „in" und das Mittelalter ist ein beliebtes Ziel: Schulklassen freuen sich auf ihre Teilnahme an der Themen-Tour auf eine Burg, Familien machen Ferien in Mittelalter-Camps und manche begeistern sich für mittelalterliche Feste, wo sie für ein paar Tage wie damals leben. Andere wundern sich über das neue Interesse für Geschichte.

Aber was macht die Faszination für diese Zeit zwischen dem 6. und dem 15. Jahrhundert aus? Glauben wir der Geschichte, dann lebten die Menschen damals vor allem in Angst vor Krankheit und Tod, in Unfreiheit, in Dunkelheit, Kälte und mit wenig Bildung. Aber das Interesse für diese Zeit ist dennoch groß. Viele historische Romane der Bestseller-Listen, unzählige Filme mit Schauplatz im Mittelalter und Musik auf mittelalterlichen Instrumenten halten die Erinnerung an diese Epoche wach.

Forscher glauben, dass der Gegensatz zu unserer Zeit heute den Reiz ausmacht. Die Rollen der Menschen damals waren klar definiert. Sie hingen vom Beruf, vom Stand in der Gesellschaft und von der Religion ab. Ein Handwerker hatte beispielsweise großes An-

sehen, weil er einen nützlichen und wertvollen Beitrag zur Gesellschaft leistete. Die Arbeit war hart, aber meist durch ein sichtbares Ergebnis gekennzeichnet. Im Gegensatz zu heute war soziale Isolation selten. Die Gemeinschaft war bei Schwierigkeiten die größte Hilfe. Jeder wusste, worüber man sich freute oder wovor man Angst haben sollte.

Diese Vorstellung vom Mittelalter macht die Leute heute neugierig auf die damalige Zeit. Viele suchen Antworten auf die Frage, wie man sich fühlt, wenn man für kurze Zeit in eine andere Rolle schlüpft. Wer möchte nicht für ein paar Stunden wilder Krieger sein, ohne Blut zu vergießen, oder Burgdame, ohne im Winter zu frieren? Nicht wenige übernehmen auch die Rollen von Bauer oder Schmied und das, ohne dass sich ihre Söhne wie damals automatisch auch für diese Berufe entscheiden müssen.

Viele Rollenspieler suchen nach sozialer Nähe in einer Gruppe. Aber am Ende kommen sie doch wieder zurück – in unsere Welt voller Medien, medizinischer Versorgung und mit einem gewissen Maß an sozialer Sicherheit.

2a Suchen Sie im Artikel Nomen mit festen Präpositionen und tragen Sie sie in die Tabelle ein. Ergänzen Sie dann im Kurs weitere Beispiele.

G

Nomen	Präposition	Nomen	Präposition
die Teilnahme	*an + D.*		

b Bilden Sie, wenn möglich, Verben zu den Nomen in 2a. Mit welcher Präposition werden die Verben verwendet? Schreiben Sie Lernkarten und vergleichen Sie Ihre Ergebnisse im Kurs.

die Teilnahme }
teilnehmen } *an + D.*

▶ Ü 2

c Arbeiten Sie zu zweit: Welche dieser Nomen und Verben können auch ein Adjektiv bilden? Welche Präposition hat das Adjektiv? Schreiben Sie drei Lernkarten wie im Beispiel.

die Begeisterung }
sich begeistern } *für + A.*
begeistert sein *von + D.*

abhängen von – die Antwort auf – das Interesse an/für – die Neugier auf – die Hilfe bei – sich entscheiden für – suchen nach – sich wundern über

d Arbeiten Sie zu zweit. Fragen Sie sich gegenseitig mithilfe Ihrer Lernkarten ab.

▶ Ü 3-4

3a Was motiviert Menschen, an mittelalterlichen Treffen teilzunehmen? Arbeiten Sie zu dritt. Jeder wählt eine Person und berichtet den anderen von seinem Text.

Mich fasziniert die Kampfkunst und alles, was mit Rittern zu tun hat. Dazu gehört ja auch, dass die Ritter nach festen Regeln gelebt haben, viele Rechte hatten und sich regelmäßig auf Turnieren trafen. Und in den Rüstungen zu kämpfen ist ein echter Sport. Die wiegen bis zu 30 Kilo. Da ist Kämpfen und Reiten eine Kunst.
(Heiner aus Köln)

Normalerweise arbeite ich als Rechtsanwältin. Ich muss viel mit dem Kopf arbeiten. Hier kann ich etwas mit den Händen schaffen. Ich habe ein richtiges Handwerk erlernt und verkaufe auf den Märkten meine Produkte. Wir Handwerker sind sogar als Gruppe organisiert. Das war im Mittelalter nicht anders.
(Jutta aus Mannheim)

Was soll ich sagen? Musik mache ich immer. Ich spiele Klavier und E-Gitarre. Beides gab es im Mittelalter noch nicht, aber dafür die Laute wie hier auf dem Foto. Im Mittelalter konnte man von Musik gut leben und die Leute haben sich darüber gefreut. Heute verdienen nur wenige Musiker genug zum Leben.
(Lorenz aus Erfurt)

b Können Sie sich vorstellen, ein Wochenende lang Ritter, Bauer, Burgdame oder Magd zu sein? Diskutieren Sie im Kurs.

c Überzeugen Sie Leute aus der Zukunft, in unsere Zeit heute zu reisen.

Keine Angst vor … *In … können Sie sich von … erholen.* *Sie werden begeistert von … sein.*

26.10. – Ein Tag in der Geschichte

1a Was passierte am 26. Oktober? Lesen Sie die Meldungen und Informationen. Ordnen Sie dann die Überschriften zu.

Hilfe aus aller Welt **Machtwechsel in Deutschland**

Ausgezeichnete Band

Eine Republik feiert **Durchbruch in der Kommunikation**

1

Bonn – Bei der Bundestagswahl 1998 erreicht die SPD mit ihrem Kandidaten Gerhard Schröder das erste Mal seit 1972 ihr Ziel, stärkste Bundestagsfraktion zu werden. Am 26. Oktober 1998 wird der bisherige Bundeskanzler Helmut Kohl aus seinem Amt entlassen. Kohl war bis dahin 16 Jahre lang Bundeskanzler. Kurz darauf bildet die SPD zusammen mit Bündnis 90 / Die Grünen eine Rot-Grüne Koalition.

2

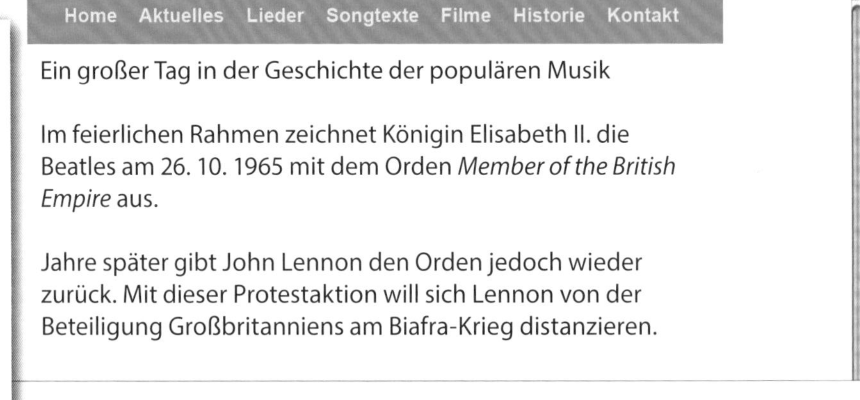

Ein großer Tag in der Geschichte der populären Musik

Im feierlichen Rahmen zeichnet Königin Elisabeth II. die Beatles am 26. 10. 1965 mit dem Orden *Member of the British Empire* aus.

Jahre später gibt John Lennon den Orden jedoch wieder zurück. Mit dieser Protestaktion will sich Lennon von der Beteiligung Großbritanniens am Biafra-Krieg distanzieren.

3

Österreich 26. Oktober

Der Ehrentag des unabhängigen Landes Österreich wurde bereits seit 1955 gefeiert. Allerdings gilt der 26. Oktober erst seit 1965 als Nationalfeiertag und somit als gesetzlicher Staatsfeiertag. Er ist arbeitsfrei. Der Anlass für diesen Feiertag war ein Gesetz von 1955 über die „immerwährende Neutralität Österreichs".

4

Am 26. Oktober 1863 beginnt die internationale Konferenz sozial engagierter Gruppen in Genf. Henri Dunant initiiert die Gründung einer internationalen Hilfsorganisation, die später die Basis für das Rote Kreuz und den Roten Halbmond bilden wird.

5

Am Physikalischen Verein zu Frankfurt am Main stellte Johann Philipp Reis vor zahlreichem Publikum am heutigen 26. Oktober 1861 ein Fernsprechgerät vor. Dieses „Telefon" ermögliche es, über weite Entfernungen Gespräche zu führen, so der Physiker, der am Institut Garnier in Friedrichsdorf lehrt. Die Fachwelt ist begeistert. Eine Sensation!

b Lesen Sie die Meldungen noch einmal. Über welche Ereignisse am 26. Oktober wird berichtet? Notieren Sie Informationen und fassen Sie eine Nachricht zusammen.

Wann?	Wo?	Wer?	Was?
1965	*Österreich*	*alle Österreicher/innen*	*Nationalfeiertag*
1998			

TELC 3.10

2 Sie hören nun eine Nachrichtensendung vom 26. Oktober. Dazu sollen Sie fünf Aufgaben lösen. Sie hören die Nachrichtensendung nur einmal. Entscheiden Sie beim Hören, ob die Aussagen 1–5 richtig oder falsch sind.

	richtig	falsch
1. Auch wenn die Lokführer nicht überall streiken, müssen sich die Reisenden auf Behinderungen einstellen.	☐	☐
2. Die Zahl der Menschen, die aus Deutschland auswandern, nimmt weiter zu.	☐	☐
3. EU und afrikanische Länder beraten erneut über die Einfuhr von Getreide und Textilien.	☐	☐
4. Die New Yorker Börse bestätigt, dass die Preise für Immobilien in den ersten sechs Monaten gesunken sind.	☐	☐
5. Die Bevölkerung von Sizilien wurde über Schutzmaßnahmen wegen des Vulkanausbruchs benachrichtigt.	☐	☐

3.11

3a Hören Sie eine kurze Präsentation zu Ereignissen vom 26. Oktober. Welche Informationen sind neu?

b Recherchieren Sie: Was passierte an einem für Sie wichtigen Tag, z. B. Ihrem Geburtstag, einem Feiertag …?

c Wählen Sie ein oder zwei Ereignisse Ihrer Recherche aus und bereiten Sie eine Präsentation vor. Sie sollte maximal drei Minuten dauern. Verwenden Sie die folgenden Redemittel.

PRÄSENTATION EINLEITEN	HISTORISCHE DATEN NENNEN
Ich werde von … berichten.	Im Jahr … / Am …
Ich stelle heute … vor.	Vor 50/100/… Jahren …
Ich habe … ausgesucht, weil …	… Jahre früher/davor/vorher …
Ich fand … besonders interessant, deshalb …	… Jahre später/danach …
Eigentlich finde ich das Thema Geschichte nicht so interessant, aber …	… begann/endete / ereignete sich …
	Das erste/zweite Ereignis passierte …

d Üben Sie Ihre Präsentation mit einem Partner / einer Partnerin. Arbeiten Sie gemeinsam an Verständlichkeit, Tempo und Lautstärke.

e Halten Sie Ihre Präsentation im Kurs.

▶ Ü 1

Irrtümer der Geschichte

1a **Lesen Sie die Äußerungen zur Geschichte. Was glauben Sie: Welche Aussagen sind richtig?**

1. Der berühmte Salzburger Musiker Mozart heißt mit Vornamen …
   - [a] Wolfgang Amadeus.
   - [b] Johannes Sebastian Wolfgang.
   - [c] Johannes Chrysostomus Wolfgangus Theophilus.

2. Im Mittelalter …
   - [a] war man mit 40 Jahren ein sehr alter Mensch.
   - [b] konnten die Menschen genauso alt werden wie heute.
   - [c] wurden die Menschen älter als heute.

3. Der Buchdruck wurde …
   - [a] im alten Ägypten erfunden.
   - [b] von Johannes Gutenberg erfunden.
   - [c] in China erfunden.

4. Das erste Kaffeehaus Europas stand …
   - [a] in Venedig.
   - [b] in Barcelona.
   - [c] in Wien.

SPRACHE IM ALLTAG

Überraschung ausdrücken

Das gibt's doch gar nicht!
Das ist ja ein Ding!
So eine Überraschung!
Das kann doch nicht wahr sein!
Das hätte ich nicht gedacht!

b **Lesen Sie den Text über Irrtümer in der Geschichte. Haben Sie's gewusst? Was überrascht Sie besonders?**

„Das ist doch ganz klar!" – Oder nicht? Wie oft denken wir, dass wir etwas ganz genau wissen, z. B. zum Thema Geschichte. Aber wer genauer hinsieht, entdeckt überraschend viele Irrtümer.

Bei einer Umfrage darüber, wie Mozart mit Vornamen hieß, würden wohl weit über 90 % der Befragten antworten, das wisse doch jedes Kind: natürlich Wolfgang Amadeus. Weit gefehlt: Das wohl berühmteste Salzburger Musikgenie wurde auf den Namen Johannes Chrysostomus Wolfgangus Theophilus getauft. Der Vorname Wolfgang Amadeus setzte sich erst im 20. Jahrhundert durch, nachdem Rundfunkanstalten und Plattenfirmen ihn ständig verwendeten.

Die meisten Menschen sind auch der Überzeugung, dass die Lebenserwartung im Mittelalter nicht sehr hoch gewesen sei und man bereits mit 40 Jahren ein alter Mensch gewesen sei. Es ist zwar richtig, dass die durchschnittliche Lebenserwartung in dieser Zeit ca. 35 Jahre betrug, das bedeutet aber nicht, dass das biologisch mögliche Alter niedriger war als heute. Die statistischen Zahlen ergeben sich zum einen aus einer deutlich höheren Säuglingssterblichkeit und zum anderen daraus, dass z. B. in Zeiten der Pest viele Menschen starben. Wer aber gesund blieb, hatte ebenso gute Chancen, so alt zu werden wie die Menschen heute.

Auch was berühmte Erfinder angeht, finden wir selbst in einigen Schulbüchern häufig bekannte Irrtümer. Da liest man zum Beispiel, Johannes Gutenberg habe den Buchdruck erfunden, was so nicht korrekt ist. Gutenberg war im europäischen Raum zwar der Erste, der auf die Idee kam, nicht für jede Buchseite eine komplette Holzplatte zu schnitzen, sondern einzelne Buchstaben für den Druck zusammenzusetzen, die man dann natürlich wieder verwenden konnte. In China aber waren zu diesem Zeitpunkt einzelne Drucktafeln für jedes Schriftzeichen bereits seit Langem bekannt.

Schließlich sind nicht nur viele Wiener davon überzeugt, dass das erste europäische Kaffeehaus in Wien stehe – aber auch hier irrt die Geschichte: Bereits 1647 konnte man in Venedig Kaffee genießen, der durch die Handelsbeziehungen zum Orient dort bekannt geworden war.

Sie sehen, ein genauer Blick in die Geschichte lohnt sich, denn man entdeckt immer wieder überraschende Irrtümer.

2a **Mit welchen Ausdrücken werden im Text die Aussagen aus 1a eingeleitet? Markieren Sie und sammeln Sie weitere Verben und Ausdrücke, mit denen man Aussagen einleiten kann.**

▶ Ü 1

antworten, meinen …

b Wie werden im Text die Sätze der direkten Rede in indirekter Rede wiedergegeben? Ergänzen Sie und vergleichen Sie die Verbformen.

direkte Rede	indirekte Rede
	Über 90 % der Befragten antworten,
1. „Das weiß doch jedes Kind."	*das wisse doch jedes Kind.*
	Die meisten Menschen sind der Überzeugung,
2. „Die Lebenserwartung ist nicht hoch gewesen."	______
	Sie denken,
3. „Mit 40 ist man ein alter Mensch gewesen."	______
	In Schulbüchern liest man,
4. „Gutenberg hat den Buchdruck erfunden."	______

c Ergänzen Sie die Regel zur Bildung des Konjunktiv I in der 3. Person Singular.

G

Konjunktiv I

Gegenwart	Infinitivstamm + ______
	3. Person Singular von *sein:* ______
	3. Person Singular von *haben:* ______
Vergangenheit	Konjunktiv I von ______ oder ______ + ______

d Indirekte Rede: Ergänzen Sie die Regel.

Konjunktiv I anderen Indikativ

G

Indirekte Rede

In der indirekten Rede verwendet man den ______, um deutlich zu machen, dass man die Worte eines ______ wiedergibt und nicht seine eigene Meinung ausdrückt. Sie wird vor allem in der Wissenschaftssprache, in Zeitungsartikeln und in Nachrichtensendungen verwendet.
In der gesprochenen Sprache benutzt man in der indirekten Rede häufig den ______.

3 Lesen Sie die Beispielsätze und erklären Sie, wann man in der indirekten Rede den Konjunktiv II oder *würde* + Infinitiv verwendet.

G

Direkte Rede	Indirekte Rede	
Indikativ	**Konjunktiv I**	**Konjunktiv II**
	(Er sagte, …	Er sagte, …
„Die ersten Kaffeehäuser **stehen** in Venedig."	die ersten Kaffeehäuser **stehen** in Venedig.	die ersten Kaffeehäuser **würden** in Venedig **stehen**.
„Die Wiener **haben** das Kaffeehaus **erfunden**."	die Wiener **haben** das Kaffeehaus **erfunden**.)	die Wiener **hätten** das Kaffeehaus **erfunden**.

▶ Ü 2-4

4 Geben Sie die folgenden Irrtümer in der indirekten Rede wieder. Nutzen Sie dazu die Ausdrücke aus 2a. Wissen Sie, wie/wer es wirklich war? Vergleichen Sie mit der Lösung auf Seite 196.

„Wilhelm Tell ist der wichtigste Freiheitskämpfer der Schweiz."
„Charles Lindbergh flog als erster Mensch über den Atlantik."
„Der Treibstoff ‚Benzin' ist nach Carl Benz, dem Pionier der Autoindustrie, benannt."

▶ Ü 5-6

Grenzen überwinden

1a Foto A zeigt die Grenze zwischen der Bundesrepublik Deutschland (BRD) und der Deutschen Demokratischen Republik (DDR) in Berlin im Jahr 1989. Bild B zeigt denselben Ort im Jahr 2005. Vergleichen Sie die beiden Fotos. Was hat sich verändert?

A

B

b Was wissen Sie über die Teilung Deutschlands von 1949–1990? Sammeln Sie im Kurs.

2a 1961–1989: Eine Mauer mitten durch Berlin. Lesen Sie den Artikel und ordnen Sie den Stichworten die passenden Textstellen zu.

1. weiterer Ausbau der Grenze Z. 54–64
2. Schließung der Grenze und Bau der Mauer ____________
3. Gründung zweier deutscher Staaten ____________
4. komfortableres Leben im Westen von Deutschland ____________
5. Teilung der Hauptstadt ____________
6. Unterteilung Deutschlands in Zonen: wirtschaftliche Verwaltung durch vier verschiedene Länder ____________
7. viele Menschen verlassen die DDR ____________
8. strenge Ein- und Ausreisekontrollen ____________

Als 1945 der Zweite Weltkrieg zu Ende war, trafen sich Vertreter Großbritanniens, der USA, der Sowjetunion und Frankreichs, um zu besprechen, (5) was mit Deutschland geschehen sollte. Sie legten vier Besatzungszonen fest, die wirtschaftlich jeweils einem der vier Länder zugeordnet waren. Diese Aufteilung in die sogenannten Wirt- (10) schaftssektoren ermöglichte eine relativ unkomplizierte Verwaltung und führte später zur Teilung Deutschlands. 1949 wurde im Westen die Bundesrepublik Deutschland (BRD) aus dem britischen, (15) amerikanischen und französischen Wirtschaftssektor gegründet und im Osten die Deutsche Demokratische Republik (DDR) aus dem Wirtschaftssektor der Sowjetunion. Die ehemalige Hauptstadt Berlin lag nun wie eine Insel mitten im Gebiet der DDR. (20) Die Stadt wurde geteilt: in einen westlichen Teil, der zur BRD gehörte, und einen östlichen, der gleichzeitig die Hauptstadt der DDR blieb. Im Westen war von 1949 bis 1990 Bonn die Hauptstadt.

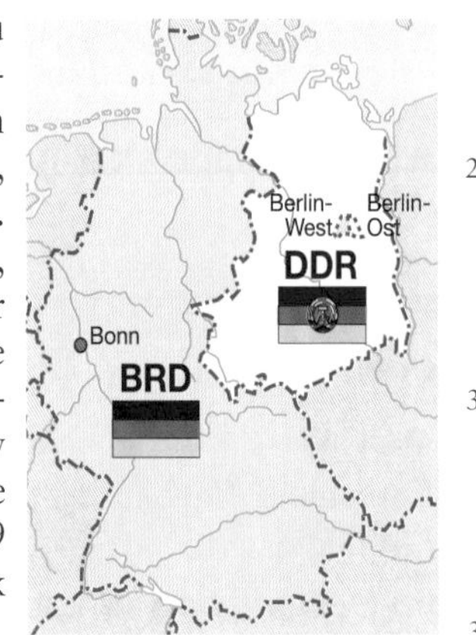

(25) In den ersten zehn Jahren nach der Teilung Deutschlands konnten die Menschen in Berlin ungehindert zwischen dem Ost-Teil und dem West-Teil der Stadt hin- und herfah- (30) ren. Was man im östlichen Teil nicht kaufen konnte (z. B. bestimmte Lebensmittel), bekam man meist problemlos im Westen. Die unterschiedlichen Lebensbedingungen in den (35) beiden Teilen Berlins und Deutschlands führten dazu, dass über 2,7 Millionen Menschen, darunter viele junge Leute unter 25 Jahren, die DDR endgültig verließen. Allein 1960 wanderten etwa 200.000 Menschen in den Westen aus. Die (40) DDR stand kurz vor dem Zusammenbruch.

Am Morgen des 13. August 1961 errichteten Bauarbeiter im Ost-Teil Berlins Absperrungen an der Grenze zum West-Teil. Dann begann – für die Bevölkerung völlig überraschend – unter strenger Bewachung durch DDR-Grenzsoldaten der Bau der Berliner Mauer. Wenige Monate später war West-Berlin komplett von dieser Mauer eingeschlossen.

Es gab Straßen, deren Gehwege in West-Berlin lagen, die Häuser selber gehörten aber schon zu Ost-Berlin. Fenster in den Erdgeschossen und die Haustüren von solchen Häusern wurden rücksichtslos zugemauert. Die Bewohner konnten ihre Häuser nur noch über die Hinterhöfe betreten.

Die Absperrungen und Kontrollsysteme wurden in den folgenden Jahren immer weiter ausgebaut und perfektioniert. Am Ende hatte die Mauer, die Ost- und West-Berlin trennte, eine Länge von 43,1 Kilometern. Die Absperrungen, die West-Berlin von der übrigen DDR abriegelten, waren insgesamt 111,9 Kilometer lang. Auch die anderen Grenzgebiete zwischen den beiden Teilen Deutschlands wurden streng überwacht. Sie waren großteils mit Zäunen abgegrenzt und wurden von Wachtürmen aus kontrolliert. Die Bewohner der DDR konnten nur noch selten und mit besonderer Genehmigung in die BRD reisen. Westdeutsche durften nur mit Visum und unter genauester Grenzkontrolle die DDR betreten.

b Sehen Sie einen Ausschnitt aus dem U- und S-Bahn-Netz des geteilten Berlins. Er zeigt den Verlauf der Mauer, die Ost- und West-Berlin teilte. Beantworten Sie die Fragen.

- In welchem Teil Berlins lag der Bahnhof Friedrichstraße?
- Was ist das Besondere an diesem Bahnhof?
- Vermuten Sie: Wer durfte den Bahnhof wozu benutzen?

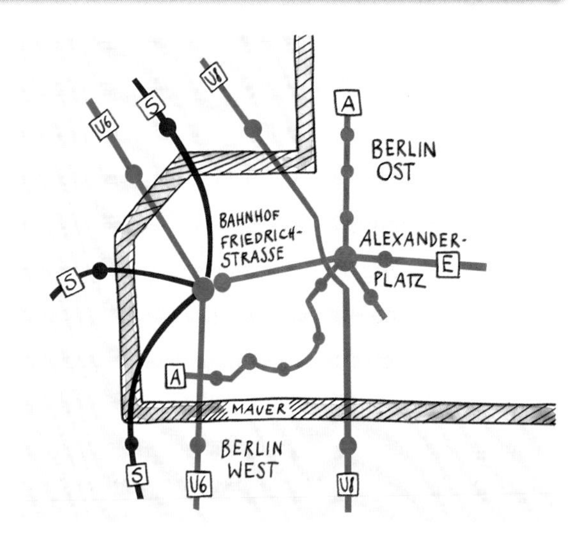

c Lesen Sie den Bericht und machen Sie Notizen zur damaligen Situation am Bahnhof Friedrichstraße. Vergleichen Sie mit Ihren Überlegungen in 2b.

Bahnhof Friedrichstraße 1961–1989

Als Bürger Westdeutschlands konnte man sich am Bahnhof Friedrichstraße frei bewegen. Ohne kontrolliert zu werden, konnte man zwischen den westlichen U- und S-Bahn-Linien umsteigen. Eine Ausnahme gab es jedoch: Man durfte den Bahnhof niemals verlassen, ohne strenge Kontrollen über sich ergehen zu lassen. Außerdem musste man einige Verhaltensregeln befolgen, zum Beispiel durfte man nicht fotografieren. Der Bahnhof war für Westbürger also ein Umsteigebahnhof, man konnte von einer S- oder U-Bahn-Linie zur nächsten wechseln, aber Bürgern aus dem Osten begegnete man dabei nicht. Auch Ostbürger nutzten den Bahnhof als Umsteigebahnhof – strikt getrennt von den Umsteigewegen der Westbürger. Die Ausgänge waren streng bewacht.

Viele West-Berliner und Touristen nahmen den Bahnhof Friedrichstraße als Ausgangspunkt für Tagesausflüge in den Osten oder für Familienbesuche, denn viele Familien waren durch den Bau der Mauer auseinandergerissen worden. Die Einreise in die DDR war nur mit Visum und nach langwierigen und sehr strengen Kontrollen möglich.

Der Bahnhof war dafür bekannt, dass hier emotionale Abschiedsszenen zum Alltag gehörten. Die Verabschiedungshalle im Ost-Teil wurde deshalb auch „Tränenpalast" genannt, denn hier verabschiedeten sich Ostdeutsche von ihren Familien und Freunden aus Westdeutschland, von denen sie immer nur kurz und unter strengen Kontrollen besucht wurden. Bei jeder Verabschiedung war ungewiss, wann der nächste Besuch möglich sein würde.

d Arbeiten Sie zu zweit. Jeder notiert vier Fragen zur deutschen Teilung aus den Texten in 2a und c. Beantworten Sie dann gegenseitig Ihre Fragen.

Grenzen überwinden

3a Was wissen Sie über den Fall der Berliner Mauer und die Öffnung der Grenze?

b Lesen Sie den Auszug aus einem Lexikonartikel zur Wiedervereinigung. Welche Ereignisse trugen dazu bei, dass die DDR die Grenze zur Bundesrepublik öffnete?

Im Sommer 1989 wurden die Botschaften der Bundesrepublik Deutschland in Prag, Budapest, Warschau und die Ständige Vertretung der Bundesrepublik Deutschland in Ost-Berlin von DDR-Flüchtlingen besetzt, die so ihre Ausreise aus der DDR erzwingen wollten. Die vom sowjetischen Partei- und Staatsführer Michail Gorbatschow ausgehende Politik der Öffnung und die dadurch möglichen politischen Veränderungen in Ungarn führten dazu, dass Ungarn für die DDR-Flüchtlinge die Grenze nach Österreich öffnete. Die Öffnung führte zu einer Massenflucht in die Bundesrepublik. Nach dem Einlenken der DDR konnten auch die Flüchtlinge aus den Botschaften in Prag und Warschau in den Westen ausreisen. Noch im September 1989 reisten 15.000 DDR-Bürger in die Bundesrepublik ein.
Anfang Oktober 1989 setzten Massenproteste auf den Straßen in der ganzen DDR ein: Die friedliche Revolution begann. Besonders bekannt wurden die Montagsdemonstrationen in Leipzig. Die politische Führung sah keinen anderen Ausweg, als die Grenzen zu öffnen.

3.12

c Der Tag des Mauerfalls: Hören Sie, was am 9. November 1989 passierte. Ergänzen Sie dann die Notizen.

sofort	Grenze	Reisen	feiern	Westen	~~Zukunft~~

Pressesprecher Günter Schabowski

- Ostberlin, früher Nachmittag: Johannes Rau (ein Ministerpräsident der BRD) ist zu Besuch bei Egon Krenz (Staatschef der DDR). Krenz spricht über die *Zukunft* der DDR.
- Berlin, 19:00 Uhr: In einer Pressekonferenz im DDR-Fernsehen wird gesagt, dass ab sofort ____________ ins Ausland ohne besondere Voraussetzungen beantragt werden können. Diese Regelung gilt ab ____________.
- Nach einiger Zeit wird klar, was das bedeutet: Die ____________ ist nach 28 Jahren offen.
- Berlin, 21:30 Uhr: Erste DDR-Bürger stürmen in den ____________; Menschen aus Ost und West ____________ gemeinsam.

d Hören Sie die Chronik zum 9. November noch einmal zur Kontrolle.

3.13–16

4a Hören Sie die Aussagen von vier Zeitzeugen des Mauerfalls und machen Sie Notizen. Wo haben die Leute davon erfahren? Was waren ihre Gefühle und Gedanken? Sagen sie etwas dazu, was sie heute darüber denken?

b Wann und wie haben Sie vom Mauerfall erfahren?

Ich bin jetzt 20 Jahre alt. Als die Mauer fiel, war ich noch gar nicht auf der Welt. Ich habe davon zum ersten Mal in der Schule gehört.

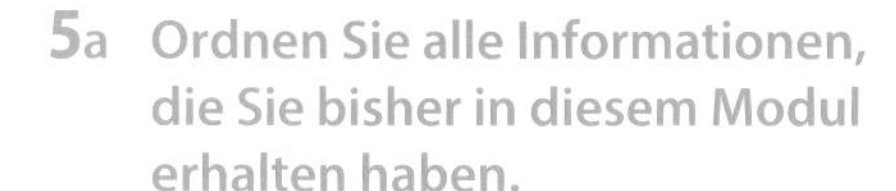

5a Ordnen Sie alle Informationen, die Sie bisher in diesem Modul erhalten haben.

STRATEGIE

Informationen aus mehreren Texten zusammentragen

Fassen Sie Informationen aus (auch komplexen) Texten mithilfe grafischer Elemente – zum Beispiel einem Zeitstrahl, einer Tabelle, Farben usw. – und Stichwörtern übersichtlich zusammen. So können Sie die Hauptaussagen leichter erfassen.

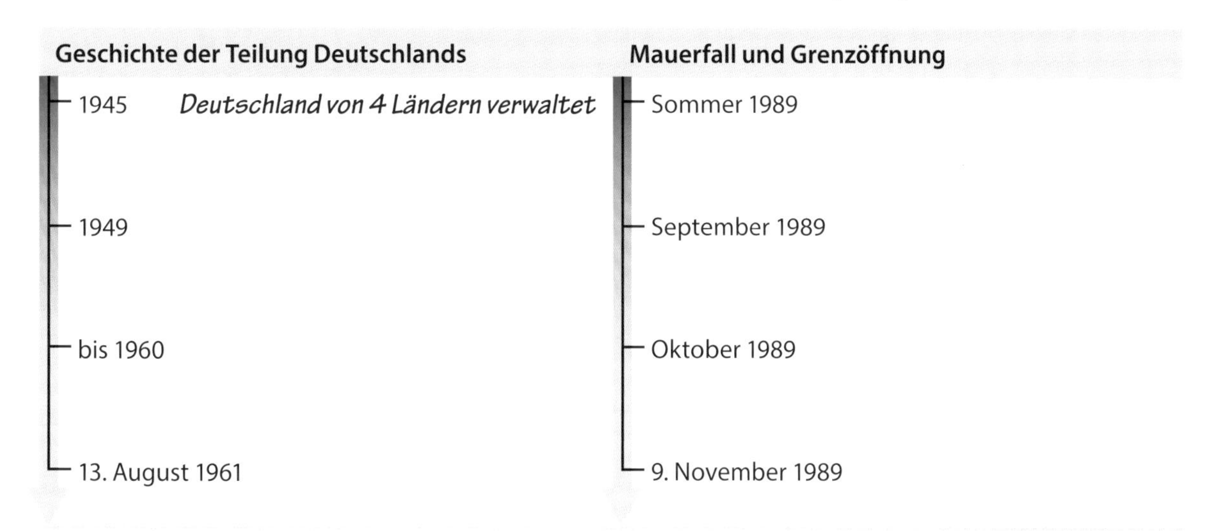

b Wählen Sie aus 5a die für Sie wichtigsten Informationen und fassen Sie sie in einem Text zusammen. Kommentieren Sie auch, wie interessant oder wichtig Sie persönlich die Ereignisse um den 9. November 1989 finden.

ÜBER VERGANGENE ZEITEN BERICHTEN	VON EINEM HISTORISCHEN EREIGNIS BERICHTEN	EIN EREIGNIS KOMMENTIEREN
Damals war es so, dass …	Es begann damit, dass …	Meines Erachtens war besonders erstaunlich/überraschend, dass …
Anders als heute …	Die Ereignisse führten dazu, dass …	Ich denke, … ist auch für … interessant/wichtig, weil …
Wenn man früher … wollte, musste man …	Nachdem … bekannt gegeben worden war, …	Die Ereignisse zeigen, wie …
Häufig/Meistens war es normal, dass …	Dank … kam es (nicht) zu …	Für mich persönlich hat … keine besondere Bedeutung, denn …
In dieser Zeit …	Zunächst meldete … noch, dass …, aber …	

Deutschland war lange ein geteiltes Land: Im Westen war die Bundesrepublik Deutschland (BRD) und im Osten die Deutsche Demokratische Republik (DDR). Anders als heute verlief eine Grenze …

▶ Ü 1-2

Angela Merkel *(*17. Juli 1954)*

Physikerin – Politikerin

Angela Merkel auf Staatsbesuch in den USA

Angela Merkel wird am 17. Juli 1954 als Angela Dorothea Kasner in Hamburg als erstes Kind – von insgesamt drei – des Theologiestudenten Horst Kasner und der Lehrerin Herlind Kasner geboren.
Über ihr Privatleben spricht Angela Merkel nur selten. Aus ihrer Jugend ist aber zum Beispiel bekannt, dass sie als Schülerin zwar oft Klassenbeste ist, aber ausgerechnet in Physik auch mal eine Fünf bekommt. In ihrer Jugendzeit tritt sie den DDR-treuen Organisationen „Junge Pioniere" bei sowie später der FDJ. Als Teenager in der DDR hört sie die Beatles, reist nach Moskau und trägt gerne auch mal West-Kleidung. Bei der Großmutter, die in Ost-Berlin lebt, sieht sie im Westfernsehen heimlich politische Sendungen.
1973 legt Angela in Templin ihr Abitur ab und beginnt ein Physikstudium an der Universität Leipzig, das sie 1978 erfolgreich beendet. Mit 23 heiratet sie den Physikstudenten Ulrich Merkel, aber die Ehe dauert nur vier Jahre. 1986 promoviert sie zum Dr. rer. nat.
Den Mauerfall erlebt Angela Merkel vor dem Fernseher. Sie ruft zunächst ihre Mutter an, rechnet jedoch noch nicht mit der Öffnung der Grenze am gleichen Tag. 1989 tritt Angela Merkel in die Partei Demokratischer Aufbruch (DA) ein, womit ihre politische Laufbahn beginnt. Schon 1990 wird sie Pressesprecherin des DA, der später mit der CDU fusioniert. Am 18. März wird die CDU stärkste Partei bei den ersten freien Wahlen der DDR. Merkel wird stellvertretende Regierungssprecherin und noch im selben Jahr in den Bundestag gewählt. Am 18. Januar 1991 wird sie zur Bundesministerin für Frauen und Jugend in der Regierung unter Helmut Kohl ernannt. Im Dezember 1991 wird Merkel zur stellvertretenden Parteivorsitzenden der CDU gewählt, neun Jahre später übernimmt sie den Parteivorsitz.
Als sie 2005 als Kanzlerkandidatin antritt, erreicht sie zwar keine absolute Mehrheit, wird aber vom Bundestag in einer Koalition von SPD und CDU/CSU mit 397 zu 611 Stimmen zur Kanzlerin gewählt. Angela Merkel ist die erste Bundeskanzlerin Deutschlands und mit 51 Jahren die bis dahin jüngste Amtsinhaberin. In den Bundestagswahlen von 2009 und 2013 wird sie in ihrem Amt bestätigt.
Als vielbeschäftigte Politikerin fährt Angela Merkel am Wochenende gern ins Grüne. Ihre Zeit ist knapp, denn selbst an Samstagen und Sonntagen hat sie oft wichtige Sitzungen, muss Entscheidungen treffen und Termine vorbereiten. Doch den Samstagabend versucht sie sich möglichst immer freizuhalten. Häufig kocht sie dann für ihren zweiten Mann, den Berliner Chemieprofessor Joachim Sauer, mit dem sie seit 1998 verheiratet ist. Das Essen mag sie am liebsten rustikal: Kartoffelsuppe, Schnitzel oder Forelle. Hin und wieder gehen Angela Merkel und ihr Mann mit Freunden ins Konzert. Zu den kulturellen Höhepunkten zählt jedes Jahr der Besuch der Bayreuther Festspiele. Ein ausgesprochener Stadtmensch ist Angela Merkel jedoch nicht: „Nur in der Stadt leben, das könnte ich nicht." Sobald der Terminkalender es zulässt, geht sie in den Garten zum eigenen kleinen Gemüsebeet, ins Grüne zum Wandern oder im Winter in die Berge zum Langlaufen.

www  Mehr Informationen zu Angela Merkel.

Sammeln Sie Informationen über Persönlichkeiten aus dem In- und Ausland, die für das Thema „Geschichte" interessant sind, und stellen Sie sie im Kurs vor. Sie können dazu die Vorlage „Porträt" im Anhang verwenden.

Beispiele aus dem deutschsprachigen Bereich: Willi Brandt – Sophie Scholl – Joschka Fischer – Ruth Dreifuss – Hannah Arendt – Hans-Dietrich Genscher – Antonia Rados – Winfried Kretschmann

1 Nomen, Verben und Adjektive mit Präpositionen

Viele Nomen, Verben und Adjektive haben dieselbe Präposition. Manchmal gibt es nur ein Nomen und ein Verb mit derselben Präposition, manchmal nur ein Nomen und ein Adjektiv mit derselben Präposition.

Verb	Nomen	Adjektiv	Präposition
abhängen	die Abhängigkeit	abhängig	von + D.
sich freuen	die Freude	erfreut	über + A.
helfen	die Hilfe	hilfreich	bei + D.
sich sorgen	die Sorge	besorgt	um + A.

Verb	Nomen	Präposition
sich ängstigen	die Angst	vor + D.
antworten	die Antwort	auf + A.
sich begeistern	die Begeisterung	für + A.
bitten	die Bitte	um + A.

Verb	Nomen	Präposition
sich erinnern	die Erinnerung	an + A.
sich interessieren	das Interesse	für + A.
suchen	die Suche	nach + D.
teilnehmen	die Teilnahme	an + D.

Nomen	Adjektiv	Präposition
die Bekanntschaft	bekannt	mit + D.
die Eifersucht	eifersüchtig	auf + A.
der Neid	neidisch	auf + A.

Nomen	Adjektiv	Präposition
die Neugier	neugierig	auf + A.
die Wut	wütend	auf + A.
die Verwandtschaft	verwandt	mit + D.

Nomen, Verben und Adjektive können auch mit Präpositionaladverbien verwendet werden.

Sache/Ereignis
- ○ **Worauf** bist du stolz? ● Auf mein Examen.
- ○ Bist du stolz auf deine Leistung? ● Nein. Wieso sollte ich **darauf** stolz sein?

Eine Übersicht über Verben, Nomen und Adjektive mit Präpositionen finden Sie im Anhang des Arbeitsbuchs.

2 Indirekte Rede

In der indirekten Rede verwendet man den Konjunktiv I, um deutlich zu machen, dass man die Worte eines anderen wiedergibt und nicht seine eigene Meinung ausdrückt. Sie wird vor allem in der Wissenschaftssprache, in Zeitungsartikeln und in Nachrichtensendungen verwendet.
In der gesprochenen Sprache benutzt man in der indirekten Rede häufig den Indikativ.

Bildung des Konjunktiv I: Infinitivstamm + Endung

	sein	***haben***	Modalverben	andere Verben
ich	sei	habe → hätte	könne	sehe → würde sehen
du*	sei(e)st	habest	könnest	sehest
er/es/sie	sei	habe	könne	sehe
wir	seien	haben → hätten	können → könnten	sehen → würden sehen
ihr*	sei(e)t	habet	könnet	sehet
sie/Sie	seien	haben → hätten	können → könnten	sehen → würden sehen

* Die Formen in der 2. Person sind sehr ungebräuchlich. Hier wird meist der Konjunktiv II verwendet.

Der Konjunktiv I wird meist in der 3. Person verwendet. Entspricht der Konjunktiv I dem Indikativ, wird der Konjunktiv II oder *würde* + Infinitiv verwendet: *Er sagt, sie **haben** keine Zeit.* → *Er sagt, sie **hätten** keine Zeit.*

Bildung des Konjunktiv I der Vergangenheit
Konjunktiv I von *haben/sein* + Partizip II: *Man sagt, Gutenberg **habe** den Buchdruck **erfunden** und mit 40 Jahren **sei** man im Mittelalter sehr alt **gewesen**.*

Ein Traum wird wahr

1 Deutsche Nachkriegsgeschichte: Ordnen Sie die Jahreszahlen zu.

November 1989	~~Mai 1949~~	August 1961	Oktober 1949	Oktober 1990

Mai 1949 ______ Gründung der Bundesrepublik Deutschland
______ Vereinigung von DDR und BRD
______ Bau der Berliner Mauer
______ Gründung der Deutschen Demokratischen Republik
______ Öffnung der Berliner Mauer für alle DDR-Bürger

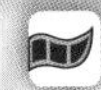

2a Sehen Sie eine Reportage über den Bau der Berliner Mauer 1961. Machen Sie Notizen zu den Fragen und berichten Sie dann im Kurs.

- Was machen Militär und Polizei?
- Warum fliehen einige Menschen?
- Die Menschen rufen „Volksabstimmung“. Was wollen sie damit erreichen?

b Wie kann man die Atmosphäre beschreiben? Was haben die Menschen damals wohl gedacht und gefühlt?

3 Sehen Sie nun eine Reportage aus dem Jahr 1989, als die Berliner Mauer geöffnet wurde. Lesen Sie vorher die Sätze auf dieser und der nächsten Seite. Wer sagt was?

Person ____: Das muss alles weg hier, alles! Die Leute sollen hin und her gehen, dann ist es gut.

Person ____: Ich geh auf jeden Fall zurück, weil ich an dieses Land glaube.

Person ____: Ich habe erlebt, wie die Mauer gebaut worden ist, und will sehen, wie sie wieder abkommt.

C

A

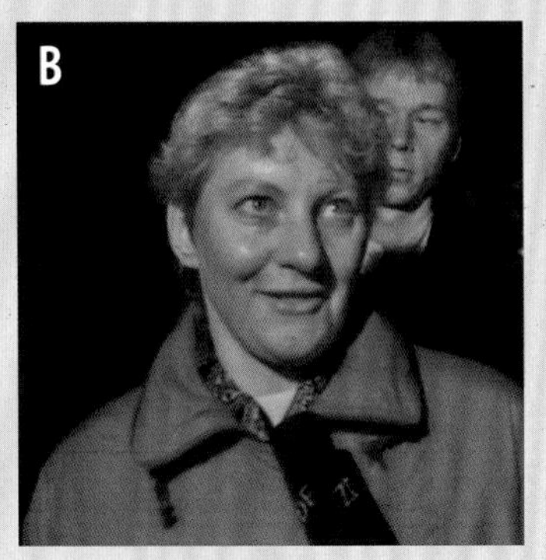
B

Person _____: In zwei Jahren haben wir die Wiedervereinigung.

Person _____: Wer jetzt schläft, der ist tot.

Person _____: Wir sind so tief bewegt gewesen, dass wir wieder aus dem Bett aufgestanden und hierhergekommen sind.

4a Welche Stimmung war am 9. November 1989 auf den Straßen? Was haben die Menschen gemacht? Was hat sie bewegt?

b Was finden Sie besonders beeindruckend, merkwürdig, schockierend ...?

1

5 Am 3. Oktober 1990 kam es zur Wiedervereinigung der beiden deutschen Staaten. Sehen und hören Sie noch einmal einige Äußerungen der Leute am Tag der Maueröffnung. Was haben die Personen damals über die Wiedervereinigung gedacht?

6 Welches historische Ereignis der letzten Jahrzehnte war für Sie besonders beeindruckend oder überraschend? Erzählen Sie im Kurs.

Mit viel Gefühl ...

A

Die Zeit ist hin

Die Zeit ist hin; du löst dich unbewusst
Und leise mehr und mehr von meiner Brust;
Ich suche dich mit sanftem Druck zu fassen,
Doch fühl ich wohl, ich muss dich gehen lassen.

So lass mich denn, bevor du weit von mir
Im Leben gehst, noch einmal danken dir;
Und magst du nie, was rettungslos vergangen,
In schlummerlosen Nächten heimverlangen.

Hier steh ich nun und schaue bang zurück;
Vorüber rinnt auch dieser Augenblick,
Und wie viel Stunden dir und mir gegeben,
Wir werden keine mehr zusammenleben.

Theodor Storm, 1817–1888

B *Gib jedem Tag die Chance,*
der schönste deines Lebens zu werden.

Mark Twain, 1835–1910

C Wenn du denkst,
es geht nicht mehr,
kommt irgendwo
ein Lichtlein her.

Sprichwort

D Dem Vogel ist ein einfacher Zweig
lieber als ein goldener Käfig.

Sprichwort

E *Mit dem Wissen wächst der Zweifel.*

Johann Wolfgang von Goethe, 1749–1832

Sie lernen
Modul 1 | Notizen zu einem Artikel über Musik machen
Modul 2 | Zu Texten über die Wirkung von Farben Stellung nehmen
Modul 3 | Dialoge verstehen und Aussagen emotional verstärken
Modul 4 | Einen komplexen Vortrag zum Thema „Angst" verstehen
Modul 4 | Eine E-Mail mit Tipps zur Entscheidungsfindung schreiben

Grammatik
Modul 1 | Nominalisierung von Verben
Modul 3 | Modalpartikeln

F *Es darf so mancher Talentlose von dem Werk so manches Talentvollen sagen: Wenn ich das machen könnte, würde ich es besser machen.*

Marie Freifrau von Ebner-Eschenbach, 1830–1916

Im wunderschönen Monat Mai

Im wunderschönen Monat Mai
Als alle Knospen sprangen,
Da ist in meinem Herzen
Die Liebe aufgegangen.

Im wunderschönen Monat Mai,
Als alle Vögel sangen,
Da hab ich ihr gestanden
Mein Sehnen und Verlangen.

Heinrich Heine, 1797–1856

G

H *Spruch in der Silvesternacht*

Man soll das Jahr nicht mit Programmen
beladen wie ein krankes Pferd.
Wenn man es allzu sehr beschwert,
bricht es zu guter Letzt zusammen.

Je üppiger die Pläne blühen,
umso verzwickter wird die Tat.
Man nimmt sich vor, sich schrecklich zu bemühen,
und schließlich hat man den Salat.

Es nützt nicht viel, sich rotzuschämen.
Es nützt nicht, und es schadet bloß,
sich tausend Dinge vorzunehmen.
Laßt das Programm, und bessert euch drauflos!

Erich Kästner, 1899–1974

1 a Welche Gefühle oder Themen werden in den Texten ausgedrückt?

b Welcher Text gefällt Ihnen am besten? Begründen Sie.

c Welche anderen Gefühle kennen Sie? Sammeln Sie im Kurs.

2 Kennen Sie Lieder, Gedichte oder Sprüche aus Ihrem Land zum Thema „Gefühle"? Stellen Sie sie im Kurs vor.

Mit Musik geht alles besser

1 Welche Rolle spielt Musik in Ihrem Leben? Wann hören Sie welche Musik?

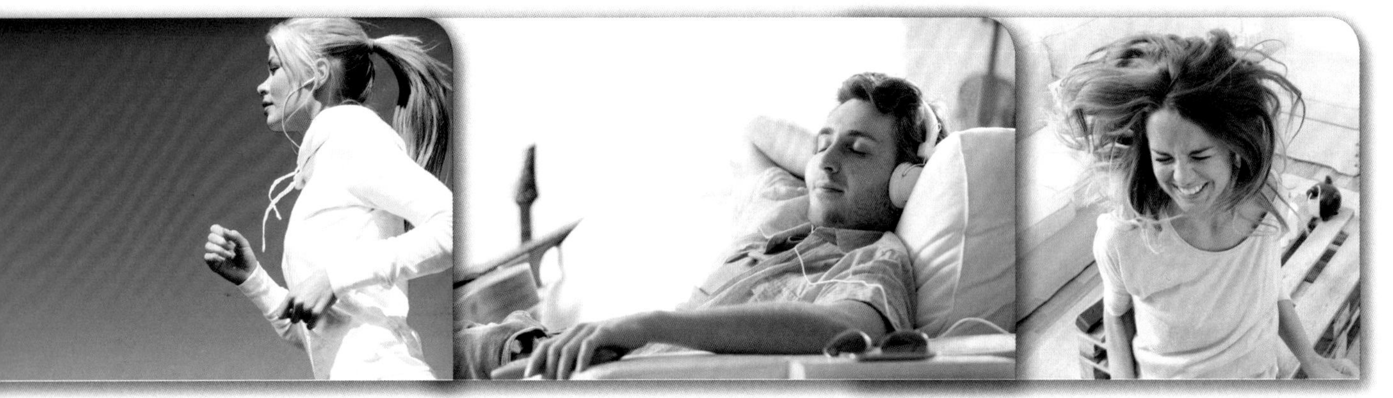

▶ Ü 1-2

2a Lesen Sie den Artikel. Welche Auswirkungen hat Musik auf den Körper? Sammeln Sie zu zweit.

Die Macht der Musik

1 Was wäre die Welt ohne Musik? Niemand möchte sich das vorstellen, denn Musik ist Teil unserer Kultur. Wir Menschen verfügen über die Fähigkeit, Töne zu erzeugen und zu erkennen. Viele Wissenschaftler gehen davon aus, dass den Menschen diese Fähigkeit angeboren ist. Sie glauben, Musik sei noch vor der Sprache entstanden, dass Musik sozusagen die Mutter der Sprache ist. Andere vermuten, Musik und Sprache hätten sich parallel entwickelt. Was Wissenschaftler aber heute sicher erkannt haben: Musik und Sprache werden in unterschiedlichen Regionen unseres Gehirns verarbeitet. Trotzdem laufen in unserem Gehirn gemeinsame Prozesse ab, wenn wir Musik und Sprache wahrnehmen.

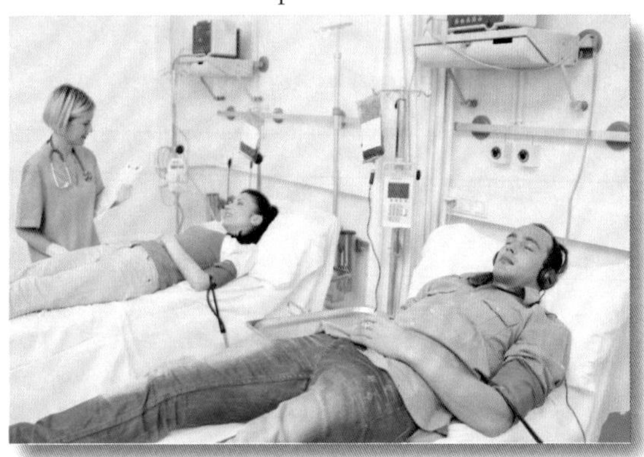

2 Musik nehmen wir meist passiv wahr. Auch wenn wir gar nicht darauf achten, dass wir Musik hören, reagiert unser Körper darauf. Mit Musik vertreiben wir uns nicht nur die Zeit und bauen Stress ab, Musik kann noch viel mehr: Sie beeinflusst unser Befinden enorm, da sie auf unseren Körper wirkt wie z. B. auf die Herzfrequenz und den Pulsschlag. Dadurch steuert Musik unseren Blutdruck und folglich auch die Gehirnaktivität. Auch Atmung, Stoffwechsel, Schmerzempfinden und Sauerstoffverbrauch reagieren auf musikalische Reize. Deshalb nutzt die moderne Medizin die Kraft der Musik bereits vielfach.

3 So kann Musik das Schmerzempfinden von Patienten senken. Denn wer bewusst Musik hört, ist vom Schmerz abgelenkt. Der Schmerz-Stress-Kreislauf wird unterbrochen. Diese schmerzlindernde Wirkung wurde bei älteren Menschen mit chronischen Gelenkschmerzen eindeutig nachgewiesen. Musik kann aber auch bei Hirnschäden die Therapie von Bewegungs- und Sprachstörungen unterstützen, z. B. nach einem Schlaganfall. Manche Menschen lernen sogar, wieder zu sprechen. Bei Patienten, die zunehmend Probleme mit dem Gedächtnis haben – etwa durch Alzheimer und Demenz –, setzen Musiktherapeuten Musik ein, um an noch vorhandene Gedächtnisinhalte anzuknüpfen. Dazu wählen sie Lieder oder Melodien, die die Patienten schon aus ihrer Jugend kennen, und reaktivieren so Erinnerungen und Gefühle der Betroffenen.

4 Musik kann auch die Konzentration und den Lernerfolg positiv beeinflussen. So wie die Werbung die Möglichkeiten der Musik nutzt, um ihre Botschaften besser in den Köpfen der Konsumenten zu verankern, können auch bestimmte Lerninhalte mit Musik besser behalten werden. Das gilt besonders für Lernstoff, der reproduziert werden soll. Muss man z. B. Vokabeln auswendig lernen, ist es durchaus sinnvoll, sie im Takt einer bestimmten Musik mehrfach zu wiederholen. Weil der Rhythmus der Musik mit den Vokabeln verbunden wird, ist der Lerneffekt oft größer.

Egal, um welchen Bereich es in unserem Leben geht, Musik kann eine wohltuende, beruhigende und gesundheitsfördernde Rolle spielen.

b Lesen Sie den Artikel noch einmal. Notieren Sie, in welchem Abschnitt die Aussagen stehen.

1. Unser Körper reagiert unbewusst auf Musik. 2
2. Mit Musik kann man sich bestimmte Dinge besser einprägen. ___
3. Es gibt unterschiedliche Theorien über die Entstehung von Sprache und Musik. ___
4. Mit Hilfe von Musik können Erinnerungen zurückkehren. ___
5. Die Verarbeitung von Musik und Sprache erfolgt im Gehirn getrennt. ___
6. Musik macht Schmerzen erträglicher. ___

3a Nominalisierungen helfen beim Notieren. Sehen Sie sich die Notizen zu Abschnitt 1 des Artikels an. Was hat sich im Vergleich zum Text verändert?

Abschnitt 1
- *Musik = Teil unserer Kultur*
- *angeborene Fähigkeit zur Erzeugung / zum Erkennen von Tönen*
- *Entstehung von Musik:*
  a) vor Sprache
  b) parallel zu Sprache
- *sichere Erkenntnis zu Sprache und Musik:*
  a) Verarbeitung in unterschiedlichen Gehirnregionen
  b) gemeinsame Prozesse bei der Wahrnehmung

b Aus den Notizen in 3a kennen Sie Nomen, die von Verben abgeleitet sind. Ergänzen Sie diese und weitere Beispiele in der Regel.

G

Nominalisierung von Verben

Es gibt viele Möglichkeiten, ein Verb zu nominalisieren. Häufige Endungen und Veränderungen sind:

Verb ohne Endung (mit/ohne Vokaländerung)	abbauen	→ *der Abbau*
	wählen	→ die Wahl
***das* + Infinitiv**	erkennen	→ das erkennen
die* + *-ung	entstehen	→ die entstehung
	wahrnehmen	→ die Wahrnehmung
der* + *-er	lernen	→ der lehrner
***die/der* + *-e* (mit/ohne Vokaländerung)**	folgen	→ die Folge
	helfen	→ die Hilfe
die/das* + *-(t)nis	erkennen	→ die Erkenntnis
	erleben	→ das Erlebnis
die* + *-(t)ion	reagieren	→ die Reaktion

Umformung der Akkusativergänzung

mit Artikelwort: *Musik **verändert** den Blutdruck.* → *die **Veränderung** des Blutdrucks* (G.) *durch Musik*
ohne Artikelwort: *Musik **baut** Stress **ab**.* → *der **Abbau** von Stress* (von + D.) *durch Musik*

▶ Ü 3-4

c Formen Sie die Sätze aus Abschnitt 2 des Artikels um.

1. Der Körper reagiert auf Musik.
2. Musik beeinflusst unser Befinden.
3. Musik wirkt auf den Körper. Die Wirkung von Musik auf den Körper
4. Musik steuert unseren Blutdruck.
5. Die Medizin nutzt Musik.

▶ Ü 5

4 Machen Sie zu dritt Notizen zu Abschnitt 3 und 4 des Artikels. Nutzen Sie auch Nominalisierungen. Vergleichen Sie anschließend Ihre Notizen im Kurs.

Farbenfroh

1a Welche Farbe ist Ihre Lieblingsfarbe? Warum gerade diese Farbe?

Ich trage am liebsten die Farbe …

In meiner Wohnung mag ich …

b Mit welchen Begriffen verbinden Sie die Farben? Notieren Sie die Nomen mit Artikel.

Wut · Hoffnung · Gesundheit · Ärger · Sorge · Gefahr · Geld · ~~Liebe~~ · Reinheit · Pessimismus · Krankheit · Ruhe · Verzweiflung · Trauer · Neid · Jugend · Wahrheit · Kraft · Tod

die Liebe					

▶ Ü 1

c Vergleichen Sie im Kurs. Welche Unterschiede und Gemeinsamkeiten gibt es?

3.17

2a Hören Sie das Farbenrätsel aus einer Radiosendung. Notieren Sie die Farben und die Informationen, die Ihnen beim Lösen geholfen haben.

Farbe 1: ________	**Farbe 2:** ________	**Farbe 3:** ________

3.18

b Hören Sie die Beschreibungen noch einmal. Ergänzen Sie Bedeutung und Wirkung der Farben.

Farbe 1: Bedeutung: ________
Wirkung: ________

Farbe 2: Bedeutung: ________
Wirkung: ________

Farbe 3: Bedeutung: ________
Wirkung: ________

c Recherchieren Sie im Internet nach einer anderen Farbe. Stellen Sie sie im Kurs als Rätsel vor. Die anderen raten.

- Wo kommt die Farbe vor?
- Was bedeutet sie?
- Wie wirkt sie auf Menschen?

SPRACHE IM ALLTAG

Farben werden in Redewendungen oft benutzt, um Gefühle oder Emotionen auszudrücken oder zu verstärken:

gelb vor Neid werden — *rot sehen*
im grünen Bereich sein — *sich schwarzärgern*
alles Grau in Grau sehen — *eine weiße Weste haben*
jmd. das Blaue vom Himmel versprechen

3 Einen Kurzvortrag halten

a Arbeiten Sie zu zweit. Wählen Sie A oder B und lesen Sie die Aufgabe. Machen Sie Notizen zu den drei Fragen.

A

Farben fördern Emotionen

Wer eine Wohnung einrichtet, sollte auf Farben achten. Gelb schafft eine positive Stimmung. Grün hat eine beruhigende Wirkung. Dunkle Farben sollte man sparsam einsetzen, weil sie depressiv wirken. Vorsicht bei Rot: Es kann aktivieren, aber auch aggressiv machen. Weiß dagegen ist neutral, kann aber für eine kalte Atmosphäre sorgen.

Präsentieren Sie Ihrem Gesprächspartner / Ihrer Gesprächspartnerin Thema und Inhalt des Textes. Nehmen Sie kurz persönlich Stellung:
- Welche Aussage enthält die Meldung?
- Welche Beispiele fallen Ihnen dazu ein?
- Welche Meinung haben Sie dazu?

Sprechen Sie ca. 3 Minuten.

B

Essen Sie bunt, dann bleiben Sie gesund

Nicht nur der Geschmack von Lebensmitteln spielt beim Essen eine Rolle, sondern auch deren Farbe. Mit „leckeren" Farben den Tag bunt gestalten und sich dabei wohlfühlen, ist das Prinzip einer ausgewogenen Ernährung. Essen Sie nach dem Ampelprinzip täglich eine Mischung aus rotem, gelbem, grünem Gemüse und Obst.

Präsentieren Sie Ihrem Gesprächspartner / Ihrer Gesprächspartnerin Thema und Inhalt des Textes. Nehmen Sie kurz persönlich Stellung:
- Welche Aussage enthält die Meldung?
- Welche Beispiele fallen Ihnen dazu ein?
- Welche Meinung haben Sie dazu?

Sprechen Sie ca. 3 Minuten.

b Ordnen Sie die Redemittel den drei Fragen in 3a zu.

A Aussagen wiedergeben — B Beispiele nennen — C Äußerungen bewerten

___ In diesem Text geht es um …
___ Ich halte diese Meinung für richtig/falsch, weil …
___ Dazu fällt mir folgendes Beispiel ein: …
___ Die Hauptaussage des Textes ist: …
___ Ich bin anderer Meinung, denn …
___ Mir fällt als Beispiel sofort … ein.
___ Im Text wird behauptet, dass …
___ Ich möchte folgendes Beispiel anführen: …
___ Meiner Meinung nach …
___ Ich kann dem Text (nicht) zustimmen, weil …

c Sammeln Sie Redemittel für die Einleitung und den Schluss.

Ich habe zum Thema … einen Text erhalten.
Abschließend möchte ich zu diesem Thema sagen, dass …

GI

d Halten Sie nun Ihren Kurzvortrag.

▶ Ü 2

Sprache und Gefühl

3.19–20

1a Kleine Wörter – große Wirkung. Hören und lesen Sie ein Gespräch in zwei Varianten. Was unterscheidet Variante 2 von Variante 1? Kreuzen Sie an.

1. Die kleinen Wörter machen das Gespräch … ☐ lebendiger. ☐ lustiger. ☐ freundlicher.
2. Die Betonung der Äußerungen ist in Variante 2 … ☐ stärker. ☐ schwächer. ☐ gleich.

Variante 1
- ○ Hey Maike. Du bist auch hier?
- ● Hallo Anna, das ist schön, dass ich dich treffe. Wir haben uns lange nicht gesehen.
- ○ Du siehst gut aus. Schönes Kleid!
- ● Oh, danke. Setz dich zu mir.
- ○ Gern.
- ● Was gibt's Neues bei dir?

Variante 2
- ○ Hey Maike. Du bist auch hier?
- ● Hallo Anna, das ist **aber** schön, dass ich dich treffe. Wir haben uns **ja** lange nicht gesehen.
- ○ Du siehst **aber** gut aus. Schönes Kleid!
- ● Oh, danke. Setz dich **doch** zu mir.
- ○ **Aber** gern …
- ● Was gibt's **denn** Neues bei dir?

3.21

b Hören Sie noch einmal Sätze aus Variante 2 und sprechen Sie sie nach.

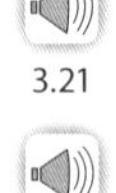
3.22–28

c Hören und lesen Sie die Dialoge A–G. Welche Bedeutung verstärken die Modalpartikeln in den Dialogen? Ordnen Sie zu.

Aufforderung/Befehl	Vorschlag/Ermunterung	Freundlichkeit/Interesse	Empörung	Überraschung

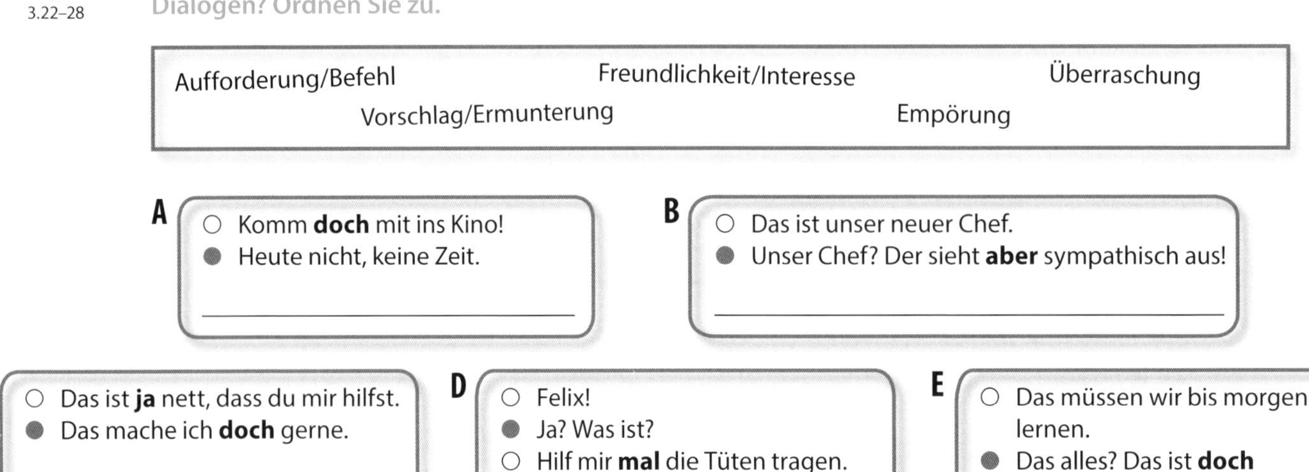

A
- ○ Komm **doch** mit ins Kino!
- ● Heute nicht, keine Zeit.

____

B
- ○ Das ist unser neuer Chef.
- ● Unser Chef? Der sieht **aber** sympathisch aus!

____

C
- ○ Das ist **ja** nett, dass du mir hilfst.
- ● Das mache ich **doch** gerne.

____

D
- ○ Felix!
- ● Ja? Was ist?
- ○ Hilf mir **mal** die Tüten tragen.

____

E
- ○ Das müssen wir bis morgen lernen.
- ● Das alles? Das ist **doch** unmöglich!

____

F
- ○ Ich treffe mich heute mit Sabrina.
- ● Ach ja? Sprecht ihr **denn** wieder miteinander?

____

G
- ○ Da hinten steht **ja** Robert!
- ● Was? Ich dachte, der ist in Berlin.

____

▶ Ü 1

d Sprechen Sie die Dialoge aus 1c zu zweit.

2a Bedeutung der Modalpartikeln. Arbeiten Sie zu zweit. Ergänzen Sie die Bedeutungen und Beispielsätze aus 1c.

Satzart	Partikel	Bedeutung	Beispiel
Aussagen und Ausrufe	***aber***	Freundlichkeit	*Das ist aber schön, dich zu sehen.*
			Der sieht aber sympathisch aus!
	doch		*Das mache ich doch gerne.*
		Empörung	
		Vorschlag/Ermunterung	
	ja	Freundlichkeit	
		Überraschung	*Du bist ja auch hier!*
		Empörung	*Das ist ja gemein!*
Aufforderungen, Aussagen, Fragen	***mal***	Aufforderung/Befehl	
Fragen	***denn***	Freundlichkeit/Interesse	*Wie geht's dir denn?*
			Sprecht ihr denn wieder miteinander?

b Ergänzen Sie die Regel.

verstärken | Betonung | Kontext | mündliche | Verb

G

Modalpartikeln

Modalpartikeln sind typisch für die ______________ Sprache. Man benutzt sie, um seine Ansichten, Absichten und Gefühle zu ______________ oder abzuschwächen.

In Aussagesätzen stehen die Modalpartikeln meist hinter dem ______________.

Die Bedeutung ist vom ______________ und von der ______________ des Satzes abhängig.

▶ Ü 2-3

3a Ergänzen Sie passende Modalpartikeln in den Sätzen. Es gibt mehrere Möglichkeiten.

1. Das kannst du ______________ nicht machen! (Empörung)
2. Du kommst mit? Hast du ______________ Zeit? (Überraschung)
3. Eure Wohnung ist ______________ sehr schön. (Freundlichkeit)
4. Los! Mach ______________ mit! (Vorschlag)
5. Das ist ______________ toll, wie Sie sich für die Firma engagieren. (Freundlichkeit)
6. Was machst du ______________ heute? (Interesse)
7. Ich kann das nicht alleine. Hilf mir ______________! (Aufforderung)
8. Ist das dein Sohn? Der ist ______________ groß geworden! (Überraschung)

b Wählen Sie zu zweit vier Sätze aus 3a und schreiben Sie Minidialoge. Lesen Sie die Dialoge laut.

● *Tut mir leid, ich lasse niemanden im Test abschreiben.*
○ *Was? Das kannst du doch nicht machen!*

Gemischte Gefühle

1a **Lieder und Gefühle. Welche Gefühle können Lieder auslösen? Sammeln Sie im Kurs.**

Immer wenn ich … höre, dann bekomme ich eine Gänsehaut / gute Laune / …
Bei … werde ich immer ganz melancholisch/aggressiv/…

▶ Ü 1

3.29

b **Hören Sie das Lied „Auf uns" von Andreas Bourani und beantworten Sie die Fragen.**

1. Welche Gefühle und Eigenschaften werden im Lied angesprochen?
2. Wie ist die Stimmung im Lied? Was bedeutet „Ein Hoch auf …"?
3. Wer könnte mit „uns" gemeint sein?

Wer friert uns diesen Moment ein?
Besser kann es nicht sein.
Denkt an die Tage, die hinter uns liegen,
Wie lang wir Freude und Tränen schon teilen.
5 Hier geht jeder für jeden durchs Feuer,
Im Regen stehen wir niemals allein
Und solange unsere Herzen uns steuern,
Wird das auch immer so sein.

Ein Hoch auf das, was vor uns liegt,
10 Dass es das Beste für uns gibt,
Ein Hoch auf das, was uns vereint,
Auf diese Zeit (Auf diese Zeit).
Ein Hoch auf uns (uns),
Auf dieses Leben,
15 Auf den Moment,
Der immer bleibt.
Ein Hoch auf uns (uns),
Auf jetzt und ewig,
Auf einen Tag
20 Unendlichkeit.

Wir haben Flügel, schwör'n uns ewige Treue,
Vergolden uns diesen Tag.
Ein Leben lang ohne Reue
Vom ersten Schritt bis ins Grab.

25 Ein Hoch auf das, was vor uns liegt, …

Ein Feuerwerk aus Endorphinen.
Ein Feuerwerk zieht durch die Nacht.
So viele Lichter sind geblieben,
Ein Augenblick, der uns unsterblich macht,
30 Unsterblich macht.

Ein Hoch auf das, was vor uns liegt, …

Ein Hoch auf uns,
Ein Feuerwerk aus Endorphinen.
Ein Hoch auf uns,
35 Ein Feuerwerk zieht durch die Nacht.
Ein Hoch auf uns,
So viele Lichter sind geblieben.
Auf uns.

c **Wie würde jemand, der gute Freunde hat, folgende Sätze ergänzen?**

1. Gemeinschaft bedeutet …
2. Freude ist für mich …
3. Angst ist ein Gefühl, das ich …
4. Ich sehe meine Zukunft …

d **Was begeistert oder freut Sie im Leben? Schreiben Sie in Gruppen einen eigenen Refrain und tragen/singen Sie ihn vor.**

Ein Hoch auf das, was …
Auf …
Ein Hoch auf uns.
Auf …
Auf …
…

2 **Nicht jeder Mensch ist optimistisch. Welche Aspekte fehlen pessimistischen oder ängstlichen Menschen im Lied?**

3.30

3a Lesen Sie die Mitschrift eines Vortrags zum Thema „Angst“, in der einige Informationen nicht gespeichert wurden. Hören Sie dann den Vortrag und folgen Sie der Mitschrift.

1. Definition „Angst“
a) keine Krankheit, sondern Zustand der ______________ und des ______________
b) eine der ältesten Emotionen
c) normale ______________

2. Nutzen der Angst
a) Vor Gefahr fliehen (Typ 1) b) Gefahr ______________ (Typ 2)

3. Körperliche Reaktionen

Typ 1
Herz: ______________
Augen: ______________
Muskeln: bereit zum Weglaufen

Typ 2
Körper: ______________
Herz: schlägt langsamer
Muskeln: ______________

4. Sehr starke Angst = ______________
Angst wandert in Kopf: ______________ = ruhige Überlegungen nicht möglich

5. Beispiele für Angstreaktionen
1) ______________ 2) ______________ 3) unbekannter Badesee

6. Rolle der Vorsicht
a) Mensch kann vorausdenken und Handeln planen
b) ohne Vorsicht: mehr ______________

7. Objekte der Angst
a) Kinder: ______________
b) Erwachsene:
jünger: ______________ + Ziele nicht erreichen
älter: ______________ + Verluste
c) alte Menschen: ______________

Veränderung

8. Notwendigkeit von Behandlung
a) immer Angst ohne sichtbaren Grund
b) ______________
c) generell Angst vor ______________

b Hören Sie noch einmal und ergänzen Sie die Mitschrift.

STRATEGIE

Strukturiert mitschreiben

Bei Mitschriften notiert man die wichtigsten Gedankenschritte, Informationen und Argumente aus einem Vortrag oder aus einem Lesetext. Die Informationen werden kurz und in Stichworten notiert. Grafische Mittel (Aufzählungen, Pfeile, Symbole …) unterstützen die Struktur. Eine strukturierte Mitschrift hilft, den Text später zusammenzufassen und sich an die Informationen leichter zu erinnern.

c Stellen Sie sich gegenseitig Fragen zum Vortrag und antworten Sie mithilfe der Mitschrift.

● *Wozu brauchen wir Angst?* ○ *Angst brauchen wir einerseits, um …*

▶ Ü 2-4

Gemischte Gefühle

4a Angst vor Entscheidungen. Stellen Sie sich vor, Sie müssen eine wichtige Entscheidung treffen. Entscheiden Sie mehr nach Gefühl oder mit dem Verstand?

b Lesen Sie den Zeitschriftenartikel. Welche Tipps finden Sie zum Thema „Entscheidungen"? Markieren Sie.

Soll ich? Oder soll ich nicht?

Bei der Arbeit, in Beziehungen oder einfach nur beim Shopping – manche Menschen können nur schwer Entscheidungen treffen.

Gründe gibt es dafür viele. Experten sehen ein besonderes Problem darin, dass wir heute einfach zu viele Möglichkeiten haben, zwischen denen wir wählen können. Damit laufen wir immer Gefahr, die schlechtere Variante gewählt zu haben. Dabei wollten wir doch das Beste.

Wenn wir einkaufen gehen, dann wissen die Firmen und Geschäfte natürlich um unser Dilemma und sie versuchen, unsere Entscheidungen zu beeinflussen. Sie machen uns mit Schnäppchen oder limitierten Angeboten Druck. Dann ist schnell gekauft, was wir eigentlich gar nicht brauchen oder suchen. Hier gibt es jedoch schnelle Hilfe: Nehmen Sie den Druck weg. Suchen Sie nur nach dem, was Sie auch wirklich brauchen und haben möchten. Es zahlt sich am Ende aus, sich vorher zu überlegen, was man sich wünscht und was man will. So können Sie Ihre Entscheidungen viel selbstsicherer fällen und in Ihrem Interesse beeinflussen.

Viel größere Sorgen machen uns die großen Entscheidungen: Habe ich die richtige Ausbildung gewählt? Ist mein Geld gut in diese Wohnung investiert? Natürlich möchte man gerade hier die beste Entscheidung treffen und viele entwickeln große Angst vor möglichen Fehlentscheidungen. Denn, wer Fehler macht, der muss Kritik einstecken. Hier helfen vor allem zwei Dinge: Wissen und Selbstbewusstsein. Holen Sie alle nötigen Informationen vor wichtigen Entscheidungen ein. Das gilt für den Beruf und für größere Investitionen gleichermaßen. Lesen Sie entsprechende Bücher, recherchieren Sie im Internet, fragen Sie Experten und Freunde nach deren Rat.

Wenn Sie danach immer noch zweifeln, hilft Ihnen vielleicht die Erkenntnis, dass kaum eine Entscheidung in unserem Leben endgültig sein muss. Berufe kann man wechseln, Wohnungen lassen sich wieder verkaufen und die meisten Verträge können gekündigt werden. Fehler können dazu führen, sich bewusst zu machen, was man wirklich will und kann. Und mit diesem Selbstbewusstsein lassen sich neue, bessere Entscheidungen treffen.

Aber nicht nur unser Geist, sondern auch unser Gefühl beeinflusst unser Urteilsvermögen. Und diese Gefühle sollte man nicht ignorieren. So wie Ihnen die Schmetterlinge im Bauch zeigen, dass eine andere Person vielleicht der oder die Richtige sein könnte, so sagt Ihnen auch der berühmte Stein im Magen, dass eine Entscheidung für Sie persönlich nicht gut oder richtig ist – selbst, wenn sie vom Kopf her vernünftig wäre.

Wie auch immer Ihre Entscheidungen ausfallen: Am Ende zählt, dass Sie sie nach bestem Wissen und Gewissen gefällt haben.

▶ Ü 5

c Welche weiteren Tipps könnte man Menschen geben, die sich schwer entscheiden können?

5a Lesen Sie die E-Mail einer Freundin. Wozu möchte sie Ihren Rat?

Liebe/r ...,
ich hoffe, bei dir ist alles okay. Heute brauche ich mal deinen Rat.
Wie du weißt, bin ich mit meinem Job nicht mehr so richtig zufrieden und neulich hatte ich endlich ein sehr positives Vorstellungsgespräch bei einer anderen Firma. Die Bezahlung ist zwar nicht so gut, aber sie haben sehr interessante Projekte. Dabei wird viel Eigeninitiative und Kreativität gefordert. Die Ansprüche sind hoch, aber mir gefällt das. Es ist das komplette Gegenteil von meinem momentanen Job. Die Leute hier sind zwar nett und das Gehalt stimmt, aber die Arbeit ist einfach nur Routine. Ich lerne nichts Neues mehr. Natürlich wäre ein Jobwechsel nicht so leicht. Die neue Firma ist in Tübingen, was also eine Wochenendbeziehung mit Tim und drei Stunden Fahrt zu Freunden und Familie bedeutet. Soll ich den Job wechseln? Was meinst du?
Liebe Grüße
Susan

b Schreiben Sie eine Antwort und geben Sie Susan einen Rat, wie sie zu einer Entscheidung kommen kann.

VERSTÄNDNIS ZEIGEN	SITUATIONEN EINSCHÄTZEN	TIPPS GEBEN
Ich kann gut verstehen, dass …	Welches Gefühl hast du, wenn du an … denkst?	Ich rate dir, …
Ich finde es ganz normal, dass …	Wie geht es dir bei dem Gedanken, …?	Du solltest …
Es ist verständlich, dass …	Was sagt … zu …?	Ich würde dir empfehlen, dass du …
	Wie würde … reagieren, wenn …?	Wie wäre es, wenn du …?
		Hast du schon mal über … nachgedacht?
		An deiner Stelle würde ich …

▶ Ü 6

6a Entscheiden mit dem Entscheidungsbaum. Was ziehen Sie am Ende an?

Sie stehen mal wieder vor dem Kleiderschrank und wissen nicht, was Sie anziehen sollen? Greifen Sie nicht einfach nach Lust und Laune zu, denn der Entscheidungsbaum hilft bei wichtigen Entscheidungen im Leben. Starten Sie mit der Frage „Musst du heute zur Arbeit?“, entscheiden Sie immer mit Ja oder Nein.

b Suchen Sie sich jetzt in Gruppen eine eigene Frage aus und schreiben, malen, basteln Sie gemeinsam einen Entscheidungsbaum auf einem Plakat.

Was soll ich zu Essen/Trinken bestellen?
Welches Hobby passt zu mir?
Wohin soll ich in den Urlaub fahren?
…

c Hängen Sie die Plakate auf. Welcher Baum gefällt Ihnen am besten?

Heinrich Heine *(13. Dezember 1797–17. Februar 1856)*

Der „entlaufene Romantiker"

Christian Johann Heinrich Heine, als Harry Heine in Düsseldorf geboren, war einer der bedeutendsten deutschen Dichter und Journalisten des 19. Jahrhunderts. Heine verpackte Alltagssprache in Gedichte und gestaltete mit dem Feuilleton und dem Reisebericht eine für damalige Zeiten neue Kunstform. Als kritischer, politisch engagierter Journalist, Essayist und Satiriker hatte Heine viele Bewunderer, aber auch Feinde. Seine jüdische Herkunft und seine politischen Ansichten trugen zu seiner Rolle als Außenseiter in seiner Zeit bei.

Heinrich Heines Lebenslauf ist durch stetige Erfolge und Niederlagen gekennzeichnet: Nach dem Besuch einer Handelsschule und einem Volontariat in der Bank seines Onkels ermöglicht ihm dieser, ein Geschäft mit Stoffen zu führen. Doch schon bald ist dieses bankrott. Heine studiert daraufhin Rechtswissenschaften in Bonn, Göttingen und Berlin, was sein Interesse an Gesellschaft und Literatur weckt. Er lernt den romantischen Autor August Schlegel kennen oder hört Vorlesungen des Philosophen Georg Friedrich Wilhelm Hegel. Schließlich promoviert Heine 1824 in Göttingen, obwohl seine Studienzeit – auch wegen seiner jüdischen Herkunft – nicht immer einfach war. Um seine Arbeitschancen zu erhöhen, lässt er sich 1825 taufen und nennt sich danach Heinrich Heine. Vorteile bringt ihm dies jedoch nicht.

Heines Werk kann man in drei Phasen gliedern:

In seiner Jugend befasst er sich vor allem mit Lyrik. Seine Gedichte haben in dieser Phase deutliche Bezüge zur Deutschen Romantik. 1827 schreibt Heine das „Buch der Lieder", dessen Gedichte besonders populär wurden, weil sie Volksliedern ähnelten. Vertont wurden sie später von Robert Schumann und Franz Schubert. Liebe, die ungehört und unerfüllt bleibt, ist dabei immer wieder ein Thema. Zu viel Gefühl lehnt Heine aber ab und parodiert emotionale Übertreibung. Damit zieht er eine Grenze zur Romantik. Sich selbst bezeichnet er als den „entlaufenen Romantiker".

In der zweiten Phase seines Werks, in den 1830er- und 1840er-Jahren, widmet sich Heine vor allem Fragen zur Gesellschaft und ihrer Entwicklung. Er fordert, dass eine neue Zeit eine neue Literatur braucht. Schriftsteller sollten politisch Stellung nehmen. Er selbst schreibt Artikel, die die Leser begeistern, die Politiker aber verärgern, denn nach der französischen Julirevolution 1830 melden sich auch im Deutschen Bund immer mehr Stimmen, die mehr Liberalität und Gesetzesreformen fordern. 1835 wird das bisherige und zukünftige Werk von Heinrich Heine in den Ländern des Deutschen Bundes verboten. In dieser Zeit entsteht eine Vielzahl von satirischen Texten und Gedichten, die wegen der strengen Zensur oft nur verdeckt Gesellschaftskritik enthalten, darunter 1844 „Deutschland. Ein Wintermärchen".

Die dritte Schaffensperiode Heines ist überschattet von Krankheit und der Einnahme von starken Schmerzmitteln. Er liegt acht Jahre lang im Bett. Mythologische und historische Stoffe, aber auch die Beschäftigung mit Gott prägen sein Werk.

Heine stirbt 1856 in Paris und wird auf dem Friedhof Montmartre beerdigt. Er hinterlässt keine Kinder, jedoch seine Witwe Mathilde, die ihn um 25 Jahre überlebt. Kaum ein anderer Autor hat so viele Emotionen ausgelöst wie Heinrich Heine. Seine Leser hat er begeistert und verärgert, seine Heimat mit Liebe und Spott beschrieben.

www  Mehr Informationen zu Heinrich Heine.

Sammeln Sie Informationen über Persönlichkeiten aus dem In- und Ausland, die für das Thema „Emotionen und Gefühle" interessant sind, und stellen Sie sie im Kurs vor. Sie können dazu die Vorlage „Porträt" im Anhang verwenden.

Beispiele aus dem deutschsprachigen Bereich: Hermann Hesse – Anna Freud – André Heller – Erich Fried – Oskar Kokoschka – Andreas Bourani

1 Nominalisierung von Verben

Endung/Veränderung	Verb	Nomen
Verb ohne Endung (mit/ohne Vokaländerung)	*abbauen* *wählen*	*der Abbau* *die Wahl*
***das* + Infinitiv**	*erkennen*	*das Erkennen*
die* + *-ung	*entstehen* *wahrnehmen*	*die Entstehung* *die Wahrnehmung*
der* + *-er	*lernen*	*der Lerner*
die/der* + *-e **(mit/ohne Vokaländerung)**	*folgen* *helfen* *glauben*	*die Folge* *die Hilfe* *der Glaube*
die/das* + *-(t)nis	*erkennen* *erleben*	*die Erkenntnis* *das Erlebnis*
die* + *-(t)ion	*reagieren*	*die Reaktion*

*Der Körper **reagiert** auf Musik.* → *die **Reaktion** des Körpers auf Musik*
Nominativ — Genitiv

Bei Verben mit Akkusativ wird die Akkusativergänzung auf zwei Arten umgeformt:

mit Artikelwort: *Musik **verändert** den Blutdruck.* → *die **Veränderung** des Blutdrucks durch Musik*
Nominativ — Akkusativ — Genitiv — *durch* + Akkusativ

ohne Artikelwort: *Musik **baut** Stress **ab**.* → *der **Abbau** von Stress durch Musik*
Nominativ — Akkusativ — *von* + Dativ — *durch* + Akkusativ

2 Modalpartikeln

Modalpartikeln sind typisch für die mündliche Sprache. Man benutzt sie, um seine Ansichten, Absichten und Gefühle zu verstärken oder abzuschwächen. In Aussagesätzen stehen die Modalpartikeln meist hinter dem Verb. Die Bedeutung ist vom Kontext und von der Betonung des Satzes abhängig.

Satzart	Partikel	Bedeutung	Beispiel
Aussagen und Ausrufe	***aber***	Freundlichkeit	*Das ist aber schön, dich zu sehen.*
		Überraschung	*Der sieht aber sympathisch aus!*
	doch	Freundlichkeit	*Das mache ich doch gerne.*
		Empörung	*Das ist doch unmöglich!*
		Vorschlag/Ermunterung	*Komm doch mit ins Kino!*
	ja	Freundlichkeit	*Das ist ja nett.*
		Überraschung	*Du bist ja auch hier!*
		Empörung	*Das ist ja gemein!*
Aufforderungen, Aussagen, Fragen	***mal***	Aufforderung/Befehl	*Hilf mir mal!*
Fragen	***denn***	Freundlichkeit/Interesse	*Wie geht's dir denn?*
		Überraschung	*Sprecht ihr denn wieder miteinander?*

Manche Modalpartikeln haben eine ähnliche Bedeutung: *Dein Kleid ist **aber/ja** sehr schön!*

Musik macht klug

1a Sammeln Sie in Gruppen alle Wörter, die Ihnen zum Thema „Musik" einfallen.

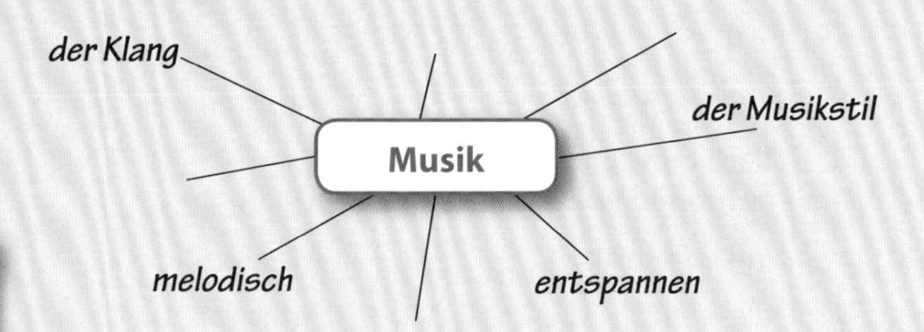

b Schreiben Sie die Sätze zu Ende und vergleichen Sie im Kurs.

Meine Lieblingsmusik ist …
Ohne Musik …
Wenn ich Musik höre, …
Ich höre gern Musik, wenn …

c Spielen Sie ein Instrument? Welches? Wann und wie haben Sie das Instrument erlernt? Falls Sie kein Instrument spielen: Welche Instrumente mögen Sie? Welches Instrument würden Sie gern spielen? Warum? Sprechen Sie zu zweit.

2a Sehen Sie den Film. Um welche Themen geht es? Kreuzen Sie an.

Dorothée Kreusch-Jacob

Im Film geht es darum, …

- ☑ 1. … ab welchem Alter Kinder Klänge wahrnehmen.
- ☑ 2. … wie man Musikpädagogin wird.
- ☑ 3. … was Musikalität bedeutet.
- ☑ 4. … was man durch Musik lernen kann.
- ☐ 5. … wie Musik in der Schule unterrichtet wird.
- ☑ 6. … wann Kinder ein Instrument erlernen sollten.
- ☐ 7. … wie Eltern und Kinder zusammen Musik machen können.

b Ersetzen Sie die markierten Teile in den Sätzen durch die Wörter und Ausdrücke aus dem Film.

in die Wiege gelegt	ausgereift	unbekümmert	begabend wirken	ganz Ohr sein

1. Der Gehörsinn ist beim Menschen schon sehr früh vollständig entwickelt.
2. Ich mag klassische Musik und höre dann immer aufmerksam zu.
3. Musik macht nicht nur Spaß, sondern fördert auch andere Fähigkeiten.
4. Mein Sohn macht Musik spielerisch und ohne sich darüber Gedanken zu machen.
5. Manchen Menschen ist eine besonders große musikalische Begabung angeboren.

1

3a Sehen Sie die erste Filmsequenz noch einmal. Korrigieren Sie die Aussagen.

1. Experten sagen, dass nicht alle Kinder Musik mögen.
2. Kinder sind erst ab einem gewissen Alter musikalisch.
3. Der Gehörsinn ist mit fünfzehn Monaten ausgereift.
4. Es ist wichtig, dass Kinder von Anfang an über Musik nachdenken.
5. Nur wenn man den richtigen Ton trifft, ist man musikalisch.

2

b Sehen Sie die zweite Filmsequenz noch einmal und machen Sie Notizen zu den folgenden Fragen.

- Was machen die Kinder im Film?
- Was kann man mit und durch Musik lernen?
- Wann ist der richtige Zeitpunkt, um ein Instrument zu erlernen?

c Wie wichtig finden Sie es, dass Kinder musikalisch gefördert werden? Kennen Sie ähnliche Angebote?

4 Arbeiten Sie zu zweit. Wählen Sie eine Situation. Sammeln Sie Argumente für Ihre Rolle. Spielen Sie dann den Dialog.

A Vater – Sohn (16)
Ihr Sohn hat viele Jahre lang Geige gespielt. Jetzt hat er andere Interessen, möchte lieber Sport machen, seine Freunde treffen und er spielt viel am Computer. Sie finden das sehr schade und versuchen ihn zu überzeugen, nicht mit der Musik aufzuhören.

B Mutter – Leiterin vom Kindergarten
Sie finden es sehr wichtig, dass Ihr Kind von klein auf musikalisch gefördert wird. Im Kindergarten Ihres Kindes wird aber fast nur Sport und sehr wenig Musik angeboten. Versuchen Sie, die Leiterin zu überzeugen, dass mehr für die musikalische Förderung der Kinder getan wird.

C Nachbar 1 – Nachbar 2
Sie wohnen in einer Wohnung in der Stadt. Die Kinder Ihres Nachbarn haben Klavierunterricht und üben sehr oft. Sie mögen Musik, aber das häufige Üben der Nachbarskinder stört Sie. Sprechen Sie mit Ihrem Nachbarn.

5 Welche Rolle spielt Musik in Ihrem Land? Zu welchen Gelegenheiten hört man Musik? Gibt es ein typisches Instrument oder eine besonders beliebte Musikrichtung? Erzählen Sie.

Ein Blick in die Zukunft

Sie lernen

Modul 1 | Über die Rolle und den Nutzen von Robotern in der Zukunft sprechen
Modul 2 | Einen Artikel über Zukunftsideen für den Gesundheitsmarkt zusammenfassen
Modul 3 | Ein Interview über „Berufe der Zukunft" analysieren
Modul 4 | Einen Beschwerdebrief schreiben
Modul 4 | Über Zukunftsszenarien in Büchern, Theater und Film sprechen

Grammatik

Modul 1 | Partizipien als Adjektive
Modul 3 | Konnektor *während*, Präpositionen mit Genitiv

3.31

1a Hören Sie das Hörspiel und ordnen Sie die Bilder in die richtige Reihenfolge.

b Erzählen Sie, was im Hörspiel passiert.

2 Wie sieht ein normaler Montagmorgen in der Zukunft aus? Schreiben Sie in Gruppen eine kurze Geschichte.

Roboterwelt

1 Beschreiben Sie die Bilder. Welche Aufgaben übernehmen die Roboter?

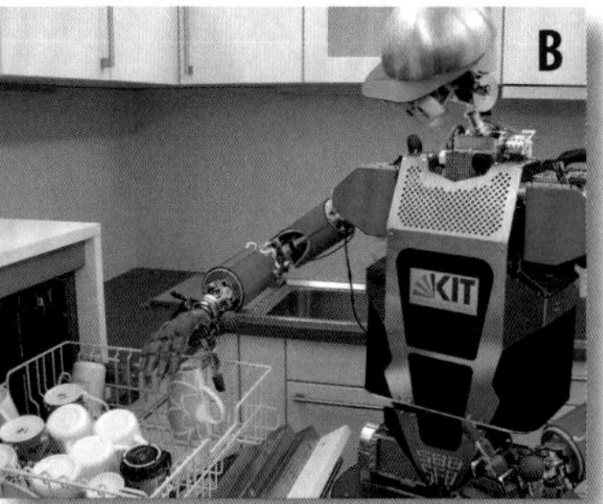

2a Arbeiten Sie zu zweit. Lesen Sie die Texte und formulieren Sie passende Überschriften.

1 ____________________

Prognosen zufolge wird in der Zukunft jeder zweite Job wegfallen, weil Menschen durch Roboter und Computer ersetzt werden. So können laut Experten viele Tätigkeiten von Robotern genauer und besser ausgeführt werden als von Menschen. Betroffen sind alle Branchen. Schwer zu ersetzen sind Berufe, bei denen Empathie, Verhandlungsgeschick oder Überzeugungskraft wichtig sind.

2 ____________________

In einigen Jahren sind auf unseren Straßen selbstfahrende Autos unterwegs. Fast alle führenden Technikkonzerne arbeiten an Roboter-Autos. Allerdings können sich die meisten Autofahrer noch nicht vorstellen, die Kontrolle abzugeben. Ein einleuchtendes Argument für die neue Technologie ist aber die Sicherheit. Roboter lassen sich nicht ablenken, werden nicht müde und haben eine bessere Reaktionszeit.

3 ____________________

Mit dem Schweizer Projekt „Avatar Kids" wird Kindern geholfen, die aufgrund eines langen Krankenhausaufenthalts nicht in die Schule gehen können. Die Kinder werden durch einen Roboter vertreten, der mit seinen Augen den Unterricht auf ein Tablet überträgt. Die von den Robotern unterstützten Kinder nehmen so am Unterricht teil. Mit dem Tablet kann der Roboter auch gesteuert werden, sodass die kranken Kinder mit ihren Lehrern und Mitschülern interagieren können.

4 ____________________

Forscher glauben, dass im intelligenten Haus der Zukunft vermehrt Roboter eingesetzt werden. Ein selbstständig denkender und arbeitender Roboter hilft dann im Haushalt. Er räumt die Spül- und Waschmaschine ein und aus, kocht Kaffee und wärmt Essen auf und kann so besonders für ältere Menschen von Vorteil sein. Die Roboter können auch einen Notruf senden, wenn ein Bewohner zum Beispiel gefallen ist. Ein schnell ausgelöster Notruf kann so Menschenleben retten.

▶ Ü 1

b Wie beurteilen Sie die Einsatzmöglichkeiten der Roboter? Arbeiten Sie zu zweit und sammeln Sie Vor- und Nachteile für jeden Robotertyp aus 2a.

c Suchen Sie sich einen neuen Partner / eine neue Partnerin und sprechen Sie über Ihre Argumente aus 2b. Welchen Roboter finden Sie am besten?

ARGUMENTE AUSTAUSCHEN

Das stimmt zwar, aber …	Man darf aber nicht vergessen, dass …
Ich finde, ein weiterer Vorteil/Nachteil ist …	Vielleicht ist das so, aber …
Es gibt noch den Aspekt, dass …	Wie meinst du das genau?
Ein anderes Argument dafür/dagegen ist …	Deine/Ihre Argumente finde ich einleuchtend.
… ist sicherlich sinnvoll, da …	Das kann man zwar sagen, doch …
Man muss auch daran denken, dass …	Ich stimme dir/Ihnen zu, dass …

▶ Ü 2

3a Partizip I und II als Adjektiv. Verbinden Sie und ergänzen Sie die Regel.

1. In einigen Jahren sind auf unseren Straßen selbstfahrende Autos unterwegs.
2. Die von Robotern unterstützten Kinder nehmen am Unterricht teil. — Partizip I
3. Ein selbstständig denkender und arbeitender Roboter hilft im Haushalt. — Partizip II
4. Ein schnell ausgelöster Notruf kann Menschenleben retten.

Partizipien können als ______________________ gebraucht werden. Wenn sie vor Nomen stehen, brauchen sie eine ______________________.

b Partizipien kann man durch Relativsätze wiedergeben. Lesen Sie die Beispiele und schreiben Sie sie um.

G

Bedeutung Partizip I

Aktive Handlungen oder Vorgänge, die gleichzeitig mit der Haupthandlung des Satzes passieren:

1. *In einigen Jahren sind auf unseren Straßen **selbstfahrende** Autos unterwegs.*
   → *In einigen Jahren sind auf unseren Straßen Autos, **die selbst fahren**, unterwegs.*
2. *Ein selbstständig **denkender** und **arbeitender** Roboter hilft älteren Menschen.*
   → *Ein Roboter, ______________________, hilft älteren Menschen.*

Bedeutung Partizip II

Meist passive Handlungen oder Vorgänge, die gleichzeitig mit oder vor der Haupthandlung des Satzes passieren:

3. *Ein schnell **ausgelöster** Notruf kann Menschenleben retten.*
   → *Ein Notruf, **der** schnell **ausgelöst wird**, kann Menschenleben retten.*
4. *Die von Robotern **unterstützten** Kinder nehmen am Unterricht teil.*
   → *Die Kinder, ______________________, nehmen am Unterricht teil.*
5. *Der auf der Messe **vorgestellte** Roboter wird in einigen Haushalten ausprobiert.*
   → *Der Roboter, **der** auf der Messe **vorgestellt worden ist**, wird in einigen Haushalten ausprobiert.*
6. *Die gestern **eröffnete** Messe dauert noch drei Wochen.*
   → *Die Messe, ______________________, dauert noch drei Wochen.*

▶ Ü 3

c Formen Sie die Relativsätze in Partizipialkonstruktionen um.

1. Roboter, die Emotionen zeigen, faszinieren viele Menschen.
2. Ein Roboter-Auto, das lange geplant worden ist, soll bald auf den Markt kommen.
3. Geräte, die von Robotern gebaut werden, haben oft weniger Defekte.
4. Forscher wollen Roboter, die eigenständig denken, entwickeln.

d Vor Partizipien können Erweiterungen stehen. Erweitern Sie die Partizipialkonstruktionen.

1. der sprechende Roboter
2. ein gebautes Auto
3. das präsentierte Modell
4. ein spielender Roboter

1. der sprechende Roboter – der drei Sprachen sprechende Roboter – der fließend drei Sprachen sprechende Roboter

4 Was für einen Roboter würden Sie gern entwickeln? Was sollte er können? Was sollte er Ihnen abnehmen? Erzählen Sie.

Dr. Ich

1a Wozu braucht man diese Geräte? Erklären Sie.

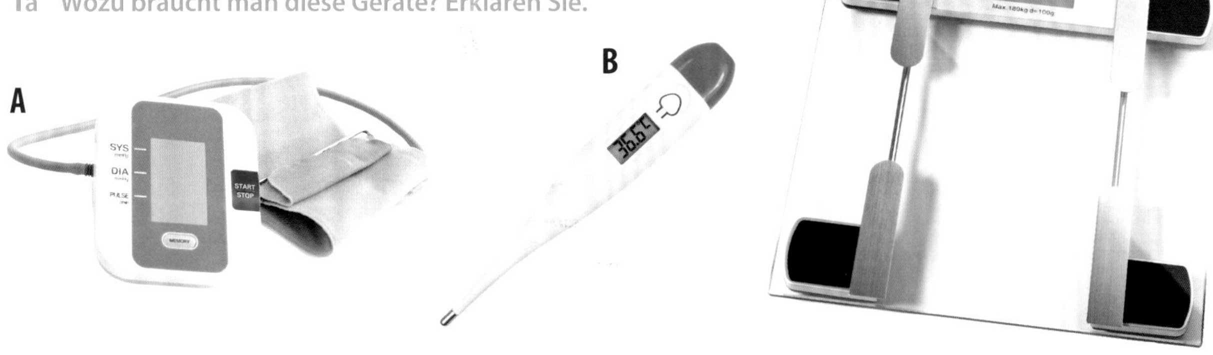

den Puls nehmen/messen	Körpertemperatur/Fieber anzeigen	etwas analysieren
eine Diagnose stellen	Blutdruck kontrollieren	wiegen
etwas diagnostizieren	steigenden/sinkenden Puls anzeigen	Werte anzeigen
Gewicht anzeigen		

b Lesen Sie den ersten Abschnitt des Artikels. Wer ist „Dr. Ich“ und was meint der Autor mit diesem Begriff?

Dr. Ich

Fast jeder kennt seine Körpergröße und sein Gewicht. Bei dem einen übertreiben, bei dem anderen untertreiben wir. Aber was wissen wir sonst über unseren Körper? Richtig. Fast nichts.
5 Die meisten Menschen haben nur ein medizinisches Gerät zu Hause. Es ist eine Erfindung von 1867: das Fieberthermometer. Wenn es um die Gesundheit geht, hinkt die Digitalisierung hinterher. Einige Unternehmen wollen das ändern, sie haben den Körper 10 als Geschäftsmodell entdeckt. Sie entwickeln Apps und Geräte, mit denen wir unsere Körper so einfach und regelmäßig checken sollen wie unsere E-Mails.
Dahinter stehen zwei Gedanken. Erstens: 15 Wer sein Leben vermisst, optimiert es. Zweitens: Der Patient wird so mehr und mehr zu seinem eigenen Arzt. Wie weit ist diese Entwicklung schon?

▶ Ü 1

2a Arbeiten Sie in drei Gruppen. Jede Gruppe wählt einen Abschnitt und notiert die wichtigsten Informationen.

BALD

20 Die Zukunft der Medizin ist aus weißem Kunststoff, hat einen Durchmesser von fünf Zentimetern und die Form 25 eines Eishockey-Pucks. *Scanadu Scout* heißt das Gerät, das die Technik eines Krankenhauses und das Wissen eines Arztes in einem Computer bün- 30 deln soll – so klein, dass er in die Hosentasche passt.
De Brouwer, Erfinder des Gerätes, behauptet, der *Scanadu Scout* könne die wichtigsten Körperdaten analysieren und an jedes Smartphone schicken. Man müsse ihn dafür nur zehn Sekunden lang auf die Stirn 35 richten. Ein Lichtsensor misst, wie viel Sauerstoff man einatmet. Der Beschleunigungssensor, wie weit sich der Brustkorb beim Atmen hebt, und eine kleine elektrische Platte unter den Daumen nimmt den Puls. Noch sind De Brouwer und sein Team nicht so 40 weit, aber eines Tages soll der Eishockey-Puck auch Diagnosen stellen können.

IN DREI BIS FÜNF JAHREN

Telemedizin – Für Dr. Heinrich Körtke ist sie ein Versprechen. Er glaubt, dass die Telemedizin helfen könnte, den Ärztemangel in Deutschland zu lindern.
Körtke leitet das Institut für angewandte Telemedizin (IFAT) in Bad Oeynhausen. Er hat ein Verfahren entwickelt, an dem in den vergangenen Jahren 8500 Patienten aus Ostwestfalen teilgenommen haben. Es ist simpel und vielleicht gerade deshalb so umstritten: Körtkes Patienten untersuchen sich selbst. Die Patienten prüfen regelmäßig ihre Werte und schicken sie an das Institut. Sie wählen dafür eine Nummer und halten ihre Messgeräte ans Telefon, die Daten werden dann automatisch gesendet. Die Ärzte an Körtkes Institut sind rund um die Uhr erreichbar. Sie sehen, wenn der Puls ihrer Patienten steigt oder der Sauerstoffanteil sinkt, und können dann die Medikamente besser einstellen oder den Hausarzt benachrichtigen.
In Deutschland verschreiben Ärzte noch keine telemedizinischen Therapien, weil die Krankenkassen nicht dafür aufkommen. Vor allem Hausärzte sträuben sich. Sie befürchten, die Telemedizin könnte ihnen die Wartezimmer leeren. Körtke sagt, er wolle die Ärzte nicht ersetzen. Er wolle ihnen helfen und die elektronischen Krankenakten der Patienten pflegen.

IN FÜNF BIS ZEHN JAHREN

Kämme, die unsere Haare zählen. Windeln, die melden, wenn sie voll sind. Die Frage ist nicht, ob diese Erfindungen auf den Markt kommen werden, sondern wann. Der Markt für »mHealth«, also für mobile Gesundheitsgeräte, wächst rasant. Glaubt man der Marktforschungsfirma Research and Markets, wurden 2013 bereits 4,8 Milliarden Euro für solche Geräte ausgegeben, 2018 sollen es mehr als 14 Milliarden Euro sein.
Dem Erfindungsreichtum der Forscher sind kaum Grenzen gesetzt. Schon jetzt gibt es Kontaktlinsen, die anhand der Tränenflüssigkeit den Blutzucker messen. Und Zahnbürsten, die sich über Bluetooth mit dem Smartphone verbinden und die Putzgewohnheiten auswerten.
Laut einer Umfrage des Branchenverbands Bitkom kann sich jeder fünfte Deutsche sogar vorstellen, sich einen Chip einpflanzen zu lassen, der seine Gesundheit überwacht. Wir müssten dann nicht mehr zum Arzt gehen – der Arzt würde sich bei uns melden, sobald er sieht, dass es uns schlecht geht.

b Arbeiten Sie zu dritt. Suchen Sie sich je einen Partner / eine Partnerin aus den beiden anderen Gruppen. Tauschen Sie Ihre Informationen aus 2a aus. Wenn etwas unklar ist, fragen Sie nach.

c Fassen Sie nun zu dritt den Artikel mithilfe Ihrer Notizen schriftlich zusammen.

STRATEGIE

Notizen für Zusammenfassungen nutzen

Machen Sie das Buch zu. Fassen Sie den Text mithilfe Ihrer Notizen mit Ihren eigenen Worten zusammen. Schreiben Sie nicht aus dem Text ab!

ZUSAMMENFASSUNGEN EINLEITEN	INFORMATIONEN WIEDERGEBEN	ZUSAMMENFASSUNGEN ABSCHLIESSEN
Der Text handelt von …	Im ersten/zweiten/nächsten Abschnitt geht es um …	Zusammenfassend kann man sagen, dass …
Das Thema des Textes ist …	Anschließend/Danach / Im Anschluss daran wird … beschrieben/dargestellt / darauf eingegangen, dass …	Als Hauptaussage lässt sich festhalten, dass …
Der Text behandelt die Frage, …	Ein wesentlicher Aspekt / Eine wichtige Aussage ist …	
	Der Text nennt folgende Beispiele: …	

▶ Ü 2

3 Was halten Sie von den angesprochenen Neuerungen aus dem Artikel? Welche Vor- und Nachteile sehen Sie? Diskutieren Sie im Kurs.

▶ Ü 3-4

Berufe der Zukunft

1a Welche Berufe kennen Sie, die es vor 30 Jahren noch nicht gab? In welchen Bereichen wird es in 30 Jahren vermutlich neue Berufe geben?

b Lesen Sie die Programmankündigung. Worum geht es in dem Radiointerview?

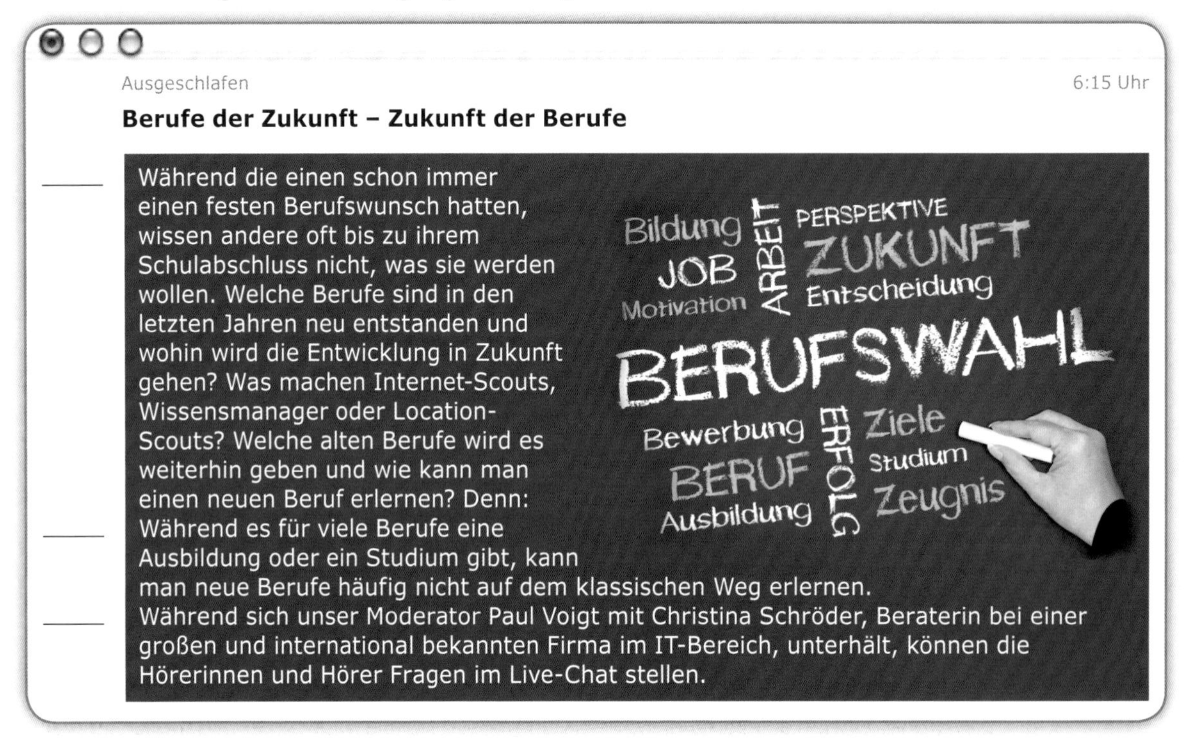

Ausgeschlafen — 6:15 Uhr

Berufe der Zukunft – Zukunft der Berufe

___ Während die einen schon immer einen festen Berufswunsch hatten, wissen andere oft bis zu ihrem Schulabschluss nicht, was sie werden wollen. Welche Berufe sind in den letzten Jahren neu entstanden und wohin wird die Entwicklung in Zukunft gehen? Was machen Internet-Scouts, Wissensmanager oder Location-Scouts? Welche alten Berufe wird es weiterhin geben und wie kann man einen neuen Beruf erlernen? Denn:
___ Während es für viele Berufe eine Ausbildung oder ein Studium gibt, kann man neue Berufe häufig nicht auf dem klassischen Weg erlernen.
___ Während sich unser Moderator Paul Voigt mit Christina Schröder, Beraterin bei einer großen und international bekannten Firma im IT-Bereich, unterhält, können die Hörerinnen und Hörer Fragen im Live-Chat stellen.

c Welche Bedeutung hat der Konnektor *während* im Text? Notieren Sie *t* für temporal (Zeit) oder *a* für adversativ (Gegensatz) am Rand.

d Bilden Sie für beide Bedeutungen von *während* Beispielsätze.

1. Während ich einen klassischen Beruf gelernt habe, …
2. Während ich in der Arbeit bin, …
3. Während meine Freunde für die Prüfung lernen, …

▶ Ü 1

3.32

2a Hören Sie nun den ersten Teil des Radiointerviews. Kreuzen Sie an.

1. Womit beschäftigt sich die Firma, in der Frau Schröder arbeitet?
   [a] Mit der Entwicklung von Computern.
   [b] Mit Kommunikationsmöglichkeiten.
2. Warum kann Frau Schröder Auskunft über aktuelle Entwicklungen auf dem Arbeitsmarkt geben?
   [a] Sie ist für die Ausbildung von Studenten zuständig.
   [b] In ihrem Arbeitsgebiet erfährt sie schnell von Änderungen im Berufsbereich.
3. Welche Probleme gibt es bei der Berufsausbildung?
   [a] Neue Berufe entstehen so schnell, dass es dafür noch keine richtige Ausbildung gibt.
   [b] Die Universitäten wollen ihre Studenten nicht auf die neuen Berufe vorbereiten.
4. Womit befassen sich viele neue Berufe?
   [a] Mit Informationsbeschaffung.
   [b] Mit Internetmanagement.

b Hören Sie den zweiten Teil des Interviews. Machen Sie Notizen zu den drei Berufen.

3.33

Internet-Scout	Wissensmanager	Location-Scout

c Kreuzen Sie an: Welche Aussagen geben Informationen aus dem Interview wieder?

☐ 1. Dank ihres Berufs ist Frau Schröder immer über die neuesten Entwicklungen informiert.
☐ 2. Innerhalb kürzester Zeit hat sich die Situation auf dem Arbeitsmarkt stark verändert.
☐ 3. Aufgrund der wachsenden Nachfrage haben neue Berufe oft mit Wissensbeschaffung zu tun.
☐ 4. Hochschulen konnten Studenten während der letzten Jahre gut auf neue Berufe vorbereiten.
☐ 5. Auch außerhalb der Hochschulen werden Ausbildungsangebote zu neuen Berufen entwickelt.
☐ 6. Infolge ihrer Recherchen können Internet-Scouts perfekt Veranstaltungen organisieren.
☐ 7. Innerhalb großer Firmen arbeiten Personen daran, Wissen für alle Mitarbeiter zugänglich zu machen.
☐ 8. Trotz der Veränderungen auf dem Arbeitsmarkt sind klassische Berufe weiterhin wichtig.
☐ 9. Wegen der immer komplexer werdenden Berufswelt ist Flexibilität eine wichtige Eigenschaft für Berufsanfänger.

3a Markieren Sie die Präpositionen mit Genitiv in 2c und ordnen Sie sie in die Tabelle.

G

Zeit	Ort	Grund/Folge	Gegengrund
		dank	

▶ Ü 2-3

b Rund um den Beruf. Bilden Sie Aussagen wie im Beispiel.

1. trotz (das hohe Gehalt)
2. wegen (der nette Chef)
3. dank (eine gute Ausbildung)
4. infolge (große Belastung)
5. innerhalb (die letzten Jahre)

1. Trotz des hohen Gehalts sucht er eine neue Stelle.

problemlos einen Job finden
eine neue Stelle suchen
viele Mitarbeiter krank werden
Spaß an der Arbeit haben
neue Berufe entstehen

4 Welche Berufe gelten in Ihrem Land als zukunftssicher? Welche spielen keine so wichtige Rolle?

Bei uns sind Berufe im Tourismus sehr zukunftssicher, denn …

Meine Zukunft – deine Zukunft

1a Über die Zukunft sprechen. Was gehört zusammen? Ordnen Sie zu.

____ 1. Wer eine gute Ausbildung hat,
____ 2. Er *verbaut sich die Zukunft*,
____ 3. Man könnte viel Geld verdienen,
____ 4. Manche Entscheidungen hängen davon ab,
____ 5. Projekte, die schlecht geplant werden,
____ 6. Wenn man *die Zukunft vorhersagen* könnte,
____ 7. Wir sind frisch verheiratet und

a könnte man viele Probleme vermeiden.
b wenn man *einen Blick in die Zukunft werfen* könnte.
c hoffen auf *eine rosige Zukunft*.
d *haben keine Zukunft*.
e ob sie *in naher* oder *ferner Zukunft* liegen.
f *hat gute Aussichten für die Zukunft*.
g wenn er die Schule abbricht.

b Wählen Sie drei der kursiven Formulierungen aus 1a und bilden Sie eigene Sätze.

3.34–37

2a Hören Sie die Umfrage. Zu welcher Person passt welche Aussage? Kreuzen Sie an.

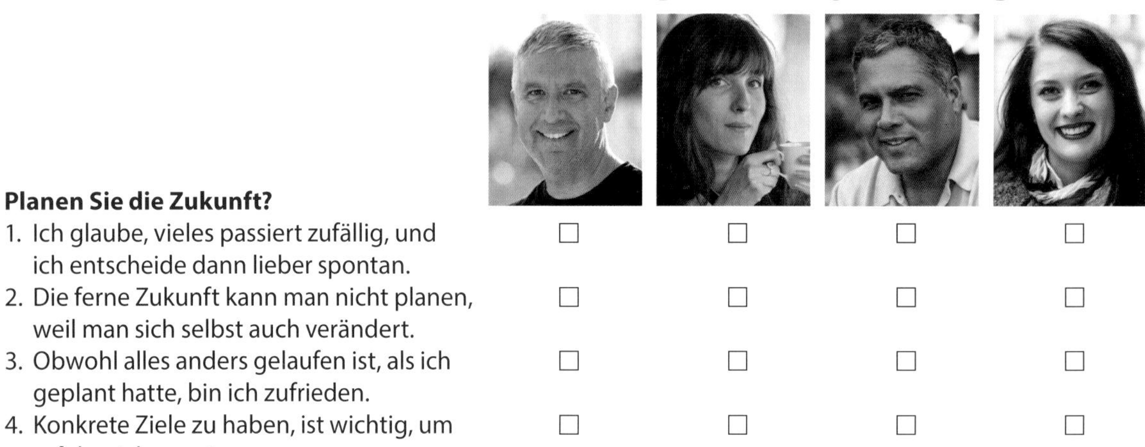

Planen Sie die Zukunft?	A	B	C	D
1. Ich glaube, vieles passiert zufällig, und ich entscheide dann lieber spontan.	☐	☐	☐	☐
2. Die ferne Zukunft kann man nicht planen, weil man sich selbst auch verändert.	☐	☐	☐	☐
3. Obwohl alles anders gelaufen ist, als ich geplant hatte, bin ich zufrieden.	☐	☐	☐	☐
4. Konkrete Ziele zu haben, ist wichtig, um erfolgreich zu sein.	☐	☐	☐	☐

b Planen Sie alles im Leben oder lassen Sie die Dinge eher auf sich zukommen? Erzählen Sie.

3 Zukunftsvisionen. In welchen Bereichen wird sich in Zukunft viel ändern? Sammeln Sie in Gruppen Ideen und vergleichen Sie.

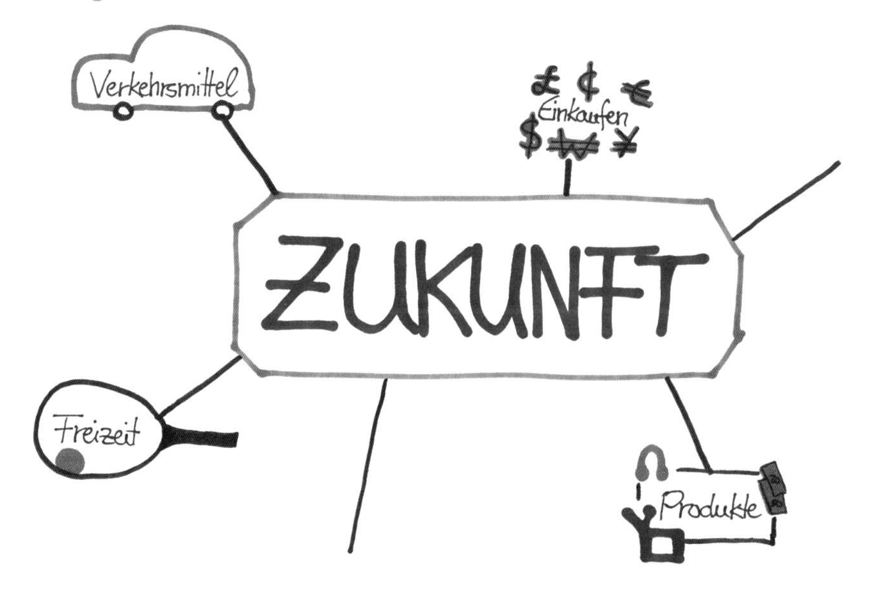

4a Lesen Sie die Forumsbeiträge zum Thema „Was bringt die Zukunft?". Um welche Themen geht es? Welcher Meinung stimmen Sie zu? Warum?

23.9. / 18:24 Uhr Bobi2025	Also, ich glaube, in der Zukunft wird sich vor allem das Lernen ändern. Wir werden hauptsächlich online lernen und nicht mehr in Schulen. Das virtuelle Klassenzimmer ist die Zukunft. Wir lernen auch nicht mehr aus Büchern, sondern beziehen unsere Informationen ausschließlich online. Der direkte Kontakt zu anderen wird fehlen. Dafür kann man dann lernen, wenn man Zeit hat und muss nicht mehr zu bestimmten Zeiten in einem Raum anwesend sein.
20.9. / 11:18 Uhr Müller089	Denke, der Arbeitsalltag wird sich noch mehr ändern. Fest angestellt werden in Zukunft nur noch wenige Menschen sein. Die meisten werden zeitlich beschränkte Verträge für bestimmte Projekte bekommen. Das wird viele Nachteile mit sich bringen, da die finanzielle Situation für viele Menschen dann sehr unsicher sein wird. Die Konkurrenz unter den Leuten wird noch stärker werden, weil man immer selbst dafür sorgen muss, dass man wieder einen Vertrag bekommt. Man muss sich also auch gut verkaufen können und das ist für viele Leute schwierig.
20.9. / 01:43 Uhr SusiSorglos	Meiner Meinung nach wird sich viel im Bereich der Verkehrsmittel ändern. In 50 oder 100 Jahren werden nur noch wenige Menschen ein Auto besitzen. Die Innenstädte werden für Privatautos gesperrt sein. Man wird nur noch mit öffentlichen Verkehrsmitteln fahren können, zu denen dann aber auch Autos, Motorräder, Fahrräder und Segways gehören. Man wird per Smartphone mit einem Klick wissen, welches Verkehrsmittel für welchen Weg das kostengünstigste, schnellste und energiesparendste ist, und dieses wird man an jeder Ecke der Stadt schnell und unkompliziert mieten können. Finde, das ist eine super Vorstellung.
17.9. / 08:59 Uhr Wiewo_:-)	Das Wohnen wird sich verändern. Einerseits wird man immer mehr moderne Häuser bauen, in denen Computer z. B. das Licht und die Raumtemperatur kontrollieren. Andererseits werden noch mehr Leute nach alternativen Wohnformen suchen, um der Anonymität der Großstädte zu entfliehen. Heißt, es wird mehr Generationenwohnprojekte und Ähnliches geben. Dort können die Leute unabhängig leben, ohne einsam zu sein.
12.9. / 16:07 Uhr Mil_lim	In der Zukunft werden wir kaum noch in Geschäfte gehen, sondern uns wirklich alles nach Hause liefern lassen, selbst die Einkäufe aus dem Supermarkt. Kann man ja jetzt schon machen, aber in ein paar Jahren wird das völlig normal sein. Da werden unsere Kühlschränke immer wissen, was wir brauchen, und es dann automatisch bestellen. Und wenn man einen Flug nach Spanien bucht, bestellt der Computer gleich die Sonnencreme und lässt sie nach Hause liefern.

SPRACHE IM ALLTAG

In SMS, E-Mails, kurzen Nachrichten oder Forumsbeiträgen lässt man oft das Subjekt weg.

Ich denke, dass … → *Denke, dass …*
Es kann sein, dass … → *Kann sein, dass …*
Ich komme auch. → *Komme auch.*

b Schreiben Sie einen eigenen Forumsbeitrag zum Thema. Hängen Sie alle Beiträge auf und ordnen Sie sie thematisch. Oder legen Sie ein Online-Forum an. Welche Meinungen und Ideen gibt es? Diskutieren Sie.

▶ Ü 1

5a Lesen Sie die Werbeanzeige. Welche Erwartungen werden durch die Anzeige geweckt? Wo könnten Erwartungen enttäuscht werden?

2 Tage in Frankfurt

Besuchen Sie die Messe „Zukunft jetzt – Bilden, Wohnen, Arbeit, Technik"

Buchen Sie noch heute unter *www.zukunftjetzt.biz* oder *Zukunft jetzt – Gelsenkirchener Str. 122 – 60311 Frankfurt*

Informieren Sie sich schon heute, was morgen aktuell ist.
1000 Aussteller aus aller Welt zeigen ihre Produkte, präsentieren ihre Ideen, informieren über neue Dienstleistungen.

Mit unserem sagenhaften Angebot haben Sie Zugang zu allen Messehallen und können alle Veranstaltungen der Messe besuchen.

Sie übernachten zwei Nächte in einem gemütlichen Hotel (mit Frühstücksbüffet) direkt am Messegelände. Am Ankunftsabend erwartet Sie außerdem ein kleiner Snack.

Und das Ganze zum sagenhaften Preis von **350 Euro**!

b Ordnen Sie die Überschriften den Redemitteln zu und markieren Sie pro Rubrik eine Formulierung, die Sie in einem Beschwerdebrief verwenden würden.

eine Forderung stellen — Probleme schildern — Erwartungen beschreiben

EINEN BESCHWERDEBRIEF SCHREIBEN

	In Ihrer Anzeige schreiben Sie … Die Erwartungen, die Sie durch die Anzeige wecken, sind … Durch Ihre Anzeige wird der Eindruck geweckt, dass …
	Leider musste ich feststellen, dass … Meines Erachtens ist es nicht in Ordnung, dass … Ich finde es völlig unangebracht, dass … Ich war sehr enttäuscht, als …
	Ich muss Sie daher bitten, … Ich erwarte, dass … Deshalb möchte ich Sie auffordern, … Bitte …, andernfalls/sonst werde ich …

▶ Ü 2

TELC

c Sie waren auf der Messe „Zukunft jetzt". Leider waren Sie überhaupt nicht zufrieden, weil vieles anders war, als in der Anzeige versprochen wurde. Schreiben Sie einen Brief an den Veranstalter, in dem Sie sich beschweren.

Behandeln Sie darin entweder
a) mindestens drei der folgenden Punkte *oder*
b) mindestens zwei der folgenden Punkte und einen weiteren Aspekt Ihrer Wahl.

- Erklären Sie, was Sie nun vom Veranstalter erwarten.
- Beschreiben Sie Ihre Erwartungen nach Lektüre der Werbeanzeige.
- Beschreiben Sie, was Sie auf der Messe und im Hotel erlebt haben.
- Beschreiben Sie, was Sie tun, falls Sie keine Antwort bekommen.

Bevor Sie den Brief schreiben, überlegen Sie sich eine passende Reihenfolge der Punkte, eine passende Einleitung und einen passenden Schluss. Vergessen Sie nicht Ihren Absender, die Anschrift, Datum, Betreffzeile, Anrede und Schlussformel. Schreiben Sie mindestens 150 Wörter.

6a Welche Bücher, Filme oder Theaterstücke kennen Sie, die in der Zukunft spielen? Worum geht es darin? Erzählen Sie kurz.

Ihr kennt doch Star Wars, oder? Also, da geht es um …

b Arbeiten Sie zu dritt. Jeder liest einen Text. Was ist das Hauptthema? Geben Sie kurz den Inhalt Ihres Textes wieder.

Der Schwarm
Roman von Frank Schätzing

An verschiedenen Orten auf der ganzen Welt gibt es plötzlich immer mehr Angriffe aus dem Meer auf Menschen. Meerestiere zeigen ein anormales Verhalten, doch zunächst scheinen die Ereignisse ohne Zusammenhang zu sein. Schwimmer werden von Haien oder Quallen attackiert, Fischer verschwinden, Schiffe kentern, ohne dass die Ursache erkennbar ist. Die Situation gerät immer mehr außer Kontrolle. Ein Forschungsteam findet bald heraus, dass die Zwischenfälle mit einer bisher unbekannten Intelligenz aus den Meerestiefen zusammenhängen. Diese will die Menschen von den Meeren vertreiben oder vielleicht sogar ganz auslöschen. Um eine Katastrophe zu verhindern, begeben sich die Wissenschaftler auf eine Expedition.

Corpus Delicti
Theater von Juli Zeh

Die Biologin Mia Holl lebt in einer Welt, in der die Gesundheit das Wichtigste ist. Der Staat kontrolliert über einen Chip im Oberarm aller Bürger die Blutwerte; jeder muss Sport treiben, Alkohol und Rauchen sind verboten. Nur Menschen mit passendem Immunsystem dürfen heiraten. Mia, die dieses System eigentlich befürwortet, wird zum Zweifeln gebracht, als ihr Bruder wegen eines Verbrechens ins Gefängnis kommt und sich dort umbringt. Sie absolviert ihr Sportpensum nicht mehr, wird beim Rauchen erwischt und gibt ihre Ernährungsberichte nicht mehr ab. Sie muss mehrmals vor Gericht vorsprechen und schließlich kommt es zu einem Prozess, der die ganze Nation beschäftigt.

Fenster zum Sommer
Film von Hendrik Handloegten

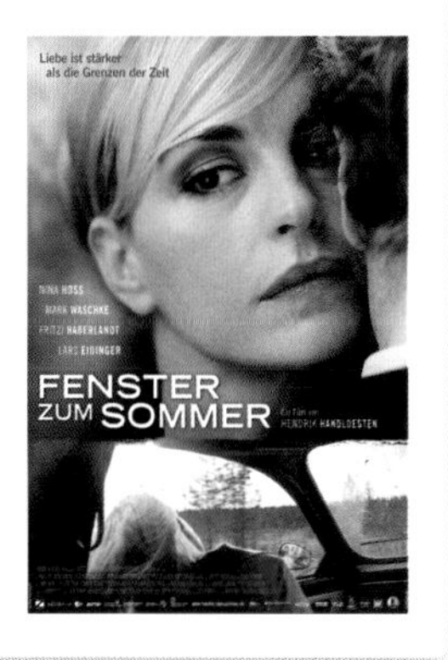

Es ist Sommer und Juliane hat gerade mit ihrer großen Liebe August ein neues Leben angefangen. Plötzlich wacht sie morgens auf und befindet sich wieder in der Vergangenheit. Es ist Februar, sie lebt unglücklich mit Philipp zusammen, von dem sie sich eigentlich schon längst getrennt hat. Die Gegenwart erlebt sie als Vergangenheit. Sie weiß immer schon vorher, was in der Zukunft passieren wird. Auch dass ihre Freundin Emily bei einem Unfall ums Leben kommen wird, weiß sie und will es verhindern. Außerdem muss sie unbedingt August wiedertreffen und die zufällig zustande gekommene Liebe ermöglichen. Was muss sie genauso machen wie vorher? Was kann sie ändern? Kann man die Zukunft überhaupt manipulieren oder ist sowieso alles Schicksal?

c Was finden Sie am interessantesten: den Roman, das Theaterstück oder den Film? Begründen Sie.

7 Entscheiden Sie sich für eine Aufgabe.

A Recherchieren Sie Informationen zu Frank Schätzing, Juli Zeh oder Hendrik Handloegten und präsentieren Sie die Person.
B Recherchieren und präsentieren Sie ein Buch, einen Film oder ein Theaterstück mit dem Thema „Zukunft".

Die Fraunhofer-Gesellschaft

und Joseph von Fraunhofer *(6. März 1787–7. Juni 1826)*

Joseph von Fraunhofer, Physiker und Astronom

Die Fraunhofer-Gesellschaft
Die Fraunhofer-Gesellschaft ist in Europa die größte Organisation für anwendungsorientierte Forschung vor allem in den Bereichen Gesundheit, Sicherheit, Kommunikation, Mobilität, Energie und Umwelt.

Die Gesellschaft, die 1949 gegründet wurde, besteht aus zahlreichen Instituten. Ziel der Fraunhofer-Gesellschaft ist es, Forschung nach den Bedürfnissen der Menschen, zum direkten Nutzen für Unternehmen und zum Vorteil der Gesellschaft zu betreiben. Damit soll zu einer wirtschaftlich erfolgreichen, sozial gerechten und umweltverträglichen Entwicklung der Gesellschaft beigetragen werden. Viele Innovationen und Verfahren gehen auf Forschungen oder Entwicklungen in Fraunhofer-Instituten zurück. Eine der bekanntesten Fraunhofer-Entwicklungen ist das Audiodatenkompressionsverfahren MP3. Die Fraunhofer-Institute sind überaus aktiv. So meldete die Gesellschaft im Jahr 2013 733 neue Erfindungen, davon wurden 603 zum Patent angemeldet.

Joseph von Fraunhofer
Die Gesellschaft ist nach Joseph von Fraunhofer benannt, einem zukunftsweisenden Forscher, der am 6. März 1787 in Straubing in einfachen Verhältnissen geboren wurde. Seine Eltern starben sehr früh, sodass er schon mit zwölf Jahren Waise war. Von seinem Vormund wurde Joseph für eine Glaserlehre nach München geschickt. Dort wurde Joseph von Utzschneider (Mitinhaber des Mathematisch-Mechanischen Instituts) auf ihn aufmerksam und bot ihm einen Ausbildungsplatz in seinem Institut an.
Fraunhofers Begabung zahlte sich aus und mit nur 22 Jahren wurde er Leiter der Optischen Glashütte des Mathematisch-Mechanischen Instituts in Benediktbeuern. Nur fünf Jahre später leitete er das ganze Institut und weitere fünf Jahre später erhielt er eine Professur an der Bayerischen Akademie der Wissenschaften. Im Alter von nur 39 Jahren starb Joseph von Fraunhofer am 7. Juni 1826 an einer Lungenkrankheit. Er ging mit seinen Arbeiten als Physiker, Optiker und Astronom in die Geschichte der Naturwissenschaften ein.

www  Mehr Informationen zur Fraunhofer-Gesellschaft und zu Joseph von Fraunhofer.

Sammeln Sie Informationen über Institutionen oder Persönlichkeiten aus dem In- und Ausland, die für das Thema „Zukunft" interessant sind, und stellen Sie sie im Kurs vor. Sie können dazu die Vorlage „Porträt" im Anhang verwenden.

Beispiele aus dem deutschsprachigen Bereich: Max-Planck-Institut – Lisa Kaltenegger – Thomas Südhof – Christiane Nüsslein-Volhard

1 Partizipien als Adjektive

Partizipien können als Adjektive gebraucht werden und geben dann nähere Informationen zu Nomen. Wenn sie vor Nomen stehen, brauchen sie eine Adjektivendung.

Bildung Partizip I als Adjektiv: Infinitiv + *d* + Adjektivendung
Bildung Partizip II als Adjektiv: Partizip II + Adjektivendung

Partizipien kann man durch Relativsätze wiedergeben:

Bedeutung	Beispiel	Umformung Relativsatz
Partizip I : aktive Handlungen oder Vorgänge, die gleichzeitig mit der Haupthandlung des Satzes passieren	*In einigen Jahren sind auf unseren Straßen **selbstfahrende** Autos unterwegs.*	*In einigen Jahren sind auf unseren Straßen Autos, **die selbst fahren**, unterwegs.*
Partizip II: meist passive Handlungen oder Vorgänge, die gleichzeitig mit oder vor der Haupthandlung des Satzes passieren	*Ein schnell **ausgelöster** Notruf kann Menschenleben retten.* *Der auf der Messe **vorgestellte** Roboter wird in einigen Haushalten ausprobiert.*	*Ein Notruf, **der** schnell **ausgelöst wird**, kann Menschenleben retten.* *Der Roboter, **der** auf der Messe **vorgestellt worden ist**, wird in einigen Haushalten ausprobiert.*

Vor Partizipien können Erweiterungen stehen:
der ausgelöste Notruf → der schnell ausgelöste Notruf → der schnell von Robotern ausgelöste Notruf

2 Konnektor *während*

Der Konnektor *während* leitet Nebensätze ein und kann zwei unterschiedliche Bedeutungen haben:

temporale Bedeutung (Zeit)	adversative Bedeutung (Gegensatz)
***Während** man studiert, kann man durch Praktika unterschiedliche Berufe kennenlernen.*	***Während** einige schon früh einen festen Berufswunsch haben, probieren andere verschiedene Berufe aus.*

3 Präpositionen mit Genitiv

Zeit	***Während** der letzten Jahre sind viele neue Berufe entstanden.* ***Innerhalb** kürzester Zeit hat sich der Arbeitsmarkt stark verändert.* Weitere Präpositionen: *außerhalb, inmitten*
Ort	***Innerhalb** großer Firmen arbeiten meist mehrere Wissensmanager.* ***Außerhalb** der Hochschulen werden neue Ausbildungsangebote entwickelt.* Weitere Präpositionen: *inmitten, unweit, jenseits*
Grund/Folge	***Wegen** der immer komplexer werdenden Berufswelt ist Flexibilität wichtig geworden.* ***Dank** einer guten Ausbildung hat er eine interessante Stelle gefunden.* ***Infolge** ihrer Recherchen können Location-Scouts perfekt Veranstaltungen organisieren.* ***Aufgrund** des großen Interesses werden Studienangebote zu neuen Berufen entwickelt.* Weitere Präpositionen: *anlässlich, angesichts*
Gegengrund	***Trotz** der fehlenden Ausbildungsmöglichkeiten sind neue Berufe sehr beliebt.*

Die Präpositionen *dank, trotz, während* und *wegen* werden in der gesprochenen Sprache auch mit Dativ verwendet: *wegen dem schlechten Wetter*

Vogelflug

1a Welche Tiere mögen Sie besonders gern? Erzählen Sie.

b Was ist für viele Menschen das Faszinierende an Vögeln?

2a Lesen Sie den Text. Wann fliegen die Kraniche wohin und warum?

Kraniche sind Zugvögel und gehen im Frühling und Herbst auf Reisen. Im Oktober/November starten sie ihren Flug nach Süden.

Kranich beim Brüten

Die meisten Kraniche verbringen die Wintermonate in wärmeren Ländern wie Spanien oder Frankreich. Ende Februar / Anfang März kehren sie zurück in ihre Brutgebiete nach Skandinavien, Polen, in die baltischen Staaten oder nach Russland. Auf der anstrengenden Reise machen sie unter anderem Halt in Deutschland. Ein Teil der Kraniche bleibt auch zum Brüten in Deutschland.

Kraniche auf ihrer Reise

b Was bedeuten die Wörter? Verbinden Sie.

1. das Zugverhalten
2. überwintern
3. zeitiger
4. das Revier
5. die Brut
6. die Vogelwarte
7. der Indikator

a das Brüten von Eiern
b eine Einrichtung zum Schutz und zur Überwachung von Vögeln
c ein festgelegter Bereich, in dem ein Tier lebt
d das Anzeichen für eine Entwicklung
e die kalte Jahreszeit in einem warmen Land verbringen
f früher
g wann Vögel auf welchen Strecken wohin fliegen

1 **3 Sehen Sie die erste Filmsequenz und beantworten Sie die Fragen.**

1. Was machen die Vogelforscher und warum?
2. Warum bleiben immer mehr Kraniche in Deutschland?
3. Worauf weist das veränderte Verhalten der Kraniche hin?

2 **4 Sehen Sie die zweite Filmsequenz. Welche Veränderungen in der Vogelwelt werden beschrieben? Machen Sie Notizen und vergleichen Sie.**

3

5 Um den Wandel im Vogelverhalten nachzuweisen, müssen die Vögel genau beobachtet werden. Sehen Sie die dritte Filmsequenz und ergänzen Sie die Sätze.

wohin die Vögel fliegen	viele Zugvögel
der Ring wie ein Ausweis sein	
gute Indikatoren für die Klimaveränderung sein	
einen Ring mit einer Nummer bekommen	

1. Forscher zählen jedes Jahr ______________________________.
2. Wenn ein Vogel zum ersten Mal gefangen wird, ______________________________.
3. Wenn der Vogel später wieder gefunden wird, ______________________________.
4. So erfahren die Forscher, ______________________________.
5. Vögel werden seit vielen Jahren beobachtet, deshalb ______________________________ ______________________________.

6a Klimawandel. Was wissen Sie darüber? Was sind die Ursachen, was die Folgen? Sammeln Sie im Kurs.

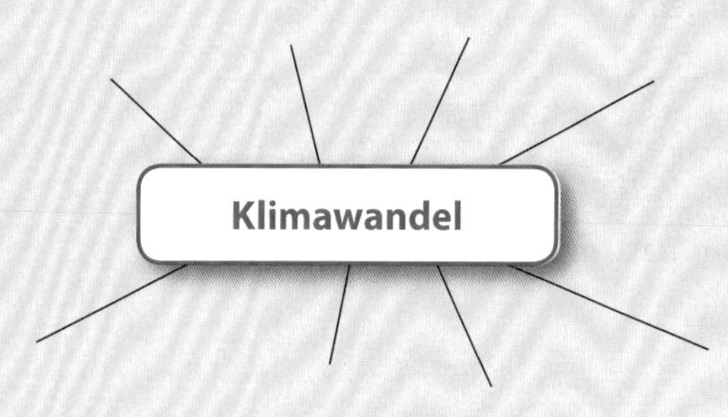

b Was könnte jeder Einzelne gegen den Klimawandel tun? Bilden Sie Gruppen und recherchieren Sie Informationen. Formulieren Sie dann Vorschläge.

7 Arbeiten Sie zu zweit. Notieren Sie zuerst Argumente für Ihre Rollenkarten in Stichpunkten. Spielen Sie dann die Situation.

Person A
Sie sind der Überzeugung, dass jeder Mensch etwas gegen den Klimawandel tun kann. Wenn sich mehr Menschen umweltfreundlicher verhalten, macht das insgesamt viel aus. Je mehr Leute an die Umwelt denken, desto besser. Sie versuchen, Person B davon zu überzeugen und zu einem umweltfreundlicheren Verhalten zu bewegen.

Person B
Ihrer Meinung nach ist alles, was man als Einzelner tun kann, nicht besonders effektiv. Sie denken, die großen Unternehmen und der Staat sind für die Umwelt und den Klimawandel verantwortlich. Außerdem scheint Ihnen umweltfreundliches Verhalten sinnlos, solange in anderen Teilen der Welt gar nichts getan wird.

Redemittel

Meinungen ausdrücken B1+K1M2/B1+K1M4/B2K1M2/B2ABK1M4

Ich bin der Meinung/Ansicht/Auffassung, dass …
Meiner Meinung nach …
Ich stehe auf dem Standpunkt, dass …
Meines Erachtens …

Ich denke/meine/glaube/finde, dass …
Ich finde erstaunlich/überraschend, dass …
Ich bin (davon) überzeugt, dass …
Ich bin da geteilter Meinung. Auf der einen Seite …, auf der anderen Seite …

eine Begründung ausdrücken B1+K1M4/B1+K5M1

… hat folgenden Grund: …
… halte ich für positiv/interessant/…, da …

Ich … nicht so gerne, weil …
Am wichtigsten ist für mich …, denn …

Zustimmung ausdrücken B1+K1M4/B1+K3M2/B1+K5M4/B1+K8M2/B1+K9M2/B2K1M4/B2K2M2

Der Meinung/Ansicht bin ich auch.
Das stimmt. / Das ist richtig. / Ja, genau.
Das ist eine gute Idee.
Es ist mit Sicherheit so, dass …
Ja, das sehe ich auch so / genauso …
Ich finde, … hat damit recht, dass …
Da kann ich mich nur anschließen.
Das kann ich nur bestätigen.

Ich bin ganz deiner/Ihrer Meinung.
Da hast du / haben Sie völlig recht.
Ja, das kann ich mir (gut) vorstellen.
Ich stimme dir/Ihnen/… zu, denn/da …
Ich finde es auch (nicht) richtig, dass …
Ich bin der gleichen Meinung wie …
Sie haben recht damit, dass …

Widerspruch/Ablehnung ausdrücken B1+K1M4/B1+K2M4/B1+K3M2/B1+K5M4/B1+K8M2/B1+K9M2/B2K1M4

Das stimmt meiner Meinung nach nicht.
Ich sehe das anders.
Ich finde aber, dass …
Das finde ich nicht so gut.
Es ist ganz sicher nicht so, dass …
Das kann ich mir überhaupt nicht vorstellen, weil …
Der Meinung bin ich auch, aber …
Ich sehe das etwas anders, denn …
Das halte ich für problematisch …

Das ist nicht richtig.
… finde ich gut, aber …
Es kann nicht sein, dass …
… halte ich für übertrieben.
Ich denke, diese Einstellung ist falsch, denn …
Das ist sicher richtig, allerdings …
Ich kann dieser Meinung nicht zustimmen, da …
Da muss ich wirklich widersprechen.

Äußerungen bewerten B2ABK4M4/B2K9M2

positiv/negativ
Ich halte diese Meinung für richtig/falsch, weil …
Meiner Meinung nach …
Ich bin anderer Meinung, denn …
Es stört (mich), wenn …
Ich kann dem Text (nicht) zustimmen, weil …
Ich sehe einen Vorteil/Nachteil darin, dass …
Von … kann keine Rede sein.
… ist ein/kein Gewinn.
Ich schätze es (nicht), wenn …
Wir haben endlich erreicht, dass …
… ist ein entscheidender Vorteil/Nachteil.

skeptisch
Es ist fraglich, ob …
… ist noch unklar.
Ich bezweifle, dass …
… ist ein problematischer Punkt.
Einige Zweifel gibt es noch bei …
Es bleibt abzuwarten, ob …

über eigene Erwartungen sprechen B2K3M2

Ich nehme an, …
Ich könnte mir vorstellen, dass …

Eventuell/Wahrscheinlich …
Ich verspreche mir von …, dass …

(starke) Zweifel ausdrücken B1+K1M4/B1+K2M4/B1+K9M2

Also, ich weiß nicht ...
Ob das wirklich so ist?
Ich glaube/denke kaum, dass ...
Ich sehe das völlig anders, da ...
Versteh mich nicht falsch, aber ...
Ich habe da so meine Zweifel, denn ...
Stimmt das wirklich?
Ich bezweifle, dass ...
Sag mal, wäre es nicht besser ...?
Ja, aber ich bin mir noch nicht sicher ...

Wichtigkeit ausdrücken B1+K1M2/B1+K1M4/B1+K6M3/B2K3M2

Bei ... ist ... am wichtigsten.
Für mich ist es wichtig, dass ...
Entscheidend für ..., ist ...
... bedeutet viel/wenig für mich.
Am wichtigsten ist für mich, dass ...
Ein wichtiger Punkt ist ...

Argumente/Gegenargumente nennen B1+K5M2/B2K2M2

Ich bin der Ansicht/Meinung, dass ...
Ein großer/wichtiger Vorteil von ... ist, dass ...
Ein weiterer Aspekt ist ...
Es ist (auch) anzunehmen, dass ...
Gerade bei ... ist wichtig, dass ...
Viel wichtiger als ... finde ich ...
Es ist logisch, dass ...
Untersuchungen/Studien zeigen, dass ...
Sicher sollten ...
An erster Stelle steht für mich, dass ...
Es stimmt zwar, dass ..., aber ...
Ich sehe ein Problem bei ...
Das Gegenteil ist der Fall: ...
Im Prinzip ist das richtig, trotzdem ...
Dagegen spricht, dass ...

Argumente verbinden B1+K5M2/B1+K7M2

Zunächst einmal denke ich, dass ...
Außerdem/Weiterhin ist für mich wichtig, dass ...
Nicht zu vergessen ist ...
Ein weiterer Vorteil/Nachteil ist, dass man ... ist/hat.
Ich glaube darüber hinaus, dass man so besser ...
Schließlich möchte ich noch darauf hinweisen, dass ...

Argumente austauschen B2K10M1

Das stimmt zwar, aber ...
Es gibt noch den Aspekt, dass ...
... ist sicherlich sinnvoll, da ...
Man darf aber nicht vergessen, dass ...
Wie meinst du das genau?
Das kann man zwar sagen, doch ...
Ich finde, ein weiterer Vorteil/Nachteil ist ...
Ein anderes Argument dafür/dagegen ist ...
Man muss auch daran denken, dass ...
Vielleicht ist das so, aber ...
Deine/Ihre Argumente finde ich einleuchtend.
Ich stimme dir/Ihnen zu, dass ...

Vor- und Nachteile nennen B2K1M2

Ein großer/wichtiger/entscheidender Vorteil/Nachteil ist, dass ...
Ich bin davon überzeugt, dass ... gut/schlecht ist.
Ich finde es praktisch, dass ...
Einerseits ist es positiv, dass ..., andererseits kann es auch problematisch sein, wenn ...
Aus meiner Sicht ist es sehr nützlich/hilfreich, dass ...

Vermutungen ausdrücken B1+K5M1/B1+K6M1/B1+K6M4/B1+K8M3

Ich kann/könnte mir gut vorstellen, dass ...
Es kann/könnte (gut) sein, dass ...
Er/Sie wird ... sein.
Im Alltag wird er/sie ...
Es ist denkbar/möglich/vorstellbar, dass ...
Vielleicht/Wahrscheinlich/Vermutlich ist/macht ...
Ich vermute/glaube / nehme an, dass ...
Er/Sie sieht aus wie ...
Er/Sie wird vermutlich/wahrscheinlich ...

Redemittel

Vorschläge machen — B1+K2M4/B1+K4M4/B1+K5M4/B1+K8M3/ B2K1M4/B2K5M4/B2K6M4

Ich würde vorschlagen, dass …
Wir könnten doch … / Man könnte doch …
Dann kannst du ja jetzt …
Ich könnte …
Ich finde, man sollte …
Wir sollten auch …
Könnten Sie sich vorstellen, dass …?
Ich würde … gut finden, weil …
Hast du (nicht) Lust …?
Was hältst du / halten Sie von … / von folgendem Vorschlag: … / davon, wenn …?
Wenn du möchtest, kann ich …
Wie wäre es, wenn wir …?
Ich hätte da eine Idee: …
Ich könnte mir vorstellen, dass …
Aus diesem Grund würde ich vorschlagen, dass …

Gegenvorschläge machen — B1+K4M4/B1+K5M4/B2K1M4/B2K6M4

Meinst du nicht, wir sollten lieber …?
Lass uns doch lieber …
Ich hätte einen anderen Vorschlag: …
Es wäre bestimmt viel besser, wenn wir …
Ich würde es besser finden, wenn …
Keine schlechte Idee, aber wie wär's, wenn wir …?

Vorschläge annehmen — B2K1M4/B2K5M4

Warum eigentlich nicht?
Das klingt gut / hört sich gut an.
Gut, dann sind wir uns ja einig.
Ich kann diesem Vorschlag nur zustimmen.
Ich denke, das könnte man umsetzen.
Meinetwegen können wir das so machen.
Ja, das könnte man so machen.
Das ist eine hervorragende Idee.

Vorschläge ablehnen — B2K5M4

Das halte ich für keine gute Idee.
Wie soll das funktionieren?
Das lässt sich nicht realisieren.
Dieser Vorschlag ist nicht durchführbar.
Das kann man so nicht machen.

sich einigen — B2K5M4/B2K6M4

Wir könnten uns vielleicht auf Folgendes einigen: …
Dann können wir also festhalten, dass …
Schön, dann einigen wir uns also auf …
Wie wäre es mit einem Kompromiss: …?
Wären Sie damit einverstanden, wenn …?
Gut, dann machen wir es so.

Wünsche und Ziele ausdrücken — B1+K2M3/B1+K5M1

Ich hätte Lust, …
Ich hätte Spaß daran, …
Ich habe vor, …
Ich würde gern …
Ich finde … super.
Wenn ich Zeit hätte, dann …
Ich wünsche mir, …
Für mich wäre es gut, …
Für mich ist es wichtig, …
Ich möchte …

Gefühle und Wünsche ausdrücken — B2K2M4

Ich würde mir wünschen, dass …
Ich würde mich freuen, wenn …
Ich fühle mich / Mir geht es …, wenn …
Ich glaube/denke, dass …
Ich finde es traurig, wenn …
Verlange ich zu viel, wenn …?
Für mich ist es schön/gut/leicht/…, wenn …
Ich bin echt davon enttäuscht, dass …
… macht mich sauer/wütend/…
Für mich ist wichtig, dass …

Verärgerung ausdrücken / Kritik üben — B2K4M4

Du könntest wenigstens mal …
Für mich wäre es leichter, wenn …
Ich verstehe nicht, wieso …
Kannst du mir mal sagen, warum …?
Es ist mir ein Rätsel, warum …
Ich habe keine Lust mehr, …
Ständig muss ich / machst du …

auf Kritik reagieren B2K4M4

Tut mir leid, das ist mir gar nicht aufgefallen.
Ich kann dich schon verstehen, aber …
Was ist denn los? Ich habe/bin doch nur …
Deine Vorwürfe nerven total. Ich finde …
Du hast ja recht, aber …
Ich verstehe, was du meinst, aber …
Immer bist du am Meckern, dabei …

Ratschläge/Tipps geben B1+K2M4/B1+K3M4/B1+K5M3/B1+K5M4/B2K9M4

Am besten wäre es, …
An deiner Stelle würde ich …
Da sollte man am besten …
Du solltest/könntest …
Ich kann euch/dir nur raten, …
Man kann …
Mir hat … sehr geholfen.
Versuch doch mal, …
… ist wirklich empfehlenswert.
Dabei sollte man beachten, dass …
Es ist besser, wenn …
Es ist höchste Zeit, dass ….
Wie wäre es, wenn du …?
Wenn ich du wäre, …
Auf keinen Fall solltest du …
Ich rate dir, … / Ich würde dir raten, …
Meiner Meinung nach solltest du …
Oft hilft …
Wenn du mich fragst, dann …
Wir schlagen vor, …
Wir haben den folgenden Rat für euch: …
Sinnvoll/Hilfreich/Nützlich wäre, wenn …
Ich würde dir empfehlen, dass du …
Hast du schon mal über … nachgedacht?

gute Wünsche aussprechen / gratulieren B1+K1M4

Herzlichen Glückwunsch!
Ich wünsche … viel Glück!
Ich schicke euch die herzlichsten Glückwünsche!
Es freut mich, dass …
Ich freue mich sehr/riesig für euch.
Alles Gute!
Ich sende euch die allerbesten Wünsche!
Ich möchte euch zu … gratulieren.
Das ist eine tolle Nachricht!
Ich bin sehr froh, dass …

Erstaunen/Überraschung ausdrücken B1+K3M1/B1+K4M1

Mich hat total überrascht, dass …
Erstaunlich / Besonders interessant finde ich …
Ich finde es komisch, dass …
Für mich war neu, …

Situationen einschätzen B2K9M4

Welches Gefühl hast du, wenn du an … denkst?
Wie geht es dir bei dem Gedanken, …?
Was sagt … zu …?
Wie würde … reagieren, wenn …?

Verständnis zeigen B1+K3M4/B2K9M4

Ich kann gut verstehen, dass …
Es ist verständlich, dass …
Es ist ganz natürlich, dass …
Ich finde es ganz normal, dass …

Unsicherheit/Sorge ausdrücken B1+K2M4

Ich bin mir noch nicht sicher.
Ich befürchte nur, …
Ich kann dir nicht versprechen, …
Überleg dir das gut.
Ich habe wohl keine Wahl.
Es ist nicht einfach, …

höfliche Bitten ausdrücken B1+K8M3

Könnten Sie … bitte …?
Dürfte ich … bitte …?
Hätten Sie bitte … für mich?
Würden Sie … bitte …?
Ich würde Sie bitten, …
Ich bräuchte …

Redemittel

Probleme beschreiben B1+K5M4

Für viele ist es problematisch, wenn …
… macht vielen (große) Schwierigkeiten.
Ich habe große Probleme damit, dass …
Es ist immer schwierig, …
… ist ein großes Problem.

Beschwerden ausdrücken und darauf reagieren B1+K8M3/B1+K9M3

sich beschweren
Könnte ich bitte Ihren Chef sprechen?
Darauf hätten Sie hinweisen müssen.
Wenn Sie … hätten, hätte ich jetzt kein Problem.
Es kann doch nicht sein, dass …
Ich finde es nicht in Ordnung, dass …
Ich habe da ein Problem: …
Es kann doch nicht in Ihrem Sinn sein, dass …
Ich muss Ihnen leider sagen, dass …
… lässt zu wünschen übrig.
Es stört mich sehr, dass …
Ich möchte mich darüber beschweren, dass …

auf Beschwerden reagieren
Ich würde Sie bitten, sich an … zu wenden.
Wir könnten Ihnen … geben.
Könnten Sie bitte zu uns kommen?
Wir würden Ihnen eine Gutschrift geben.
Würden Sie mir das bitte alles schriftlich geben?
Entschuldigung, wir überprüfen das.
Ich kann Ihnen … anbieten.
Einen Moment bitte, ich regele das.
Oh, das tut mir sehr leid.
Wir kümmern uns sofort darum.

einen Beschwerdebrief schreiben B2K10M4

Erwartungen beschreiben
In Ihrer Anzeige schreiben Sie …
Die Erwartungen, die Sie durch die Anzeige wecken, sind …
Durch Ihre Anzeige wird der Eindruck geweckt, dass …

eine Forderung stellen
Ich muss Sie daher bitten, …
Ich erwarte, dass …
Deshalb möchte ich Sie auffordern, …
Bitte …, andernfalls/sonst werde ich …

Probleme schildern
Leider musste ich feststellen, dass …
Meines Erachtens ist es nicht in Ordnung, dass …
Ich finde es völlig unangebracht, dass …
Ich war sehr enttäuscht, als …

über Erfahrungen berichten B1+K3M4/B1+K5M4/B2K2M2/B2K3M2

Ich habe ähnliche Erfahrungen gemacht, als …
Mir ging es ganz ähnlich, als …
Wir haben oft bemerkt, dass …
Wir haben gute/schlechte Erfahrungen mit … gemacht.
In meiner Kindheit habe ich …
Ich habe die Erfahrung gemacht, dass …
Es gibt viele Leute, die …
Bei mir war das damals so: …
Uns ging es mit/bei … so, dass …
Meine Erfahrungen haben mir gezeigt, dass …
Im Umgang mit … habe ich erlebt, dass …
Ich habe festgestellt, dass …

über interkulturelle Missverständnisse berichten B2K1M3

In … gilt es als sehr unhöflich, wenn …
Wir konnten nicht verstehen, warum/dass …
Wir hatten kein Verständnis dafür, dass …
Von einem Freund aus … weiß ich, dass man dort leicht missverstanden wird, wenn man …
Ich habe gelesen, dass man in … nicht …
Als wir einmal Besuch von Freunden aus … hatten, …
Niemand wollte …
Als ich einmal in … war, ist mir etwas sehr Lustiges/Peinliches passiert: …

etwas vergleichen B1+K3M4/B1+K6M3/B2K1M2

Im Gegensatz zu … mache ich immer …
Während …, mache ich …
In meinem Land ist die Situation ähnlich / ganz anders / nicht zu vergleichen, denn …
Bei uns ist … am wichtigsten.
Bei uns ist das ähnlich. Wir …
Bei mir ist das ganz anders: …
Während in …, ist die Situation in …

sich zu einem Event äußern

B2K3M3

ein Event beschreiben
Bei dem Event sollen alle …
Man baut gemeinsam …, um …

Gefallen/Missfallen ausdrücken
Ich finde das Event …
Besonders gefällt mir daran …
Nicht so gut finde ich, dass …

Vorschläge für andere Events machen
Ich würde lieber …, als …
Anstatt gemeinsam … zu machen, sollte/könnte man …
Um ein gut funktionierendes Team zu bilden, müssen meiner Meinung nach vor allem …
Bei … lernt man … auch mal ganz anders kennen. Das finde ich …

eine Diskussion führen

B1+K10M2

um das Wort bitten / das Wort ergreifen
Dürfte ich dazu auch etwas sagen?
Ich möchte dazu etwas ergänzen.
Ich verstehe das schon, aber …
Glauben/Meinen Sie wirklich, dass …?
Da muss/möchte ich kurz einhaken: …
Entschuldigen Sie, wenn ich Sie unterbreche, …

sich nicht unterbrechen lassen
Lassen Sie mich bitte ausreden.
Ich möchte nur noch eines sagen: …
Einen Moment bitte, ich möchte nur noch …
Augenblick noch, ich bin gleich fertig.
Lassen Sie mich noch den Gedanken/Satz zu Ende bringen.

eine Grafik beschreiben

B1+K2M1/B2ABK7M3

Einleitung
Die Grafik zeigt, …
Die Grafik informiert über …
Thema der Grafik ist …
Die Grafik stammt von … / aus dem Jahr …
In der Grafik wird/werden … verglichen/unterschieden.
Die Angaben werden in Prozent gemacht.

Hauptpunkte beschreiben
Es ist festzustellen, dass …
An erster/letzter Stelle steht/stehen …
Die meisten/wenigsten … / Am meisten/wenigsten …
Auffällig/Interessant/Bemerkenswert/… ist, dass …
Im Gegensatz/Unterschied zu …
Über die Hälfte der …
… Prozent finden/sagen/meinen …
Am wichtigsten/unwichtigsten …
Im Vergleich zu … / Verglichen mit …
Die Zahl der … ist wesentlich/erheblich höher/niedriger als die Zahl der …

eine E-Mail einleiten/beenden

B1+K2M4

einleiten
Danke für deine E-Mail.
Schön, von dir zu hören …
Ich habe mich sehr über deine E-Mail gefreut.

beenden
Ich freue mich auf eine Nachricht von dir.
Mach's gut und bis bald!
Mach dir noch eine schöne Woche und alles Gute.

eine Bewerbung schreiben

B2K3M4

Einleitung
in Ihrer oben genannten Anzeige …
da ich mich beruflich verändern möchte, …
vielen Dank für das informative und freundliche Telefonat.

bisherige Berufserfahrung/Erfolge
Nach erfolgreichem Abschluss meines …
In meiner jetzigen Tätigkeit als … bin ich …
Im Praktikum bei der Firma … habe ich gelernt, wie/dass …
Durch meine Tätigkeit als … weiß ich, dass …

Erwartungen an die Stelle
Von einem beruflichen Wechsel zu Ihrer Firma erhoffe ich mir, …
Mit dem Eintritt in Ihr Unternehmen verbinde ich die Erwartung, …

Eintrittstermin
Mit der Tätigkeit als … kann ich zum … beginnen.

Schlusssatz
Ich freue mich darauf, Sie in einem persönlichen Gespräch kennenzulernen.

einen Leserbrief schreiben B2K5M4

eine Reaktion einleiten
Mit großem Interesse habe ich Ihren Artikel „..." gelesen.
Ihr Artikel „..." spricht ein interessantes/wichtiges Thema an.

Meinung äußern und Argumente abwägen
Ich vertrete die Meinung / die Ansicht / den Standpunkt, dass ...
Meiner Meinung nach ...
Man sollte bedenken, dass ...
Ein wichtiges Argument für/gegen ... ist die Tatsache, dass ...
Zwar ..., aber ... / Einerseits ..., andererseits ...
Dafür/Dagegen spricht ...

Beispiele und eigene Erfahrungen anführen
Ich kann dazu folgendes Beispiel nennen: ...
Man sieht das deutlich an folgendem Beispiel: ...
An folgendem Beispiel kann man besonders gut sehen, dass/wie ...
Meine eigenen Erfahrungen haben mir gezeigt, dass ...
Aus meiner Erfahrung kann ich nur bestätigen, ...

zusammenfassen
Insgesamt kann man feststellen, ...
Zusammenfassend lässt sich sagen, ...
Abschließend möchte ich nochmals betonen, ...

ein Telefongespräch führen B2K6M2

sich vorstellen und begrüßen
Ja, guten Tag, mein Name ist ...
Hallo, hier spricht ...

sich verbinden lassen
Könnten Sie mich bitte mit Herrn/Frau ... verbinden?
Ich würde gern mit ... sprechen.
Könnten Sie mir vielleicht die Durchwahl geben?

das Gespräch einleiten
Ich rufe an wegen ...
Es geht um Folgendes: ...
Ich hätte gern Informationen zu ...
Ich interessiere mich für ...

sich vergewissern
Könnten Sie das bitte noch einmal wiederholen?
Ich bin mir nicht ganz sicher, ob ich Sie richtig verstanden habe.
Sie meinen also, ...

kurze Zusammenfassung/Rückversicherung
Gut, dann können wir festhalten: ...
Wir verbleiben also so: ...
Also, dann machen wir das so: ...

falsch verbunden
Entschuldigung, mit wem spreche ich?
Oh, da habe ich mich verwählt, Verzeihung.
Ich glaube, ich bin falsch verbunden, entschuldigen Sie.
Spreche ich nicht mit ...?

eine Nachricht hinterlassen
Könnte ich eine Nachricht für ... hinterlassen?
Könnten Sie Herrn/Frau ... bitte etwas ausrichten und zwar: ...?

Fragen stellen
Ich würde gern wissen, ...
Mich würde auch interessieren, ...
Wie ist das denn, wenn ...?
Ich wollte auch noch fragen, ...

auf Fragen antworten
Ja, also, das ist so: ...
Dazu kann ich Ihnen sagen: ...
Normalerweise machen wir das so: ...

das Gespräch beenden und sich verabschieden
Gut, vielen Dank für die Auskunft.
Das hat mir sehr geholfen, vielen Dank.
Ich melde mich dann noch mal.
Auf Wiederhören!

ein Referat / einen Vortrag halten B1+K10M4/B2ABK10M2

Einleitung

Das Thema meines Referats/Vortrags lautet/ist ...
Ich spreche heute über das Thema ...
Ich möchte euch/Ihnen heute folgendes Thema präsentieren: ...
In meinem Vortrag geht es um ...

Übergänge

Nun spreche ich über ...
Ich komme jetzt zum zweiten/nächsten Teil/Beispiel.
Soweit der erste Teil. Nun möchte ich mich dem zweiten Teil zuwenden.

wichtige Punkte hervorheben

Das ist besonders wichtig/interessant, weil ...
Ich möchte betonen, dass ...
Man darf nicht vergessen, dass ...

auf Folien/Abbildungen verweisen

Ich habe einige Folien zum Thema vorbereitet.
Auf dieser / der nächsten Folie sehen Sie ...
Wie Sie auf der Folie sehr gut erkennen können, ist/sind ...

Strukturierung

Mein Referat/Vortrag besteht aus drei/vier/... Teilen: ...
Ich möchte einen kurzen Überblick über ... geben.
Zuerst spreche ich über ..., dann komme ich im zweiten Teil zu ... und zuletzt befasse ich mich mit ...
Zuerst möchte ich über ... sprechen und dann etwas zum Thema ... sagen. Im dritten Teil geht es dann um ... und zum Schluss möchte ich noch auf ... eingehen.

Interesse wecken

Wussten Sie eigentlich, dass ...?
Ist Ihnen schon mal aufgefallen, dass ...?
Finden Sie nicht auch, dass ...?

Dank und Schluss

Ich komme jetzt zum Schluss.
Zusammenfassend möchte ich sagen, ...
Abschließend möchte ich noch erwähnen, ...
Lassen Sie mich zum Schluss noch sagen, dass ...
Zum Abschluss möchte ich also die Frage stellen, ob ...
Gibt es noch Fragen?
Vielen Dank für Ihre Aufmerksamkeit.

ein Thema präsentieren B2K7M4

Sport-/Musikveranstaltung

Die Veranstaltung war letzten Sommer / letztes Wochenende / ... im ... / in der ... / ...
Der FC ... hat gegen ... gespielt.
Das Konzert war von ...
... hat/haben gespielt.
... war auch mit dabei.
Natürlich habe ich mir auch ... angesehen.

Buch/Film

Es geht um ... / Dabei geht es um ...
Die Schauspieler sind ... / ... spielt mit.
Der Autor/Regisseur ist ...
Das Buch / Der Film ist von ...
... hat/haben gespielt.

Reise

Ich wollte nach ... fahren.
Ich war in ...
Ich bin mit dem Bus/Flugzeug/Zug/Schiff/Rad ... nach ... gefahren.
Eine bekannte/berühmte Attraktion ist ...
Natürlich habe ich mir auch ... angesehen.
Ich war ... Wochen unterwegs.
... war auch mit dabei.

eine besondere Person präsentieren B1+K1M3

Herkunft/Biografisches

Ich möchte gern ... vorstellen.
Er/Sie kommt aus ... und wurde ... geboren.
Er/Sie lebte in ...
Von Beruf war er/sie ...
Seine/Ihre Eltern waren ...
Er/Sie kam aus einer ... Familie.

Leistungen

Er/Sie wurde bekannt, weil ...
Er/Sie entdeckte/erforschte/untersuchte ...
Er/Sie experimentierte/arbeitete mit ...
Er/Sie schrieb/formulierte/erklärte ...
Er/Sie kämpfte für/gegen ...
Er/Sie engagierte sich für ... / setzte sich für ... ein.
Er/Sie rettete/organisierte/gründete ...

Redemittel

Historisches präsentieren B2K8M2/B2K8M4

Präsentation einleiten
Ich werde von … berichten.
Ich stelle heute … vor.

über Vergangenes berichten
Damals war es so, dass …
Anders als heute …
Wenn man früher … wollte, musste man …
Häufig/Meistens war es normal, dass …
In dieser Zeit …

historische Daten nennen
Im Jahr … / Am … / Vor 50/100/… Jahren …
… Jahre früher/davor/vorher …
… Jahre später/danach …
… begann/endete / ereignete sich …
Das erste/zweite/… Ereignis passierte …

von einem historischen Ereignis berichten
Es begann damit, dass …
Die Ereignisse führten dazu, dass …
Nachdem … bekannt gegeben worden war, …
Dank … kam es (nicht) zu …
Zunächst meldete … noch, dass …, aber …

ein Ereignis kommentieren
Ich habe … ausgesucht, weil …
Ich fand … besonders interessant, deshalb …
Eigentlich finde ich das Thema Geschichte nicht so interessant, aber …
Meines Erachtens war besonders erstaunlich/überraschend, dass …
Ich denke, … ist auch für … interessant/wichtig, weil …
Die Ereignisse zeigen, wie …
Für mich persönlich hat … keine besondere Bedeutung, denn …

etwas beschreiben/vorstellen B1+K3M1/B1+K8M1

Aussehen/Art beschreiben
Das macht man aus/mit …
Es ist/besteht aus …
Es ist ungefähr so groß/breit/lang wie …
Es ist rund/eckig/flach/oval/hohl/gebogen/…
Es ist schwer/leicht/dick/dünn/…
Es ist aus Holz/Metall/Plastik/Leder/…
Es ist … mm/cm/m lang/hoch/breit.
Es ist billig/preiswert/teuer/…
Es schmeckt/riecht nach …

Funktion beschreiben
Ich habe es gekauft, damit …
Besonders praktisch ist es, um …
Es eignet sich sehr gut zum …
Ich finde es sehr nützlich, weil …
Ich brauche/benutze es, um …
Dafür/Dazu verwende ich …
Dafür braucht man …
Das isst man an/zu …

ein Bild beschreiben B2ABK7Auftakt

Lage im Bild
im Vordergrund/Hintergrund
am oberen/unteren/rechten/linken Bildrand
die Bildhälfte / das obere/untere Drittel
am Rand / im Zentrum
vor/hinter/über/unter/neben / rund um …
Oben/Unten/Rechts/Links sieht man …

Beschreibung von Details
… ist schwarz-weiß/grau/bunt/…
… erinnert an …
… könnte man als … beschreiben.
… hat die Form von …
… wirkt traurig/wütend/fröhlich/…

über einen Film schreiben B1+K4M4

Der Film heißt …
Der Film „…" ist eine moderne Komödie / ein Spielfilm / …
In dem Film geht es um … / Er handelt von … / Im Mittelpunkt steht …
Der Film spielt in … / Schauplatz des Films ist …
Die Hauptpersonen im Film sind … / Der Hauptdarsteller ist …
Die Regisseurin ist … / Den Regisseur kennt man bereits von den Filmen „…" und „…"
Besonders die Schauspieler sind überzeugend/hervorragend/…
Man sieht deutlich, dass … / … stört nicht, denn …

einen Text zusammenfassen und darüber diskutieren

B2K4M4/B2ABK5M4/B2K9M2/B2K10M2

Zusammenfassung einleiten / Aussagen wiedergeben
In dem/diesem Text geht es um ...
Der Text/Artikel handelt von ...
Das Thema des Textes ist ...
Der Text behandelt die Themen ... / die Frage, ...
Die Hauptaussage / wichtigste Aussage ist: ...
Im Text wird behauptet, dass ...

interessante Inhalte nennen
Ich finde besonders auffällig/bemerkenswert, dass ...
Am besten gefällt mir ...
Ein wichtiges Ergebnis aus dem Text ist für mich ...
Ein wesentlicher Aspekt / Eine wichtige Aussage ist ...

über eigene Erfahrungen berichten
Ich habe erlebt, dass ...
Aus meiner Erfahrung kann ich dazu nur sagen, dass ...
Ich habe immer wieder festgestellt, dass ...

zustimmen
Aus meiner Position kann ich zustimmen, dass ...
Auch ich glaube, dass ...
Ich sehe es genauso, dass ...
Ich verstehe das völlig/gut/...
Ich kann dem zustimmen.
Ich halte diese Meinung/Aussage/Vorstellung/... für richtig/einleuchtend/...

Informationen/Inhalte wiedergeben
Im ersten/zweiten/nächsten Abschnitt geht es um ...
Der Abschnitt ... handelt von ...
Anschließend/Danach / Im Anschluss daran wird ... beschrieben/dargestellt / darauf eingegangen, ...
Der Text nennt folgende Beispiele: ...

die eigene Meinung äußern
Zum Thema ... bin ich der Ansicht, dass ...
Ich meine/finde, dass ...
Meiner Meinung/Ansicht nach ...

eigene Beispiele nennen
Dazu fällt mir folgendes Beispiel ein: ...
Mir fällt als Beispiel sofort ... ein.
Ich möchte folgendes Beispiel anführen: ...
Ein Beispiel hierfür ist: ...
Als Beispiel kann man Folgendes nennen: ...
Ich muss da an ... denken.

widersprechen/bezweifeln
Dazu habe ich eine andere Meinung: ...
Ich bin nicht sicher, ob ...
Da möchte ich widersprechen, denn ...
Ich verstehe das überhaupt nicht ...
Ich kann dem nicht zustimmen.
Ich halte diese Meinung/Aussage/Vorstellung/... für falsch/verkehrt/...

Zusammenfassungen abschließen
Zusammenfassend kann man sagen, dass ...
Als Hauptaussage lässt sich festhalten, dass ...

Spannung aufbauen

B2K7M2

Schlagartig wurde ihm/ihr klar/bewusst, ...
Ihm/Ihr schlug das Herz bis zum Hals.
Was war hier los?
Was war das?
Eigentlich wollte ... gerade ..., als aus heiterem Himmel ...
Was sollte er/sie jetzt nur machen?
Ihm/Ihr blieb vor Schreck der Atem weg.
Wie aus dem Nichts stand plötzlich ...
Warum war es auf einmal so ...?
Ohne Vorwarnung war ... da / stand ... vor ihm/ihr.
Damit hatte er/sie nicht im Traum gerechnet: ...

Verb

Vergangenes ausdrücken — B1+K1M1

Funktion

Präteritum	**Perfekt**	**Plusquamperfekt**
• von Ereignissen schriftlich berichten, z. B. in Zeitungsartikeln, Romanen • mit Hilfs- und Modalverben berichten	von Ereignissen mündlich oder schriftlich berichten, z. B. in E-Mails, Briefen	von Ereignissen berichten, die vor einem anderen Ereignis in der Vergangenheit passiert sind

Bildung

<table>
<tr><th>Präteritum</th><th>Perfekt</th><th>Plusquamperfekt</th></tr>
<tr><td rowspan="2">• regelmäßige Verben:
Verbstamm + Präteritumsignal -t- + Endung (z. B. träumen – träumte, fragen – fragte)

• unregelmäßige Verben:
Präteritumstamm + Endung (z. B. wachsen – sie wuchsen, kommen – ihr kamt)
keine Endung bei 1. und 3. Person Singular (ich/er sah)</td><td>haben/sein im Präsens + Partizip II</td><td>haben/sein im Präteritum + Partizip II</td></tr>
<tr><td colspan="2">Bildung Partizip II
• regelmäßige Verben:
ohne Präfix: sagen – gesagt
trennbares Verb: aufhören – aufgehört
untrennbares Verb: verdienen – verdient
Verben auf -ieren: faszinieren – fasziniert

• unregelmäßige Verben:
ohne Präfix: nehmen – genommen
trennbares Verb: aufgeben – aufgegeben
untrennbares Verb: verstehen – verstanden</td></tr>
</table>

Ausnahmen: *kennen – kannte – habe gekannt*   *bringen – brachte – habe gebracht*
denken – dachte – habe gedacht   *wissen – wusste – habe gewusst*

Modalverben — B1+K5M3

Bedeutungen

Modalverb	**Bedeutung**	**Alternativen (immer mit *zu* + Infinitiv)**
dürfen	Erlaubnis	*es ist erlaubt, es ist gestattet, die Erlaubnis / das Recht haben*
nicht dürfen	Verbot	*es ist verboten, es ist nicht erlaubt, keine Erlaubnis haben*
können	a) Möglichkeit b) Fähigkeit	*die Möglichkeit/Gelegenheit haben, es ist möglich* *die Fähigkeit haben/besitzen, in der Lage sein, imstande sein*
möchten	Wunsch, Lust	*Lust haben, den Wunsch haben*
müssen	Notwendigkeit	*es ist notwendig, es ist erforderlich, gezwungen sein, haben*
sollen	Forderung	*den Auftrag / die Aufgabe haben, aufgefordert sein, verpflichtet sein*
wollen	eigener Wille, Absicht	*die Absicht haben, beabsichtigen, vorhaben, planen*

Tempus

Präsens: *Simon kann nicht an der Prüfung teilnehmen. Er ist krank.*
Präteritum: *Simon konnte nicht an der Prüfung teilnehmen. Er war krank.*
Perfekt: *Simon hat nicht an der Prüfung teilnehmen können. Er war krank.*

Wenn man über die Vergangenheit spricht, benutzt man die Modalverben meist im Präteritum. Ausnahme: *möchte* hat kein Präteritum.

Konjunktiv II B1+K8M3/B2K6M3

Funktionen

Wünsche ausdrücken	*Ich würde gern einen neuen Laptop kaufen.*
Bitten höflich ausdrücken	*Könnten Sie mir das Problem bitte genau beschreiben?*
Irreales ausdrücken	*Hätten Sie die Ware doch früher abgeschickt.*
Vermutungen ausdrücken	*Es könnte sein, dass der Laptop einen Defekt hat.*
Vorschläge machen	*Ich könnte Ihnen ein Leihgerät anbieten.*

Bildung

Konjunktiv II Gegenwart				**Konjunktiv II Vergangenheit**	
würde + Infinitiv		*er würde gehen* *sie würde anrufen*		*hätte/wäre* + Partizip II	*er wäre gegangen* *sie hätte angerufen*
sein *haben* *müssen* *können* *dürfen*	*wäre* *hätte* *müsste* *könnte* *dürfte*	*sollen* *wollen* *brauchen* *wissen*	*sollte* *wollte* *bräuchte* *wüsste*	**Konjunktiv II Vergangenheit mit Modalverb** *hätte* + Infinitiv + Modalverb	 *er hätte gehen können* *sie hätte anrufen müssen*

Viele unregelmäßige Verben können den Konjunktiv II wie die Modalverben bilden, meistens verwendet man jedoch die Umschreibung mit *würde* + Infinitiv: *Ich **käme** gern zu euch.* → *Ich **würde** gern zu euch **kommen**.*

Konjunktiv I – indirekte Rede B2K8M3

Verwendung
In der indirekten Rede verwendet man den Konjunktiv I, um deutlich zu machen, dass man die Worte eines anderen wiedergibt und nicht seine eigene Meinung ausdrückt. Sie wird vor allem in der Wissenschaftssprache, in Zeitungsartikeln und in Nachrichtensendungen verwendet.
In der gesprochenen Sprache benutzt man in der indirekten Rede häufig den Indikativ.

Bildung: Infinitivstamm + Endung

	sein	***haben***	**Modalverben**	**andere Verben**
ich	sei	habe → hätte	könne	sehe → würde sehen
du*	sei(e)st	habest	könnest	sehest
er/es/sie	sei	habe	könne	sehe
wir	seien	haben → hätten	können → könnten	sehen → würden sehen
ihr*	sei(e)t	habet	könnet	sehet
sie/Sie	seien	haben → hätten	können → könnten	sehen → würden sehen

* Die Formen in der 2. Person sind sehr ungebräuchlich. Hier wird meist der Konjunktiv II verwendet.

Der Konjunktiv I wird meist in der 3. Person verwendet. Entspricht der Konjunktiv I dem Indikativ, wird der Konjunktiv II oder *würde* + Infinitiv verwendet: *Er sagt, sie **haben** keine Zeit.* → *Er sagt, sie **hätten** keine Zeit.*

Bildung des Konjunktiv I der Vergangenheit
Im Konjunktiv I gibt es nur eine Vergangenheitsform: Konjunktiv I von *haben/sein* + Partizip II:
*Man sagt, Gutenberg **habe** den Buchdruck **erfunden** und mit 40 Jahren **sei** man im Mittelalter sehr alt **gewesen**.*

Passiv mit *werden* – Vorgangspassiv B1+K10M1/B2K5M1

Man verwendet das Passiv mit *werden*, wenn ein Vorgang oder eine Aktion im Vordergrund stehen (und nicht eine handelnde Person).

Präsens	*werde/wirst/wird/...* + Partizip II	*Die Begeisterung wird geweckt.*
Präteritum	*wurde/wurdest/wurde/...* + Partizip II	*Die Begeisterung wurde geweckt.*
Perfekt	*bin/bist/ist/...* + Partizip II + *worden*	*Die Begeisterung ist geweckt worden.*
Plusquamperfekt	*war/warst/war/...* + Partizip II + *worden*	*Die Begeisterung war geweckt worden.*
mit Modalverb	Modalverb im Präsens/Präteritum + Partizip II + *werden*	*Die Begeisterung soll/sollte geweckt werden.*

Aktiv-Satz	**Passiv-Satz**
Der Architekt plant das Öko-Haus. Nominativ Akkusativ	*Das Öko-Haus wird (vom Architekten) geplant.* Nominativ (*von* + Dativ)

Die meisten Verben mit Akkusativ können das Passiv bilden. Der Akkusativ im Aktiv-Satz wird im Passiv-Satz zum Nominativ. Andere Ergänzungen bleiben im Aktiv und im Passiv im gleichen Kasus.

Zu viel Müll schadet der Umwelt. Nominativ Dativ	*Der Umwelt wird geschadet.* Dativ

Passiversatzformen B2K5M1

Passiv
Die Experimente können bereits von Kindergartenkindern durchgeführt werden.

Passiv mit *müssen/können/sollen* → *sein* + *zu* + Infinitiv
Die Experimente sind bereits von Kindergartenkindern durchzuführen.

Passiv mit *können* → *sich lassen* + Infinitiv
Die Experimente lassen sich bereits von Kindergartenkindern durchführen.

Passiv mit *können* → *sein* + Adjektiv mit Endung *-bar/-lich*
Die Experimente sind bereits von Kindergartenkindern durchführbar.
Naturwissenschaftliche Phänomene sind so viel besser verständlich.

Passiv mit *sein* – Zustandspassiv B2K6M1

Das Passiv mit *sein* beschreibt einen neuen Zustand / das Resultat einer Handlung.

	Vorgangspassiv: *werden* + Partizip II	**Zustandspassiv:** *sein* + Partizip II
Präsens	*Die Ware **wird** verschickt.*	*Die Ware **ist** verschickt.*
Präteritum	*Die Ware **wurde** verschickt.*	*Die Ware **war** verschickt.*

Nomen-Verb-Verbindungen B2K4M3

Nomen-Verb-Verbindungen bestehen aus einem Verb, das nur eine grammatische Funktion hat, und einem Nomen, das die Bedeutung trägt. Manchmal kommt eine Präposition dazu. Es gibt zwei Typen:

Typ 1	Das Nomen und das zugrunde liegende Verb haben die gleiche Bedeutung: *jmd. in Aufregung versetzen = jmd. aufregen* *die Flucht ergreifen = fliehen* *eine Wirkung haben = wirken* *den Anfang machen = anfangen* *sich Hoffnungen machen = hoffen*
Typ 2	Die Bedeutung der Nomen-Verb-Verbindung kann man nicht direkt vom Nomen ableiten: *unter Druck stehen = gestresst sein* *eine Rolle spielen = relevant/wichtig sein* *in Betracht kommen = möglich sein* *sich vor etw. in Acht nehmen = vorsichtig sein* *etw. in Frage stellen = etw. bezweifeln*

Nomen-Verb-Verbindungen können eine aktivische oder passivische Bedeutung haben:
Aktiv: *jmd. eine Frage stellen = jmd. fragen* Passiv: *Beachtung finden = beachtet werden*

Eine Liste mit wichtigen Nomen-Verb-Verbindungen finden Sie im Anhang des Arbeitsbuchs.

Nomen

Deklination B1+K2M3

Singular	**Maskulinum**		**Neutrum**	**Femininum**
Nominativ	der Traum	der Mensch	das Haus	die Unterkunft
Akkusativ	den Traum	den Mensch**en**	das Haus	die Unterkunft
Dativ	dem Traum	dem Mensch**en**	dem Haus	der Unterkunft
Genitiv	des Traum**es**	des Mensch**en**	des Haus**es**	der Unterkunft
Plural				
Nominativ	die Träume	die Menschen	die Häuser	die Unterkünfte
Akkusativ	die Träume	die Menschen	die Häuser	die Unterkünfte
Dativ	den Träume**n***	den Menschen	den Häuser**n***	den Unterkünfte**n***
Genitiv	der Träume	der Menschen	der Häuser	der Unterkünfte

* Im Dativ Plural enden die meisten Nomen auf *-n*. Ausnahme: Nomen, die im Nominativ Plural auf *-s* enden (*Kommt ihr mit den Auto**s**?*)

Zur n-Deklination gehören:

- nur **maskuline** Nomen mit folgenden Endungen:

-e:	der Junge, der Name	*-soph*:	der Philosoph	*-graf*:	der Fotograf	*-ent*:	der Student
-and:	der Doktorand	*-it*:	der Bandit	*-at*:	der Soldat	*-loge*:	der Psychologe
-ant:	der Praktikant	*-ot*:	der Pilot, der Chaot	*-ist*:	der Polizist, der Artist	*-agoge*:	der Pädagoge

- einige **maskuline** Nomen ohne Endung: *der Mensch, der Herr, der Nachbar, der Held, der Bauer …*

Einige Nomen haben im Genitiv Singular die Endung *-ns* (Mischformen): *der Name, des Namens; der Glaube, des Glaubens; der Buchstabe, des Buchstabens; der Wille, des Willens;* ***das*** *Herz, des Herzens*

Pluralbildung

B1+K3M1

	Pluralendung	Welche Nomen?	Beispiel
1.	-(¨)Ø	• maskuline Nomen auf *-en/-er/-el* • neutrale Nomen auf *-chen/-lein*	*der Laden – die Läden* *das Mädchen – die Mädchen*
2.	-(e)n	• fast alle femininen Nomen (ca. 96 %) • maskuline Nomen auf *-or* • alle Nomen der n-Deklination	*die Tafel – die Tafeln* *der Konditor – die Konditoren* *der Junge – die Jungen*
3.	-(¨)e	• die meisten maskulinen und neutralen Nomen (ca. 70 %)	*der Bestandteil – die Bestandteile* *die Nuss – die Nüsse*
4.	-(¨)er	• einsilbige neutrale Nomen • Nomen auf *-tum*	*das Kind – die Kinder* *der Irrtum – die Irrtümer*
5.	-s	• viele Fremdwörter • Abkürzungen • Nomen mit *-a/-i/-o/-u* im Auslaut	*der Fan – die Fans* *der Lkw – die Lkws* *der Kaugummi – die Kaugummis*

Im Dativ Plural enden die meisten Nomen auf *-n*. Ausnahme: Nomen, die im Plural auf *-s* enden (*Wo sind die Auto**s**? – Kommt ihr mit den Auto**s**?)*

Nominalisierung von Verben

B2K9M1

Es gibt viele Möglichkeiten, ein Verb zu nominalisieren. Häufige Endungen und Veränderungen sind:

Endung/Veränderung	Verb	Nomen
Verb ohne Endung (mit/ohne Vokaländerung)	*abbauen* *wählen*	*der Abbau* *die Wahl*
***das* + Infinitiv**	*erkennen*	*das Erkennen*
die* + *-ung	*entstehen* *wahrnehmen*	*die Entstehung* *die Wahrnehmung*
der* + *-er	*lernen*	*der Lerner*
***die/der* + *-e* (mit/ohne Vokaländerung)**	*folgen* *helfen* *glauben*	*die Folge* *die Hilfe* *der Glaube*
die/das* + *-(t)nis	*erkennen* *erleben*	*die Erkenntnis* *das Erlebnis*
die* + *-(t)ion	*reagieren*	*die Reaktion*

*Der Körper **reagiert** auf Musik.* → *die **Reaktion** des Körpers auf Musik*
Nominativ — Genitiv

Bei Verben mit Akkusativ wird die Akkusativergänzung auf zwei Arten umgeformt:

mit Artikelwort: *Musik **verändert** den Blutdruck.* → *die **Veränderung** des Blutdrucks durch Musik*
Nominativ — Akkusativ — Genitiv — *durch* + Akkusativ

ohne Artikelwort: *Musik **baut** Stress **ab**.* → *der **Abbau** von Stress durch Musik*
Nominativ — Akkusativ — *von* + Dativ *durch* + Akkusativ

Adjektiv

Deklination der Adjektive B1+K3M3

Typ I: bestimmter Artikel + Adjektiv + Nomen

	der Körper	**das Fachgebiet**	**die Wirkung**	**Körper (Pl.)**
N	der menschlich**e**	das neu**e**	die therapeutisch**e**	die menschlich**en**
A	den menschlich**en**	das neu**e**	die therapeutisch**e**	die menschlich**en**
D	dem menschlich**en**	dem neu**en**	der therapeutisch**en**	den menschlich**en**
G	des menschlich**en**	des neu**en**	der therapeutisch**en**	der menschlich**en**

auch nach:
- Fragewörtern: *welcher, welches, welche*
- Demonstrativartikeln: *dieser, dieses, diese; jener, jenes, jene*
- Indefinitartikeln: *jeder, jedes, jede; alle* (Plural)
- Negationsartikeln und Possessivartikeln im Plural: *keine, meine*

Typ II: unbestimmter Artikel + Adjektiv + Nomen

	der Körper	**das Fachgebiet**	**die Wirkung**	**Körper (Pl.)**
N	ein menschlich**er**	ein neu**es**	eine therapeutisch**e**	menschlich**e**
A	einen menschlich**en**	ein neu**es**	eine therapeutisch**e**	menschlich**e**
D	einem menschlich**en**	einem neu**en**	einer therapeutisch**en**	menschlich**en**
G	eines menschlich**en**	eines neu**en**	einer therapeutisch**en**	menschlich**er**

auch nach:
- Negationsartikeln: *kein, kein, keine (Sg.)*
- Possessivartikeln: *mein, mein, meine; dein, dein, deine; … (Sg.)*

Typ III: ohne Artikel + Adjektiv + Nomen

	der Körper	**das Fachgebiet**	**die Wirkung**	**Körper (Pl.)**
N	menschlich**er**	neu**es**	therapeutisch**e**	menschlich**e**
A	menschlich**en**	neu**es**	therapeutisch**e**	menschlich**e**
D	menschlich**em**	neu**em**	therapeutisch**er**	menschlich**en**
G	menschlich**en**	neu**en**	therapeutisch**er**	menschlich**er**

auch nach:
- Zahlen: *zwei, drei, vier …*
- Indefinitartikeln im Plural: *viele, einige, wenige, andere*

Adjektive und Partizipien können zu Nomen werden. Sie werden aber wie Adjektive dekliniert:
*Der Arzt hilft **k**rank<u>en</u> Menschen. → Der Arzt hilft **K**rank<u>en</u>.*

Partizipien als Adjektive

B2K10M1

Partizipien können als Adjektive gebraucht werden und geben dann nähere Informationen zu Nomen.
Wenn sie vor Nomen stehen, brauchen sie eine Adjektivendung.

Bildung Partizip I als Adjektiv: Infinitiv + *d* + Adjektivendung
Bildung Partizip II als Adjektiv: Partizip II + Adjektivendung

Partizipien kann man durch Relativsätze wiedergeben:

Bedeutung	Beispiel	Umformung Relativsatz
Partizip I: aktive Handlungen oder Vorgänge, die gleichzeitig mit der Haupthandlung des Satzes passieren	*In einigen Jahren sind auf unseren Straßen **selbstfahrende** Autos unterwegs.*	*In einigen Jahren sind auf unseren Straßen Autos, **die selbst fahren**, unterwegs.*
Partizip II: meist passive Handlungen oder Vorgänge, die gleichzeitig mit oder vor der Haupthandlung des Satzes passieren	*Ein schnell **ausgelöster** Notruf kann Menschenleben retten.* *Der auf der Messe **vorgestellte** Roboter wird in einigen Haushalten ausprobiert.*	*Ein Notruf, **der** schnell **ausgelöst wird**, kann Menschenleben retten.* *Der Roboter, **der** auf der Messe **vorgestellt worden ist**, wird in einigen Haushalten ausprobiert.*

Vor Partizipien können Erweiterungen stehen:
der ausgelöste Notruf → der schnell ausgelöste Notruf → der schnell von Robotern ausgelöste Notruf

Präpositionaladverbien und Fragewörter

davon, daran, darauf … und *wovon, woran, worauf …*

B1+K6M3/B2K8M1

wo(r)… und *da(r)…* verwendet man bei Sachen und Ereignissen.
Präposition + Pronomen/Fragewort verwendet man bei Personen und Institutionen.
da(r)… steht auch vor Nebensätzen (*dass*-Satz, Infinitiv mit *zu*, indirekter Fragesatz).

Nach *wo…* und *da…* wird ein *r* eingefügt, wenn die Präposition mit einem Vokal beginnt: *auf → wo**r**auf/da**r**auf*

Sachen/Ereignisse	Personen/Institutionen
wo(r) **+ Präposition**	**Präposition + Fragewort**
○ ***Worauf** bist du stolz?* ● ***Auf** mein Examen!* ○ ***Wovon** redet er?* ● ***Vom** neuen Projekt.*	○ ***Auf wen** bist du stolz?* ● ***Auf** meine Kinder.* ○ ***Mit wem** redet er?* ● ***Mit** dem Projektleiter.*
da(r) **+ Präposition**	**Präposition + Pronomen**
○ *Erinnerst du dich **an dein Bewerbungsgespräch**?* ● *Natürlich erinnere ich mich **daran**. Ich erinnere ich mich auch gut **daran**, wie nervös ich war.*	○ *Erinnerst du dich **an Sabine**?* ● *Natürlich erinnere ich mich **an sie**.*

Eine Übersicht über Verben, Nomen und Adjektive mit Präpositionen finden Sie im Anhang des Arbeitsbuchs.

Pronomen

Indefinitpronomen B2K5M3

Indefinitpronomen beziehen sich auf Personen, Orte, Zeiten und Dinge, die nicht genauer definiert werden. So bekommen Aussagen mit Indefinitpronomen einen allgemeinen Charakter.

Nominativ	*man*	*(k)einer/(k)eins/(k)eine*	*niemand*	*jemand*	*irgendwer*
Akkusativ	*(k)einen/(k)eins/(k)eine*		*niemanden**	*jemanden**	*irgendwen*
Dativ	*(k)einem/(k)einem/(k)einer*		*niemandem**	*jemandem**	*irgendwem*

* In der gesprochenen Sprache wird im Akkusativ und Dativ auch die Form des Nominativs benutzt:
○ *Hast du **jemand** getroffen, den du kennst?* ● *Nein, **niemand**.*

	Indefinitpronomen		Negation
Person	*man, jemand, einer, irgendwer*	→	*niemand, keiner*
Ort	*irgendwo, irgendwoher, irgendwohin*	→	*nirgendwo, nirgendwoher, nirgendwohin, nirgends*
Zeit	*irgendwann*	→	*nie, niemals*
Dinge	*irgendwas, etwas, eins*	→	*nichts, keins*

Das Wort *es* B2K2M3

***es* als Subjekt oder Objekt (obligatorisch)**

	es als Subjekt	*es* als Objekt
Wetterverben	*es nieselt, es regnet, es hagelt, es schneit, es donnert, es blitzt, es gewittert, es stürmt*	
Tages- und Jahreszeiten	*Es ist Morgen. Es wird Nacht. Es wird Frühling.*	
Natur- und Zeiterscheinungen	*Es ist schon spät. Im Winter bleibt es lange dunkel. Es wird hell. Es zieht.*	
feste lexikalische Verbindungen	*es geht, es gibt, es ist, es eilt mit* + D, *es fehlt an* + D, *es geht um* + A, *es handelt sich um* + A, *es klappt mit* + D, *es kommt an auf* + A	*es abgesehen haben auf* + A, *es eilig haben, es ernst/leicht/schwer nehmen, es ernst meinen, es gut/schlecht haben, es gut/schlecht meinen mit* + D, *es in sich haben, es sich gut gehen lassen, es weit bringen*

Wenn *es* Objekt ist, steht *es* niemals auf Position 1.

***es* als Stellvertreter von dass-Sätzen oder Infinitivkonstruktionen**

1	2			
Es	ist	verwunderlich,		**dass** viele Menschen Smalltalk nicht mögen.
Dass viele Menschen Smalltalk nicht mögen,	ist	verwunderlich.		
Viele	lehnen	es	ab,	ein nichtssagendes Gespräch **zu** beginnen.
Ein nichtssagendes Gespräch **zu** beginnen,	lehnen	viele	ab.	

Steht der dass-Satz oder die Infinitivkonstruktion auf Position 1, entfällt *es*.

Präposition

Präpositionen (Zusammenfassung)

B1+K9M3/B1+K10M3/B2K10M3

	Ort		Zeit	Grund/Folge	Gegengrund	Art und Weise
	Wohin?	Wo?				
mit Akkusativ	**bis** zur Brücke **durch** den Bahnhof **gegen** die Mauer **um** die Ecke	den Bach **entlang*** **um** den Baum **herum**	**bis** nächstes Jahr **für** drei Tage **gegen** fünf Uhr **um** Viertel nach sieben **um** Ostern **herum** **über** eine Woche	**durch** die Krankheit		**ohne** Nach-denken
mit Dativ	**zur** Straße	**ab** der Ampel **an** der Straße **entlang** **bei** der Kreuzung **entlang*** dem Bach **gegenüber** der Schule **nach** der Brücke **vom** Flughafen **aus**	**ab** vier Uhr **an** den schönsten Tagen **beim** Packen der Koffer **in** der Nacht **nach** der Reise **seit** einem Monat **von** jetzt **an** **von** morgens **bis** abends **vor** der Buchung **zu** Weihnachten **zwischen** Montag und Mittwoch	**aus** Verlegenheit **vor** Furcht **bei** Gefahr		**mit** Eleganz **aus** Erfahrung **nach** Gefühl
Wechselpräpositionen mit Akkusativ (Wohin?) oder Dativ (Wo?)	**an** die Wand **auf** den Tisch **hinter** das Regal **in** den Abfalleimer **neben** die Bücher **über** die Uhr **unter** das Bett **vor** den Teppich **zwischen** die Stühle	**an** der Wand **auf** dem Tisch **hinter** dem Regal **im** Abfalleimer **neben** den Büchern **über** der Uhr **unter** dem Bett **vor** dem Teppich **zwischen** den Stühlen				
mit Genitiv		**außerhalb** des Geländes **entlang*** des Bachs **innerhalb** der Gebäude **jenseits** der Mauer **inmitten** des Zimmers **unweit** der Uni	**außerhalb** der Saison **innerhalb** eines Monats **während** des Urlaubs **inmitten** der Ferien	**wegen** ihres Studiums **dank** einer Ausbildung **infolge** ihrer Recherchen **aufgrund** des Interesses **anlässlich** des Jubiläums **angesichts** der Nachfrage	**trotz** fehlender Ausbildungs-möglichkeiten	

* *Wir gehen den Bach entlang.* nachgestellt mit Akkusativ
Wir gehen entlang dem Bach. vorangestellt mit Dativ oder Genitiv

Die Präpositionen *dank, trotz, während* und *wegen* werden in der gesprochenen Sprache auch mit Dativ verwendet: *wegen dem schlechten Wetter*

Nomen, Verben und Adjektive mit Präpositionen

B2K8M1

Viele Nomen, Verben und Adjektive haben dieselbe Präposition. Manchmal gibt es nur ein Nomen und ein Verb mit derselben Präposition, manchmal nur ein Nomen und ein Adjektiv mit derselben Präposition.

Verb	Nomen	Adjektiv	Präposition
abhängen	die Abhängigkeit	abhängig	von + D.
sich freuen	die Freude	erfreut	über + A.
helfen	die Hilfe	hilfreich	bei + D.
sich sorgen	die Sorge	besorgt	um + A.

Verb	Nomen	Präposition
sich ängstigen	die Angst	vor + D.
antworten	die Antwort	auf + A.
sich begeistern	die Begeisterung	für + A.
bitten	die Bitte	um + A.

Verb	Nomen	Präposition
sich erinnern	die Erinnerung	an + A.
sich interessieren	das Interesse	für + A.
suchen	die Suche	nach + D.
teilnehmen	die Teilnahme	an + D.

Nomen	Adjektiv	Präposition
die Bekanntschaft	bekannt	mit + D.
die Eifersucht	eifersüchtig	auf + A.
der Neid	neidisch	auf + A.

Nomen	Adjektiv	Präposition
die Neugier	neugierig	auf + A.
die Wut	wütend	auf + A.
die Verwandtschaft	verwandt	mit + D.

Nomen, Verben und Adjektive können auch mit Präpositionaladverbien verwendet werden.

Sache/Ereignis
- ○ **Worauf** bist du stolz? — ● Auf mein Examen.
- ○ Bist du stolz auf deine Leistung? — ● Nein. Wieso sollte ich **darauf** stolz sein?

Negation

Negation

B2K1M3

etwas ⟷ nichts
jemand/alle ⟷ niemand
irgendwo/überall ⟷ nirgendwo/nirgends
schon/bereits ⟷ noch nicht

schon (ein)mal ⟷ noch nie
immer ⟷ nie/niemals
(immer) noch ⟷ nicht mehr / nie mehr

Negation mit Wortbildung

	verneint	Beispiele
des-/dis-/miss-	Nomen, Adjektive, Verben	*das Desinteresse, disqualifiziert, missverstehen*
un-/in-/il-/ir-/a-/ non-	Nomen, Adjektive	*das Unverständnis, die Intoleranz, illegal, irreal, atypisch, der Nonsens*
-los/-frei/-leer	Adjektive	*arbeitslos, alkoholfrei, inhaltsleer*
Nicht-	Nomen	*Nichtschwimmer*

Position von *nicht*

Wenn *nicht* einen ganzen Satz verneint, steht es am Ende des Satzes, vor dem zweiten Teil der Satzklammer (z. B. Partizip, Infinitiv, trennbarer Verbteil), vor Adjektiven, vor Präpositionen und Präpositionalergänzungen oder vor lokalen Angaben.

Wenn *nicht* einen Satzteil verneint, steht es direkt vor diesem Satzteil: ***Nicht** sie hat das erlebt, sondern ihre Freundin.*

Partikel

Modalpartikeln B2K9M3

Modalpartikeln sind typisch für die mündliche Sprache. Man benutzt sie, um seine Ansichten, Absichten und Gefühle zu verstärken oder abzuschwächen. In Aussagesätzen stehen die Modalpartikeln meist hinter dem Verb. Die Bedeutung ist vom Kontext und von der Betonung des Satzes abhängig.

Satzart	Partikel	Bedeutung	Beispiel
Aussagen und Ausrufe	***aber***	Freundlichkeit	*Das ist aber schön, dich zu sehen.*
		Überraschung	*Der sieht aber sympathisch aus!*
	doch	Freundlichkeit	*Das mache ich doch gerne.*
		Empörung	*Das ist doch unmöglich!*
		Vorschlag/Ermunterung	*Komm doch mit ins Kino!*
	ja	Freundlichkeit	*Das ist ja nett.*
		Überraschung	*Du bist ja auch hier!*
		Empörung	*Das ist ja gemein!*
Aufforderungen, Aussagen, Fragen	***mal***	Aufforderung/Befehl	*Hilf mir mal!*
Fragen	***denn***	Freundlichkeit/Interesse	*Wie geht's dir denn?*
		Überraschung	*Sprecht ihr denn wieder miteinander?*

Manche Modalpartikeln haben eine ähnliche Bedeutung: *Dein Kleid ist **aber/ja** sehr schön!*

Satz

Wortstellung im Satz B1+K1M3/B2K1M1

Angaben im Mittelfeld
Merkformel: tekamolo

		MITTELFELD				
Ich	*bin*	*letztes Jahr*	*aus Liebe*	*ziemlich spontan*	*nach Australien*	*ausgewandert.*
1	2	**temporal** (Wann?)	**kausal** (Warum?)	**modal** (Wie?)	**lokal** (Wo?/Wohin?/Woher?)	**Ende**

Wenn man eine Angabe besonders betonen möchte, kann man sie z. B. auf Position 1 stellen. Dann steht das Subjekt direkt hinter dem Verb. Die Reihenfolge der übrigen Angaben bleibt gleich:
Aus Liebe bin ich letztes Jahr ziemlich spontan nach Australien ausgewandert.

Ergänzungen und Angaben im Mittelfeld

		MITTELFELD						
Ich	*habe*	*ihnen*	*täglich*	*aus Heimweh*	*sehnsüchtig*	*mehrere SMS*	*nach Hause*	*geschickt.*
1	2	**Dativ**	**temporal**	**kausal**	**modal**	**Akkusativ**	**lokal**	

Die Dativergänzung steht meistens vor der temporalen Angabe. Die Akkusativergänzung steht hinter den temporalen, kausalen und modalen Angaben und vor oder hinter der lokalen Angabe.

Stellung der Objekte im Satz

Die Reihenfolge der Objekte im Satz ist von der Wortart der Objekte abhängig:

Die Objekte sind:	Beispiele	Reihenfolge
Nomen	*Ich erkläre den Reisenden ihre Verbindung.*	erst Dativ, dann Akkusativ
Nomen und Pronomen	*Ich erkläre ihnen ihre Verbindung.* *Ich erkläre sie den Reisenden.*	erst Pronomen, dann Nomen
Pronomen	*Ich erkläre sie ihnen.*	erst Akkusativ, dann Dativ

Präpositionalergänzungen

Präpositionalergänzungen stehen normalerweise am Ende des Mittelfelds.
Ella hat sich während eines Urlaubs unerwartet ***in David*** *verliebt.*
Sie wartet seit Monaten sehnsüchtig ***auf den Besuch ihrer besten Freundin****.*

Zweiteilige Konnektoren

B2K3M1

Funktionen

Aufzählung	*Jetzt habe ich* ***nicht nur*** *nette Kollegen,* ***sondern auch*** *abwechslungsreichere Aufgaben.* *Ich muss mich* ***sowohl*** *um das Design* ***als auch*** *um die Produktion kümmern.*
„negative“ Aufzählung	*Ich habe* ***weder*** *über Stellenanzeigen in der Zeitung* ***noch*** *über Internetportale eine neue Stelle gefunden.*
Vergleich	***Je*** *mehr Absagen ich bekam,* ***desto/umso*** *frustrierter wurde ich.*
Alternative	***Entweder*** *kämpft man sich durch diese Praktikumszeit* ***oder*** *man findet wahrscheinlich nie eine Stelle.*
Gegensatz/ Einschränkung	*Bei dem Praktikum verdiene ich* ***zwar*** *nichts,* ***aber*** *ich sammle wichtige Berufserfahrung.* ***Einerseits*** *hat mir der Job gut gefallen,* ***andererseits*** *brauche ich immer neue Herausforderungen.*

Zweiteilige Konnektoren können Sätze oder Satzteile verbinden.
weder … noch, nicht nur …, sondern auch und *sowohl … als auch* verbinden meistens Satzteile.

Zwischen diesen zweiteiligen Konnektoren steht immer ein Komma:

nicht nur …, sondern auch	*je …, desto/umso*
zwar …, aber	*einerseits …, andererseits*

Vergleichssätze

B2K2M1/B2K6M3

Vergleichssätze mit *als* und *wie*

Nebensätze mit *als* und *wie* drücken einen Vergleich aus. Sie hängen immer von einem Adjektiv ab. Das Verb steht am Ende.
Vergleichssätze werden bei Gleichheit mit *wie*, bei Ungleichheit und nach *ander(e)s* mit *als* eingeleitet:

1. Gleichheit: *so/genauso* + Grundform + *wie*
2. Ungleichheit: Komparativ + *als*, *anders* + *als* oder *etwas/nichts anderes* + *als*

Botschaften der Körpersprache nehmen wir ***so schnell*** *wahr,* ***wie*** *wir gesprochene Sprache aufnehmen.*
Wir achten instinktiv viel ***mehr*** *auf die Körpersprache,* ***als*** *wir meinen.*
Körpersignale aus anderen Kulturen bedeuten oft etwas ***anderes, als*** *man denkt.*

Vergleichssätze mit *je …, desto/umso …*

Vergleichssätze mit *je …, desto/umso …* haben oft konditionale Bedeutung.
Wenn die Signale eindeutig sind, (dann) verstehen wir sie besser.

Irreale Vergleichssätze mit *als, als ob* und *als wenn*

Sätze mit *als, als ob* und *als wenn* drücken einen irrealen Vergleich aus. Deswegen wird der Konjunktiv II verwendet. Der Vergleichssatz kann dem Hauptsatz nicht vorangestellt werden.

Vergleichssätze mit *als ob* und *als wenn*

Hauptsatz	Nebensatz
Die Kollegen tun immer so,	***als ob*** *sie alle perfekt wären.*
Es scheint so,	***als wenn*** *wir uns schon lange kennen würden.*

Vergleichssätze mit *als*

Hauptsatz	Hauptsatz
Der Chef behandelt uns,	***als*** *wären wir gleichberechtigte Partner.*

Irreale Vergleichssätze stehen nach Verben des Wahrnehmens, Fühlens und Verhaltens:
Ich fühle mich, …
Es kommt mir so vor, …
Es hört sich so an, …
Er verhält sich, …
Ich habe das Gefühl, …
Es sieht so aus, …
Er benimmt sich, …

Konnektoren: Kausal-, Konzessiv- und Konsekutivsätze B1+K4M3

Hauptsatz + Nebensatz: *Er ruft nicht um Hilfe, **obwohl** er Angst hat.*
Hauptsatz + Hauptsatz: *Nach Hilfe rufen war lächerlich, **denn** die Freunde waren nicht weit.*
Hauptsatz + Hauptsatz mit Inversion (Verb direkt hinter dem Konnektor): *Heute ist sein Geburtstag, **deshalb** feiern sie zusammen.*

	Grund (kausal)	**Gegengrund (konzessiv)**	**Folge (konsekutiv)**
Hauptsatz + Nebensatz	*weil, da*	*obwohl*	*so …, dass* *sodass*
Hauptsatz + Hauptsatz	*denn*		
Hauptsatz + Hauptsatz mit Inversion		*trotzdem*	*darum, daher, deswegen, deshalb*

Konnektoren *um zu, ohne zu* und *(an)statt zu* + Infinitiv und Alternativen B2K3M3

Bedeutung	***um/ohne/(an)statt + zu +* Infinitiv: gleiches Subjekt im Haupt- und Nebensatz**	***damit, ohne dass, (an)statt dass*: unterschiedliche Subjekte im Haupt- und Nebensatz***	**Alternativen**
Absicht, Ziel, Zweck (final)	*Ich rufe an, **um** das Teamevent **zu** buchen.*	*Ich rufe an, **damit** die Firma ein Angebot erstellt.*	*Ich rufe an, **weil** ich das Teamevent buchen **möchte**.* *Ich rufe **zum** Buchen des Teamevents an.*
Einschränkung (restriktiv)	*Ich habe lange gewartet, **ohne** ein Angebot **zu** bekommen.*	*Ich habe lange gewartet, **ohne dass** die Firma ein Angebot geschickt hat.*	*Ich habe lange gewartet, **aber** ich habe das Angebot **nicht** bekommen.* *Ich habe lange gewartet, **trotzdem** habe ich das Angebot nicht bekommen.*
Alternative oder Gegensatz (alternativ oder adversativ)	***(An)statt** lange **zu** telefonieren, könntest du das Angebot fertig machen.*	***(An)statt dass** wir lange telefonieren, könnten Sie mir das Angebot per Mail schicken.*	*Sie haben **nicht** telefoniert, **sondern** die Firma hat das Angebot per Mail geschickt.*

* *damit* verwendet man auch bei gleichem Subjekt (*Ich rufe an, damit ich das Teamevent buchen kann.*). *ohne dass* und *anstatt dass* wird selten bei gleichem Subjekt verwendet.

Konnektor: *während* B2K10M3

Der Konnektor *während* leitet Nebensätze ein und kann zwei unterschiedliche Bedeutungen haben:

temporale Bedeutung (Zeit)	**adversative Bedeutung (Gegensatz)**
***Während** man studiert, kann man durch Praktika unterschiedliche Berufe kennenlernen.*	***Während** einige schon früh einen festen Berufswunsch haben, probieren andere verschiedene Berufe aus.*

Temporalsätze

B1+K9M1

Fragewort	Beispiel
Wann? Wie lange? Gleichzeitigkeit: Hauptsatz **gleichzeitig mit** Nebensatz	*Immer* ***wenn*** *ich Radtouren unternommen habe, hat mich das Reisefieber gepackt.* **wenn:** wiederholter Vorgang in der Vergangenheit ***Als*** *ich 25 war, bekam ich großes Fernweh.* **als:** einmaliger Vorgang in der Vergangenheit ***Während*** *ich letzte Reisevorbereitungen traf, verkaufte ich meinen kompletten Hausrat.* **während:** andauernder Vorgang ***Solange*** *ich nicht zu Hause war, war ich einfach glücklich.* **solange:** gleichzeitiges Ende beider Vorgänge
Vorzeitigkeit: Nebensatz **vor** Hauptsatz	***Nachdem*** *ich das Abi geschafft hatte, fuhr ich per Anhalter durch Europa.*
Nachzeitigkeit: Nebensatz **nach** Hauptsatz	***Bevor*** *ich die Reise beginnen konnte, brauchte ich das notwendige Startkapital.*
Seit wann?	***Seitdem*** *ich nichts mehr besitze, fühle ich mich freier.*
Bis wann?	***Bis*** *die Reise beginnen konnte, hat es noch einen Monat gedauert.*

Zeitenwechsel bei *nachdem*

Gegenwart:	*Ich fahre per Anhalter durch Europa,*	Präsens
	nachdem ich das Abi geschafft habe.	Perfekt
Vergangenheit:	*Ich fuhr per Anhalter durch Europa,*	Präteritum
	nachdem ich das Abi geschafft hatte.	Plusquamperfekt

Modalsätze

B2K7M3

Mit Modalsätzen wird die Art und Weise ausgedrückt, wie etwas geschieht.

Der Konnektor ***dadurch, dass*** hat zwei Teile: *dadurch* steht im Hauptsatz, *dass* leitet den Nebensatz ein.

Sprachen sterben ***dadurch,*** ***dass*** *eine Muttersprache nicht an die Kinder weitergegeben wird.*

Hauptsatz — Nebensatz

Dadurch, ***dass*** *Samuel Taylor starb,* *starb auch seine Sprache.*

Hauptsatz — Nebensatz — Hauptsatz

Oft hat der Konnektor *dadurch, dass* auch eine kausale Bedeutung und entspricht einem Nebensatz mit *weil*:
Dadurch, dass *Samuel Taylor starb, starb auch seine Sprache.* = ***Weil*** *Samuel Taylor starb, starb auch seine Sprache.*

Der Konnektor **indem** leitet einen modalen Nebensatz ein und beschreibt oft das Instrument oder Mittel einer Handlung: *Oft schafft man eine genaue Übersetzung auch nicht,* ***indem*** *man ein Wörterbuch benutzt.*

Der modale Konnektor *indem* wird immer zusammengeschrieben und sollte nicht mit Relativsätzen mit der Präposition *in* verwechselt werden: *Die Übersetzung schafft man nur mit einem Wörterbuch, in dem alle Bedeutungen der Wörter aufgelistet sind.*

Relativsätze

B1+K7M3/B2K4M1

Relativpronomen *der, die, das*
Genus und Numerus des Relativpronomens richten sich nach dem Bezugswort.
Der Kasus richtet sich nach dem Verb im Relativsatz oder der Präposition.

Sie war die erste Frau, die ich getroffen habe.
+ Akk.

*Sie war die erste Kollegin, **mit** der ich gearbeitet habe.*
mit + Dat.

Relativpronomen *wo, wohin, woher*
Gibt ein Relativsatz einen Ort, eine Richtung oder einen Ausgangspunkt an, kann man statt Präposition und Relativpronomen *wo, wohin, woher* verwenden.

Ich habe Anne in der Stadt kennengelernt,	*… **wo** wir gearbeitet haben.*	Ort
	*… **wohin** ich gezogen bin.*	Richtung
	*… **woher** mein Kollege kommt.*	Ausgangspunkt

Bei Städte- und Ländernamen benutzt man immer *wo, wohin, woher.*
*Gabriel kommt aus São Paulo, **wo** auch seine Familie lebt.*

Relativpronomen *was*
Bezieht sich das Relativpronomen auf einen ganzen Satz oder stehen die Pronomen *das, etwas, alles* und *nichts* im Hauptsatz, dann verwendet man das Relativpronomen *was.*
*Das, **was** du suchst, gibt es nicht.*
*Meine Beziehung ist etwas, **was** mir viel bedeutet.*
*Alles, **was** er mir erzählt hat, habe ich schon gewusst.*
*Es gibt nichts, **was** ich meinem Freund verschweigen würde.*
*Meine Schwester hat letztes Jahr geheiratet, **was** mich sehr gefreut hat.*

Relativpronomen *wer*

Nominativ	*wer*
Akkusativ	*wen*
Dativ	*wem*

Relativsätze mit *wer* beschreiben eine unbestimmte Person näher. Der Nebensatz beginnt mit dem Relativpronomen *wer,* der Hauptsatz mit dem Demonstrativpronomen *der.* Der Kasus der Pronomen richtet sich nach dem Verb im jeweiligen Satz. Wenn beide Pronomen im gleichen Kasus stehen, kann *der/den/dem* entfallen.

Bildung

Jemand	*hat Eintragungen bei der Polizei.*	*Er*	*hat sich seine Zukunft verbaut.*
Wer Nominativ	*Eintragungen bei der Polizei hat,*	***[der]*** Nominativ	*hat sich seine Zukunft verbaut.*
Jemand	*kommt ins Taekwondo-Training.*	*Ihn*	*bringt der Trainer nicht zur Polizei.*
Wer Nominativ	*ins Taekwondo-Training kommt,*	***den*** Akkusativ	*bringt der Trainer nicht zur Polizei.*
Jemandem	*bringt der Trainer Taekwondo bei.*	*Er*	*lernt Respekt und Fairness.*
Wem Dativ	*der Trainer Taekwondo beibringt,*	***der*** Nominativ	*lernt Respekt und Fairness.*

Textzusammenhang

B2K7M1

Funktion	Beispiele
Artikelwörter … machen deutlich, ob ein Wort im Text bereits genannt wurde. Possessivartikel verweisen auf andere Nomen.	bestimmter Artikel: *der, das, die …* Demonstrativartikel: *dieser, dieses, diese …* Possessivartikel: *sein, sein, seine …*
Pronomen … verweisen auf Nomen, Satzteile oder ganze Sätze.	Personalpronomen: *er, es, sie …* Possessivpronomen: *seiner, seines, seine …* Relativpronomen: *der, das, die …* Indefinitpronomen: *man, niemand, jemand …* Demonstrativpronomen: *dieser, dieses, diese …*
Orts- und Zeitangaben … machen Zeitbezüge deutlich und ordnen die Ereignisse räumlich ein.	Temporaladverbien: *damals, heute …* Verbindungsadverbien: *zuerst, dann …* andere Zeitangaben: *im selben Moment, im 18. Jahrhundert …* Lokaladverbien: *hier, dort …*
Konnektoren … geben Gründe, Gegengründe, Bedingungen, Folgen, Zusammenhänge usw. wieder.	*weil, doch, deshalb, obwohl, trotzdem, nachdem, sowohl … als auch, nicht nur …, sondern …*
Präpositionaladverbien … stehen für Sätze und Satzteile.	*darüber, daran, darauf …* *worüber, woran, worauf …*
Synonyme und Umschreibungen … vermeiden Monotonie und machen den Text interessanter.	*das Schloss Schönbrunn – die Hauptattraktion der Stadt Wien – das imposante Bauwerk – der Palast*

Im Lehrbuch sowie im Arbeitsbuch finden Sie Aufgaben, die auf die Prüfungen zum B2-Niveau des Goethe-Instituts und von TELC vorbereiten.
Modelltests (auch zum Österreichischen Sprachdiplom B2 Mittelstufe Deutsch) finden Sie unter www.aspekte.biz im Bereich „Tests".

Fertigkeit	Goethe-Zertifikat B2	telc Deutsch B2
Leseverstehen		
Aufgabe/Teil 1	**AB** K3, M4, A3	**LB** K4, M2, A2 **AB** K8, M2, A1
Aufgabe/Teil 2	**LB** K3, M2, A2a **AB** K9, M4, A6	**LB** K3, M2, A2a **AB** K9, M4, A6
Aufgabe/Teil 3	**AB** K4, M4, A4c **LB** K7, M4, A2b	**AB** K10, M4, A1
Aufgabe/Teil 4	**AB** K2, M4, A2a **AB** K6, M2, A4	
Sprachbausteine		
Teil 1		**AB** K1, M1, A1
Teil 2		**AB** K2, M1, A1 **AB** K4, M2, A4 **AB** K9, M2, A2
Hörverstehen		
Aufgabe/Teil 1	**AB** K3, M3, A1	**LB** K8, M2, A2 **AB** K7, M2, A1
Aufgabe/Teil 2	**LB** K5, M2, A2b	**LB** K2, M4, A2a **AB** K8, M3, A6
Aufgabe/Teil 3		**AB** K6, M3, A6
Schriftlicher Ausdruck		
Aufgabe/Teil 1	**AB** K3, M2, A1 **LB** K5, M4, A5c	**AB** K1, M2, A1 (Bitte um Information) **AB** K3, M2, A1 (Leserbrief) **LB** K3, M4, A4b (Bewerbung) **LB** K5, M4, A5c (Leserbrief) **LB** K10, M4, A5c (Beschwerde)
Aufgabe/Teil 2	**AB** K1, M3, A3 **AB** K10, M2, A2	
Mündlicher Ausdruck		
Aufgabe/Teil 1	**LB** K9, M2, A3d **AB** K5, M4, A1c	**LB** K7, M4, A8c
Aufgabe/Teil 2	**LB** K6, M4, A5c	**LB** K4, M4, A3b
Aufgabe/Teil 3		**LB** K1, M4, A7 **AB** K8, M4, A2

Auswertungen

Lösungen zum Quiz, Kapitel 5, Auftakt

1. Das Mittelalter dauerte zehn Jahrhunderte. Es begann im 6. Jahrhundert und endete im 15. Jahrhundert. Über den genauen Anfang und das genaue Ende gibt es unterschiedliche Meinungen.
2. Für jeden Schritt aktiviert der Mensch 54 Muskeln.
3. Katzen verschlafen etwa 65–70 % ihres Lebens.
4. Das Femtometer ist die kleinste Längeneinheit. Sie entspricht 10^{-15} m.
5. 1883 meldete Gottlieb Daimler den ersten Einzylinder-Viertaktmotor mit Benzinverbrennung an, den er zusammen mit seinem Angestellten Wilhelm Maybach entwickelt hatte. Nicolaus August Otto hatte davor bereits einen Viertakt-Motor entwickelt, der aber mit Gas angetrieben wurde.
6. Olivenöl: 898 kcal, Speck: 810 kcal, Schokolade: 546 kcal
7. Die Sumerer. Als die älteste Schrift wird heute die Keilschrift betrachtet.
8. Laut OECD Gesundheitsstudie 2013 werden die Schweizer am ältesten (82,8 Jahre), dicht gefolgt von den Japanern (82,7 Jahre). In Spanien werden die Menschen im Durchschnitt 82,4 Jahre alt, in Schweden 81,9.
9. Eine Mücke schlägt pro Sekunde 1.000 Mal mit ihren Flügeln.
10. Die Donau ist am längsten mit 2880 km (ca. 680 km in Deutschland, 350 km in Österreich). Rhein: 1239 km (ca. 865 km in Deutschland, Rest in der Schweiz), Elbe: 1094 km (727 km durch Deutschland)

Lösungen zum Test, Kapitel 6, Auftakt

A
1. alle Monate
2. Monika
3. zwei Äpfel
4. drei Minuten
5. neun Schafe

B
1. Cousine
2. Sohn
3. Vater
4. acht

C
1. Joghurt und Quark (Milchprodukte)
2. Madrid und Berlin (Hauptstädte)
3. Physik und Biologie (Naturwissenschaften)
4. Gold und Silber (Edelmetalle)

D
1. C
2. M
3. H
4. M

E
1. dünn
2. vergessen
3. Wasser
4. brüllen

F
1. Freitag
2. Samstag
3. 4. Januar
4. Donnerstag

Lösungen zu Kapitel 8, Modul 3, Aufgabe 4

„Wilhelm Tell ist der wichtigste Freiheitskämpfer der Schweiz."
Der Dichter Friedrich Schiller machte mit seinem Drama „Wilhelm Tell" (1804) den Jäger aus dem Schweizer Ort Bürglen zum Helden des Schweizer Freiheitskampfes. Allerdings gibt es keine Belege dafür, dass Wilhelm Tell tatsächlich gelebt hat und auch der Landvogt namens Geßler, den Wilhelm Tell der Sage nach ermordet hat und dadurch den Freiheitskampf entfachte, ist in keiner historischen Akte oder Urkunde erwähnt.

„Charles Lindbergh flog als erster Mensch über den Atlantik."
Im Mai 1927 flog Charles Lindbergh von New York nach Paris – und brauchte dafür über 33 Stunden. Dieser Flug war ein großes Medienereignis. Das war durchaus gewollt, denn Geschäftsleute aus St. Louis zahlten den Flug der Maschine, die auf den Namen „Spirit of St. Louis" getauft wurde. Sicherlich war dieser Flug der seinerzeit am meisten beachtete Flug über den Atlantik und Lindbergh war der erste Mensch, der diese Strecke alleine flog. Aber schon acht Jahre vorher wurde der Atlantik zum ersten Mal überflogen, zunächst mit sechs Zwischenlandungen und einen Monat später bereits nonstop von zwei Engländern. Insgesamt hatten bereits 66 Männer den Atlantik auf dem Luftweg überquert, bevor Charles Lindbergh diese Reise als erster Alleinflieger unternahm.

„Der Treibstoff ‚Benzin' ist nach Carl Benz, dem Pionier der Autoindustrie, benannt."
Der berühmte Ingenieur Carl Benz war zwar Pionier der Autoindustrie, das Wort ‚Benzin' gab es jedoch schon, bevor Carl Benz das Licht der Welt erblickte. Vermutlich ist der Begriff arabischen Ursprungs und geht auf das Wort ‚Benoeharz' zurück, aus dem Benzin ursprünglich gewonnen wurde.

Vorlage für eigene Porträts einer Person

Name, Vorname(n)	
Nationalität	
geboren/gestorben am	
Beruf(e)	
bekannt für	
wichtige Lebensstationen	
Was sonst noch interessant ist (Filme, Engagement, Hobbies…)	

Vorlage für eigene Porträts eines Unternehmens / einer Organisation

Name	
Hauptsitz	
gegründet am/in/von	
Tätigkeitsfeld(er)	
bekannt für	
wichtige Daten/Entwicklungen	
Was sonst noch interessant ist (Engagement, Sponsoren …)	

Bild- und Textnachweis

S. 8 A: DMP1 – iStockphoto.com; B: Martin Valigursky – shutterstock.com; C: fatihhoca – iStockphoto.com; D: Dieter Mayr; E: Corel; F: Dmitri Mikitenko – shutterstock.com; G: kleiness – iStockphoto.com
S. 9 H: William Perugini – shutterstock.com; I: Ute Koithan; J: Helen Schmitz; K: lore – iStockphoto.com; L: Mirek Kijewski – shutterstock.com; M: blende64 – Fotolia.com
S. 10 robynmac – Fotolia.com
S. 12 Kartografie und Grafik – Theiss Heidolph
S. 13 www.cooh.ch
S. 14 Rollenkarten nach einer Idee von Patricia Eszlinger & Peggy Pfeiffer © www.interculture.de / Fachgebiet IWK Uni Jena
S. 16 oben: Axel Lauer – shutterstock.com; unten links: michaeljung – shutterstock.com; unten rechts: 2xSamara.com – shutterstock.com
S. 17 Foto: Noam Armonn – shutterstock.com; Text: http://www.bosch-stiftung.de/content/language1/downloads/Junge_Migranten_Projekte_Bildungsfoerderung.pdf
S. 18/19 Foto oben: Koko N'Diabi Roubatou Affo-Tenin; Text oben: Ulrike Petzold/Gruner + Jahr aus „Brigitte Woman" 05/2007 / Picture Press; Foto Mitte: Slava Gutsko – iStockphoto.com; Foto unten: Sandeep Singh Jolly; Text unten: Jörg Lau/Zeitverlag aus „Auch wir sind Deutschland" aus: DIE ZEIT # 19/2007
S. 20 Foto: Ulrich Baumgarten – getty images; Text (gekürzt): NDR.de – 2013 – Patricia Batlle
S. 22/23 Grafik: obs/Zurich Gruppe Deutschland/Zurich Versicherung; Rest: Lizenz durch www.zdf-archive.com / ZDF Enterprises GmbH – Alle Rechte vorbehalten.
S. 24 2A/B: Erich Lessing – akg-images; 3A: Gabriele Maltinti – shutterstock.com; 3B: cammep – shutterstock.com; 3D: pockygallery – shutterstock.com; 3C: wutlosonew – shutterstock.com
S. 25 4: Dieter Mayr; 5A: koya979 – Fotolia.com; 5B: sashahaltam – shutterstock.com; 5C: anatolypareev – shutterstock.com
S. 26 1 exopixel – shutterstock.com; 2, 3, 4, 6 Bettina Lindenberg; 5 VladislavGudovskiy – shutterstock.com
S. 28 Thomas Rabsch – laif
S. 30 links: Monkey Business Images – shutterstock.com; Mitte: bikeriderlondon – shutterstock.com; rechts: Monkey Business Images – shutterstock.com
S. 32 links: Image Source – Corbis; Mitte: Fotolia.com; rechts: Ryan Jorgensen-Jorgo – shutterstock.com
S. 34 Tablet: Radu Bercan – shutterstock.com
S. 35 Dieter Mayr
S. 36 Foto: Frank Hoensch – getty images; Text (gekürzt): SPIEGEL ONLINE, Kultur, 30.09.2010 www.spiegel.de/kultur/musik/pop-hoffnung-sophie-hunger-ich-habe-permanent-schlechte-laune-a-712458.html
S. 38/39 Lizenz durch www.zdf-archive.com / ZDF Enterprises GmbH – Alle Rechte vorbehalten.
S. 40/41 Dieter Mayr
S. 42 A: Dana Heinemann – Fotolia.com; B: Marcin Balcerzak – shutterstock.com; C: shutterstock.com; D: Inga Ivanova – shutterstock.com; E: contrastwerkstatt – Fotolia.com; F: Idprod – Fotolia.com; G: wavebreakmedia – shutterstock.com; H: NotarYES – shutterstock.com
S. 46 links: Segelsport am Tegernsee GmbH; Mitte: Manchan – getty images; rechts: ARochau – Fotolia.com; Symbole: Pavel K – shutterstock.com
S. 47 alphaspirit – shutterstock.com
S. 48 Jeanette Dietl – shutterstock.com
S. 50 america365 – shutterstock.com
S. 52 Fotos: www.manomama.de; Text: ReformhausMarketing GmbH
S. 54 Lizenz durch www.zdf-archive.com / ZDF Enterprises GmbH – Alle Rechte vorbehalten.
S. 55 Geld: Lizenz durch www.zdf-archive.com / ZDF Enterprises GmbH – Alle Rechte vorbehalten.; Icons: PILart – shutterstock.com
S. 56 A: Wolf-Rüdiger Marunde; B: Til Mette; C: Uli Stein Cartoon
S. 57 D, F: Tom Körner; E: Harm Bengen / toonpool.com
S. 58 dpa – picture alliance
S. 60 Susanne Güttler – Fotolia.com
S. 61 Hemeroskopion – Fotolia.com
S. 62 A: ollyy – shutterstock.com; B: prudkov – shutterstock.com; C: Eugenio Marongiu – shutterstock.com; D: Goodluz – shutterstock.com
S. 64/65 Text: Wissenschaftszentrum Berlin für Sozialforschung; Grafiken: Picture Press
S. 66 Oliver Fanitsch / Horst Schroth
S. 67 Dieter Mayr
S. 68 Fotos: Wolfgang Borrs/Bundesverband Deutsche Tafel e.V.; Text und Logo: Bundesverband Deutsche Tafel e.V.
S. 70/71 Lizenz durch www.zdf-archive.com / ZDF Enterprises GmbH – Alle Rechte vorbehalten.
S. 71 Text und Logo: DIALOG IM DUNKELN® Consens Ausstellungs GmbH
S. 72 1 Erica Guilane-Nachez – Fotolia.com; 2 Patrizia Tilly – shutterstock.com; 3 Helen Schmitz; 4 Alwyn Cooper – iStockphoto.com; 5a: Science & Society Picture Library – getty images; 5b: Hulton Archive – getty images; 5c: Science & Society Picture Library – getty images
S. 73 6a: Danny Smythe – shutterstock.com; 6b: Viktor1 – shutterstock.com; 6c: Valentyn Volkov – shutterstock.com; 7 Michael Fuery – shutterstock.com; 8 KARL MATHIS – picture alliance/KEYSTONE; 9 Holger Mette – shutterstock.com; 10 Werner Muenzker – shutterstock.com
S. 74 CroMary – shutterstock.com
S. 80 Foto: SilviaJansen – iStockphoto.com; Text: Matthias Drobinski aus Süddeutsche Zeitung vom 27./28.10.2007
S. 81 Sarah Cheriton-Jones – shutterstock.com
S. 82 racorn – shutterstock.com
S. 84 Popperfoto – getty images
S. 86/87 Lizenz durch www.zdf-archive.com / ZDF Enterprises GmbH – Alle Rechte vorbehalten.
S. 90 Amy Walters – Fotolia.com
S. 91 PiXXart – shutterstock.com
S. 92 michaeljung – shutterstock.com
S. 94 oben: Ljupco Smokovski – shutterstock.com; Symbole: Giraphics – shutterstock.com
S. 96 Johanna: arek_malang – shutterstock.com; Anja: Minerva Studio – shutterstock.com; Mats: pkchai – shutterstock.com
S. 97 oben: l i g h t p o e t – shutterstock.com; unten: Adam Gregor – Fotolia.com
S. 99 links: Andresr – shutterstock.com; rechts oben: g-stockstudio – shutterstock.com; rechts unten: wavebreakmedia – shutterstock.com

S. 100 Sebastian Vettel: efecreata mediagroup – shutterstock.com; David Alaba: Herbert Kratky – shutterstock.com; Andrea Petkovic: Rena Schild – shutterstock.com; Isabella Laböck: getty images; Giulia Steingruber: ID1974 – shutterstock.com; Anna Schaffelhuber: AFP – getty images

S. 102 A: Kzenon – shutterstock.com; B: ARochau – Fotolia.com; C: l i g h t p o e t – shutterstock.com; D: ambrozinio – shutterstock.com; Seil, Haken und Helm: swinner – shutterstock.com; Sächsische Schweiz: Andrejs83 – shutterstock.com

S. 103 Lizenz durch www.zdf-archive.com / ZDF Enterprises GmbH – Alle Rechte vorbehalten.

S. 104 A: © courtesy Galerie EIGEN + ART Leipzig/Berlin / VG Bild-Kunst, Bonn 2014; B: akg-images; C: akg-images

S. 105 D: © 2014 Georg Baselitz; E: zeno.org

S. 106 oben: Herbert Kratky – shutterstock.com; unten von links nach rechts: akg-images; lucazzitto – Fotolia.com; akg-images; Creativemarc – shutterstock.com

S. 107 links: canadastock – shutterstock.com; rechts: Mihai-Bogdan Lazar – shutterstock.com

S. 108 dpa/dpaweb – picture alliance

S. 112 1 Tupungato – shutterstock.com; 2 Rrrainbow – shutterstock.com; 3 Christian Mueller – shutterstock.com; 4 Dima Sobko – shutterstock.com; 5 MivPiv – iStockphoto.com; unten: Abdruck mit freundlicher Genehmigung © Aufbau Verlag GmbH & Co. KG, Berlin 2014

S. 113/114 Text aus: Edgar Rai: Nächsten Sommer. Roman © Aufbau Verlag GmbH & Co. KG, Berlin 2010 (Die Originalausgabe erschien 2010 im Gustav Kiepenheuer Verlag; Gustav Kiepenheuer ist eine Marke der Aufbau Verlag GmbH & Co. KG)

S. 116 Florian Seefried – getty images

S. 118 oben links: Pi-Lens – shutterstock.com; oben rechts: Jule_Berlin – shutterstock.com; unten: Lizenz durch www.zdf-archive.com / ZDF Enterprises GmbH – Alle Rechte vorbehalten.

S. 119 Lizenz durch www.zdf-archive.com / ZDF Enterprises GmbH – Alle Rechte vorbehalten.

S. 120 A: GES/Markus Gilliar – picture alliance; B: Bizroug – shutterstock.com; C: SCIENCE SOURCE – getty images; D: Sven Simon – picture alliance

S. 121 E: picture alliance; F: Sean Gallup – getty images; G: S. Kuelcue – shutterstock.com; H: Editions- und Forschungsstelle Frank Wedekind

S. 122 links: Freye Rittersleut zu Randingen e.V.; rechts: KIrill_Liv – iStockphoto.com

S. 123 links: Kerstin Behrendt; Mitte: Visit Britain / Grant Pritchard – getty images; rechts: Joachim Röhrig

S. 124 1 Ulrich Baumgarten – getty images; 4 DRK; 5 akg-images – picture-alliance

S. 126 Mozart: Vova Pomortzeff – shutterstock.com; Buchdruck: pure-life-pictures – Fotolia.com; Kaffeetasse: elena moiseeva – shutterstock.com; Mittelalter: Hein Nouwens – shutterstock.com; Text: Infos aus: Gutberlet, Bernd Ingmar: Die 50 populärsten Irrtümer der deutschen Geschichte. Bastei Lübbe Taschenbuch; Meiderbauer, Jörg: Lexikon der Geschichtsirrtümer. Von der Alpenüberquerung bis Zonengrenze. Piper 2006

S. 128 A: Hagen Koch – Berliner Mauer-Archiv; B: Dajana Marquardt; Karte: Klett-Langenscheidt Archiv

S. 130 oben: Tom Stoddart Archive/Kontributor – getty images; unten: picture-alliance – dpa

S. 131 ZB – picture alliance

S. 132 Foto: getty images

S. 134/135 Lizenz durch www.zdf-archive.com / ZDF Enterprises GmbH – Alle Rechte vorbehalten.

S. 136 Papier und Feder: ULKASTUDIO – shutterstock.com; Tinte: Milta – shutterstock.com

S. 137 Tinte: Milta – shutterstock.com; H: Erich Kästner: „Spruch in der Sylvesternacht" aus: Dr. Erich Kästners lyrische Hausapotheke © Atrium Verlag, Zürich 1936 und Thomas Kästner

S. 138 oben links: Syda Productions – shutterstock.com; oben Mitte: stokkete – Fotolia.com; oben rechts: HconQ – shutterstock.com; unten: wavebreakmedia – shutterstock.com

S. 140 turtix – shutterstock.com

S. 142 Vikulin – shutterstock.com

S. 144 Foto: dpa – picture alliance; Text: Auf Uns von Julius Hartog, Andreas Bourani, Thomas Olbrich © Edition Viertelkind / BMG Rights Management GmbH / Edition You Can Buy Taste

S. 148 akg-images

S. 150/151 Lizenz durch www.zdf-archive.com / ZDF Enterprises GmbH – Alle Rechte vorbehalten.

S. 154 A: dpa – picture alliance; B: Karlsruher Institut für Technologie, Institut für Anthropomatik und Robotik; C: www.avatarkids.ch / Amélie Benoist; D: Kirsty Pargeter – Fotolia.com

S. 155 Stefano Tinti – shutterstock.com

S. 156 A: Chutimon – Fotolia.com; B: only4denn – Fotolia.com; C: TASPP – Fotolia.com

S. 156/157 Text (gekürzt): Björn Stephan / SZ-Magazin Nr. 13/2014

S. 158 DOC RABE Media – Fotolia.com

S. 160 A: Fotoluminate LLC – shutterstock.com; B: D.Bond – shutterstock.com; C: Fotoluminate LLC – shutterstock.com; D: JackF – Fotolia.com

S. 161 alphaspirit – shutterstock.com

S. 163 oben: Verlag Kiepenheuer & Witsch; Mitte: gestaltet von Maria José Aquilanti und Philipp Baier; unten: © Prokino

S. 164 akg-images

S. 166/167 brütende Kraniche: Dennis van de Water – shutterstock.com; Flamingos: zixian – shutterstock.com; Papagei: SantiPhotoSS – shutterstock.com; Rest: Lizenz durch www.zdf-archive.com / ZDF Enterprises GmbH – Alle Rechte vorbehalten.

Quellennachweis zur DVD

Kapitel	Filmname	Filmlänge	Quelle
Kapitel 1	Ganz von vorn beginnen	8'54''	Lizenz durch www.zdf-archive.com / ZDF Enterprises GmbH – Alle Rechte vorbehalten. Musik: „Genug ist nicht genug" Musik & Text: Konstantin Wecker © Fanfare Musikverlag Global Musik GmbH; „Inspiration" Musik & Text: Baliardo/Baliardo/Baliardo/Reyes/Reyes/Bouchikhi © Sony Music Publishing UK Ltd. Alle Rechte für Deutschland, Österreich und Schweiz bei Sony/ATV Music Publishing (Germany) GmbH
Kapitel 2	Was man mit dem Körper sagen kann	7'57''	Lizenz durch www.zdf-archive.com / ZDF Enterprises GmbH – Alle Rechte vorbehalten. Musik: „Twilight Mood" v. Paul Jeremy Mottram © Sonoton Music GmbH Co. KG / Cavendish-Music-Co-Ltd. ; "Brave new World" v. Steve Carter © DNA Musik GmbH / Zone Music Limited; "Biodiversity" v. Oscar Rocchi / Dante Panzuti © Sonoton Music GmbH Co. KG / Vivatone Editions
Kapitel 3	Gleicher Lohn für gleiche Arbeit?	4'11''	Lizenz durch www.zdf-archive.com / ZDF Enterprises GmbH – Alle Rechte vorbehalten. Musik: „Keiner kommt hier lebend raus" Musik: Inga Humpe, Thomas Eckert, Jens Wagemann, Text: Inga Humpe © by Edition IT Worx II, It Sounds Edition / Mit freundlicher Genehmigung Arabella Musikverlag GmbH (Universal Music Publishing Group)
Kapitel 4	Blind geboren	5'05''	Lizenz durch www.zdf-archive.com / ZDF Enterprises GmbH – Alle Rechte vorbehalten.
Kapitel 5	An der Nase herumgeführt	2'53''	Lizenz durch www.zdf-archive.com / ZDF Enterprises GmbH – Alle Rechte vorbehalten.
Kapitel 6	Kunstwerke auf ehemaligen Abraumhalden	3'21''	Lizenz durch www.zdf-archive.com / ZDF Enterprises GmbH – Alle Rechte vorbehalten.
Kapitel 7	Faszination Freeclimbing	3'15''	Lizenz durch www.zdf-archive.com / ZDF Enterprises GmbH – Alle Rechte vorbehalten.
Kapitel 8	Ein Traum wird wahr	7'55''	Lizenz durch www.zdf-archive.com / ZDF Enterprises GmbH – Alle Rechte vorbehalten.
Kapitel 9	Musik macht klug	3'53''	Lizenz durch www.zdf-archive.com / ZDF Enterprises GmbH – Alle Rechte vorbehalten.
Kapitel 10	Vogelflug	2'58''	Lizenz durch www.zdf-archive.com / ZDF Enterprises GmbH – Alle Rechte vorbehalten.